PREMIÈRE PARTIE

Sources et bibliographie

Les sources portant sur l'histoire du Nord sont nombreuses dans les pays concernés. Mais le plus souvent on ne les trouve que sur place. De plus, elles sont souvent difficiles d'accès pour la majorité des francophones qui, trop fréquemment, ignorent les langues du Nord. Le handicap de la langue bloque facilement toute recherche ou tout approfondissement de l'étude d'une question particulière. C'est pour cette raison essentielle que nous tenterons de limiter la présentation des sources comme de la bibliographie à ce qui existe en langues française ou anglaise — et qui est déjà fort abondant mais dispersé. Toutefois, il est bien évident qu'on ne peut faire abstraction des documents ou études existant dans les langues locales.

Ces sources se trouvent tout d'abord dans les archives nationales ou royales des différentes capitales : royales à Copenhague, Oslo et Stockholm ; nationales à Helsinki et Reykjavik. Importantes, bien organisées et d'accès matériel grandement facilité par le personnel sur place, ces archives ne sont cependant pas les seules. De nombreuses villes de province disposent de leurs propres archives publiques. Il en va ainsi aussi de diverses organisations culturelles, ouvrières, patronales ou syndicales comme :

[1] *Työväenarkisto* (archives ouvrières) en Finlande, ou encore
[2] *Det Danske Udvandrerarkiv* (archives des émigrants danois) de Ålborg (dans le Jutland).

A côté des archives proprement dites les lieux privilégiés de la recherche sont certainement les bibliothèques royales ou nationales ainsi que les bibliothèques universitaires dont certaines disposent de sections extra-nordiques importantes (ainsi de la Section « slave » de la Bibliothèque de l'Université d'Helsinki qui offre aux chercheurs slavisants la plus belle collection mondiale d'ouvrages russes du XIXe siècle).

Universités, bibliothèques et archives publient régulièrement des catalogues de mise à jour de la liste de leurs biens. C'est ainsi que le Danemark publie tous les cinq ans un

[3] *Dansk Bogfortegnelse* (répertoire des livres danois)

ainsi que la

[4] *Dania Polyglotta*, bibliographie annuelle (en danois, anglais et français) des écrits en langues étrangères intéressant le Danemark

et la

[5] *Bibliografisk Fortegnelse over Statens Tryksager*, 1977, qui est la bibliographie annuelle des écrits danois.

De plus, à intervalles réguliers, des bibliographies plus précisément historiques sont publiées. Au Danemark, trois grandes séries bibliographiques ont paru :

[6] Ericksen (B.) et Krarup (A.), *Dansk historisk bibliografi*, 3 vol., Copenhague, 1917-1929.

Cette première série fait le recensement de tous les ouvrages historiques danois ou concernant le Danemark publiés jusqu'en 1912. Pour la période 1913-1942, il y a :

[7] Bruun (H.), *Dansk historisk bibliografi*, 4 vol., Copenhague, 1966-1970,

et pour 1942-1947 :

[8] Bruun (H.), *Dansk historisk bibliografi*, Copenhague, 1956.

On trouve le même système de publication dans chacun des pays nordiques. Ainsi la Finlande a publié aussi trois séries de bibliographies historiques portant sur les périodes :

[9] *1544-1900:* Vallinkoski (J.), *Suomen historiallinen bibliografia*, Helsinki, 1954.
[10] *1926-1950* : Vallinkoski (J.) et Schauman (H.), *Suomen historiallinen bibliografia*, 2 vol., Helsinki, 1955-1956.
[11] *1951-1960* : Lamminen (P.), *Suomen historiallinen bibliografia*, Helsinki, 1968.

Chacun de ces volumes est sous-titré en suédois et en anglais pour le dernier, en français pour les précédents.

Il existe aussi des bibliographies périodiques particulières en langues étrangères et portant sur les publications intéressant les divers pays nordiques. Il en va ainsi de :

[12] Børge (B.), *La Norvège*, livres et articles en langue française, Oslo, 1970 ;

ou de :

[13] ØKSNEVALD (R.) et THOMAS (L.), *Publications sur la Finlande parues dans les pays de langue française jusqu'en 1945*, Helsinki, 1959.

Certains instituts des pays nordiques, tel l'Institut de Politique étrangère de Stockholm, ou des Etats-Unis d'Amérique, comme les Scandinavian Area Studies de l'Université de Minneapolis (Minnesota), publient des bibliographies concernant l'ensemble des pays nordiques sur un sujet donné :

[14] *Bibliography on international affairs*, 4 vol., Stockholm, 1973, Utrikespolitiska Institutet, édit. par ELOVAINIO (M. K.).

[15] *The Scandinavian Countries in International Affairs. A selected bibliography on the Foreign Affairs of Denmark, Finland, Norway and Sweden 1800-1952*, Minneapolis, 1953, edit. by LINDBERG (F.) et KOLEHMAINEN (J. I.).

Enfin, depuis 1955, il est publié semestriellement à Stockholm une bibliographie des publications historiques importantes parues en Scandinavie depuis 1950. Il s'agit de la

[16] *Excerpta Historical Nordica.*

Rappelons pour mémoire qu'à Paris il est possible de consulter l'ensemble de ces bibliographies (ainsi que de nombreux ouvrages) au Fonds Fennol scandinave de la Bibliothèque Sainte-Geneviève, rue Vallette.

Ces différentes bibliographies qui existent pour chacun des pays concernés sont des sources de renseignements importantes. Elles ne portent pas seulement sur les titres qui se trouvent en librairie mais certaines, en particulier les bibliographies données par les bibliothèques universitaires comme :

[17] Uppsala Universitetsbibliotek.
[18] Københavns Universitetsbiblioteket.
[19] Turun Yliopiston Julkaisuja, etc.,

peuvent porter sur les recherches entreprises ou non publiées (bibliographie des thèses de doctorat, etc.) ou sur les manuscrits déposés dans les diverses archives. Généralement ces bibliographies ne sont pas disponibles en France et il faut s'adresser à chacune des Universités pour les connaître, d'autant que leurs parutions sont très irrégulières dans leur périodicité.

A côté de ces bibliographies que l'on pourrait qualifier d'officielles mais qui, en dépit de tout leur intérêt, ne peuvent être qu'indicatives, l'une des sources essentielles pour prendre connaissance des publications récentes avec un faible décalage dans le temps est l'utilisation des revues et périodiques qui ne sont pas toujours limités au seul champ historique. Ces revues peuvent être classées en historiques, économiques et sociales, politiques et littéraires. De plus en plus souvent, outre les comptes rendus d'ouvrages, ces revues publient des articles en langues étrangères (essentiellement en anglais, parfois en allemand, plus rarement en français) et pour les articles les plus importants des résumés en anglais.

Les quatre grandes revues historiques sont, depuis le xixe siècle :

[20] *Historiallinen Aikakauskirja,* Helsinki.
[21] *Historisk Tidskrift,* Copenhague.
[22] *Historisk Tidskrift,* Oslo.
[23] *Historisk Tidskrift,* Stockholm.

Ce ne sont cependant pas les seules revues historiques. Il en existe de nombreuses autres :

[24] *Historiallisia tutkimuksia,* Helsinki.
[25] *Historie,* Copenhague, Aarhus.
[26] *Studia historica Upsaliensia,* Uppsala, etc.

Les grandes banques (nationales ou privées) ainsi que les organismes syndicaux, professionnels et ministériels publient régulièrement (au minimum annuellement) des statistiques souvent commentées :

[27] *Bank of Finland. Monthly Bulletin,* Helsinki (depuis 1926).
[28] *Business Denmark. Fortnightly review of industry, economy and commerce in Denmark,* Copenhague.
[29] *Current Norvegian Series,* Oslo (depuis 1954).
[30] *Danmarks Statistik. Statistiske efterretninger,* Copenhague, Udg. af Det statistiske departement.
[31] *Economic Review,* Helsinki (mensuel, depuis 1949).
[32] *The Economic situation in Denmark,* Monthly review (Den Danske landmandsbank).
[33] *Economic survey. Valtiovarainministeriö,* Helsinki (depuis 1972).
[34] *Economic survey of Denmark,* Copenhague.
[35] *Hagskýrlur Islands,* Reykjavik (depuis 1914).
[36] *Monetary Review. Danmarks Nationalbank,* Copenhague.
[37] *Nordisk statistik årsbok. Yearbook of Nordic Statistics* — publiés à Copenhague par le Secrétariat du Conseil nordique depuis 1961, et regroupant l'essentiel des statistiques annuelles des cinq pays nordiques.
[38] *Økonomi og politik,* Copenhague, Kvartalssterift udg. af Instituttet for historie og samfundsøkonomi.
[39] *Revue danoise commerciale, sociale, culturelle,* Copenhague, ministère des Affaires étrangères.
[40] *Scandinavian Economic Review. Historical Review,* Stockholm (depuis 1953).
[41] *Skandinaviska Banken. Quarterly Review,* Stockholm (depuis 1919).
[42] *Skandinaviska Enskilda Banken,* Stockholm, avec, en plus de ses publications en suédois, périodiquement :

[42 *a*] *Some data about Sweden 1970-1971 ;*
[42 *b*] *Réalités sur la Suède 1970-1971.*
[43] *Statistik årsbok,* Stockholm (depuis 1926).
[44] *Statistisk Sentralbyrå,* Oslo.
[45] *Suomen Pankin julkaisuja,* Helsinki.
[46] *Sveriges officiella Statistik,* Stockholm.
[47] *The Swedish budget,* Stockholm (depuis 1962).

Dans le domaine plus général : politique, artistique, littéraire, les revues essentielles sont nombreuses. Un certain nombre est publié dans les pays anglophones mais, depuis 1955, une revue spécialisée dans les domaines nordiques paraît à Tartu :

[48] *Skandinavsky Sbornik,* qui comporte des résumés en suédois, en finnois et en anglais.

Les principales de ces revues nordiques ou étrangères sont :

[49] *Aika,* Helsinki (depuis 1970, succède à *Suomalainen Suomi* ayant paru de 1937 à 1970).
[50] *Boréales,* Paris (revue du Centre de Recherches internordiques, créée en 1975).
[51] *The American scandinavian Review,* American Scandinavian Studies, New York.
[52] *The American Swedish Monthly,* New York.
[53] *Danish Journal,* Copenhague.
[54] *Dans udenrigs politisk instituts skrifter,* Copenhague.
[55] *Danske Studier,* Copenhague.
[56] *Etudes finno-ougriennes,* Paris (parution très irrégulière).
[57] *Fornvannen,* Stockholm (à partir de 1906).
[58] *Internord,* Paris (revue de la VIᵉ section de l'Ecole des Hautes Etudes, parution « annuelle »).
[59] *Le Nord,* Paris (de 1930 à 1939).
[60] *Nordeuropa,* Grefswald.
[61] *Nordis administrativt tidskrift,* Oslo.
[62] *Nordisk Tidskrift,* Stockholm.
[63] *Northern Studies,* Edinburgh.
[64] *La Revue du Nord,* Paris (première parution : 1838, parution irrégulière, disparaît avec la première guerre mondiale).
[65] *Samlaren,* Uppsala.
[66] *Scandia,* Stockholm (depuis 1928).
[67] *Scandinavica. An international journal of Scandinavian Studies,* Cambridge, England.
[68] *Scandinavian Political Studies,* Helsinki (depuis 1966 — annuel).

[69] *Scandinavian Review*, New York.
[70] *Scandinavian Studies*, Massachusetts.
[71] *Studia Fennica*, Helsinki.

Des revues étrangères d'intérêt général ont aussi à diverses reprises publié des articles particuliers sur un ou plusieurs des pays nordiques :

[72] *La Documentation française*, « Etudes et Documents », Paris, à diverses reprises a fait paraître des études économiques, historiques et politiques sur chacun des pays ainsi que les textes législatifs de base (constitution).
[73] *Les Etudes économiques de l'OCDE*, Paris, ont publié plusieurs études sur la situation et le développement actuel comparatif des pays nordiques.
[74] *La Revue d'histoire de la guerre mondiale*, Paris, puis :
[75] *La Revue d'histoire de la deuxième guerre mondiale*, Paris, ont présenté des études d'ensemble ou de points particuliers sur l'Europe du Nord — y compris la Suède qui fut neutre — au cours des deux guerres mondiales.
[76] *La Revue internationale d'histoire militaire*, Paris, a consacré plusieurs numéros spéciaux à chacun des pays nordiques.

Deux publications générales livrent fréquemment des informations ou des études originales :

[77] *Etudes germaniques*, Paris.
[78] *Heimdal, Revue d'héritage norois en Normandie*, Caen.

Le liste des revues ou bulletins qui se sont intéressés épisodiquement à la situation des pays nordiques serait longue et fastidieuse — surtout si l'on considère les revues de langue anglaise. Les archives ou bibliothèques nationales (royales) des différents pays nordiques en ont généralement connaissance et les possèdent.

Enfin notons que les ambassades publient des bulletins d'information de façon plus ou moins systématique. Actuellement, alors que l'ambassade de Finlande à Paris a longtemps assuré une telle publication systématique mais semble avoir abandonné ce genre, les informations les plus complètes sont données par l'Ambassade de Suède qui avec ses

[79] *Feuillets de documentation sur la Suède*,

publiés par l'Institut Suédois de Paris — mais imprimés en Suède — fournit mensuellement une abondante documentation.

Parmi les documents importants mais publiés hors des pays nordiques, on ne peut négliger les :

[80] *Documents on British Foreign Policy*, London.
[81] *Documents on German Policy, 1918-1945*, Series D, Washington.

[82] *Documents on International Affairs*, London (edited by CARLYLE).

[83] *Dokioumenti Vnéchneï politiki SSSR (DVP)*, Moskva.

[84] *Foreign Relations of the United States*, Washington.

[85] *Journal officiel de la Société des Nations*, Genève.

[86] *Krasnii Archiv*, Leningrad.

[87] *State Department : Foreign Affairs Branch*, National Archives, Washington.

Certains documents particuliers donnent lieu à des publications spéciales par des organismes officiels. Etant donné qu'ils sont toujours publiés en période de crise — nationale ou internationale — ils ne peuvent être utilisés qu'avec précaution. Toutefois, ils sont intéressants et représentent la position officielle des gouvernements. Ce sont, par exemple :

[88] *Livre blanc-bleu*, Helsinki, 1940, 2 vol. (sur les relations finno-soviétiques de 1939 et 1940).

[89] *Livre bleu*, Stockholm, 1920 (sur les Åland, au moment où la question est remise à la Conférence de la Paix de Paris puis à la SDN).

[90] *Livre rouge*, Moscou (sur la Carélie orientale, réclamée par certains courants fennomanes).

mais aussi :

[91] *Publications de la cour permanente de justice internationale*, Leyde (en particulier en 1923, à propos de la Finlande).

[92] *Conférence politique russe*, Paris, 1919.

[93] *Avis des jurisconsultes étrangers sur la question de la Carélie orientale, 1922-1923*, Helsinki, 1923.

Chacun des pays publie de son côté les textes des :

[94] *Accords internationaux* signés entre la Finlande et...

qui régissent les relations extérieures des pays nordiques.

LES HISTOIRES GÉNÉRALES

Une histoire officielle apparaît à propos de chaque pays si ce n'est dans chacun d'eux. Cela est rendu encore plus sensible par le système de traduction. La valeur de ces « histoires » est très inégale, d'autant que les traductions se font toujours avec un certain retard et qu'elles sont souvent « démodées » dans leur propre pays quand elles paraissent à l'étranger. Cela n'est pas valable de toutes, mais se produit fréquemment. Elles ne peuvent donc bien souvent être qu'indicatives. Depuis quelques années cependant, et très sensiblement dans les publications en langue anglaise — qui d'ailleurs sont de moins en moins des traductions pour laisser la place à des productions originales —, les histoires sont moins apologétiques, plus nuancées pour ne pas dire critiques. Il semble que le rôle des chercheurs américains ait, dans ce domaine, été très positif, et tout particulièrement celui des descendants des émigrés nordiques du siècle dernier. Ces « enfants » éloignés des pays nordiques avaient l'avantage de parler « naturellement » la langue du pays et d'en être détachés, de n'avoir pas à tenir compte, en premier lieu, des hiérarchies scolastiques existantes. Ceci est particulièrement sensible pour la Finlande.

Histoire du Danemark

[95] *Le Danemark*, manuel officiel, Copenhague, 1972. Cet ouvrage abondamment illustré donne de précieuses indications générales et bibliographiques.

[96] *Danmark. Historik billedbog*, 4 vol. illustrés. texte de Kjergaard, Copenhague, 1969-1971.

[97] *Danmarks historie*, 14 vol. sous la direction de Danstrup (J.) et Koch (H.), Copenhague, 1969-1972.

[98] Danstrup (J.), *A history of Denmark*, Copenhague, 1948.

[99] Eydoux (E.), *Les grandes heures du Danemark*, Paris, 1975. Quelques dates « privilégiées » de l'Histoire danoise sont présentées en chapitres séparés.

[100] Jolivet (H. A.), *Le Danemark*, Paris, 1932. Document intéressant surtout pour la conception de la présentation du Danemark aux Français, en 1932.

[101] Jones (W. G.), *Denmark*, London, 1970.

[102] Krabbe (L.), *Histoire du Danemark*, Copenhague, 1950. Ce texte demeure sans doute le meilleur ouvrage historique sur le Danemark pour les lecteurs de langue française. Il est cependant limité, étant donné sa date de composition et de parution.

[103] Lauring (P.), *A history of the Kingdom of Denmark*, Copenhague, 1968.

[104] Oakley (St.), *The story of Denmark*, London, 1972.

[105] Westesgaard (W.), *Danish history and Danish historians*, *Journal of Modern History*, vol. 24 (instrument critique intéressant).

Histoire de Finlande

[106] *Atlas of Finnish History*, Porvoo, 1949.

[107] Jaakkola (J.) et Pohjolan-pirhonen (H.), *Suomen historia*, 7 vol., Porvoo, 1956-1960.

[108] Jackson (J. H.), *Finland*, New York, 1940.

[109] Jutikkala (E.) et Pirinen (K.), *A History of Finland*, New York, 1962. Cette étude, traduite en français mais non publiée, est l'une des plus

complètes qu'on puisse trouver, encore qu'elle s'arrête avec la fin de la deuxième guerre mondiale.

[110] MEAD (W. R.), *Finland*, London, 1968.

[110 *bis*] — and SMEDS (H.), *Winter in Finland*, London, 1967.

[111] MAZOUR (A.), *Finland between East and West*, Princeton, 1956.

[112] PALOKOSKI (T.), *Suomen historian lähteet*, Gaudeamus, 1972.

[113] PUNTILA (L.), *Histoire politique de la Finlande de 1808 à 1955*, Neuchâtel, 1966.

[114] RENVALL (P.), JUTIKKALA (E.) et KORHONEN (A.), *Suomalaisen kansanvallan kehitys*, Porvoo, 1956.

[115] SAUVAGEOT (A.), *Histoire de la Finlande*, 2 vol., Paris, 1968.

[116] SÖDERHJELM (W.), *Finlande et Finlandais*, Paris, 1913.

[117] TERRAIL (H. C. du), *La Finlande et les Russes depuis les croisades suédoises*, Paris, 1963.

[118] WARIS (H.), *Finland, 1918-1968*, London, 1970.

Histoire d'Islande

Ce pays est nettement défavorisé. Les publications sont peu nombreuses et le choix très limité.

[119] *Facts about Iceland*, Reykjavik, 1957.

[120] GREGERSEN (A.), *L'Islande, son statut à travers les âges*, Paris, 1937.

[121] ICELAND, The constitution of the Republic of Iceland, Reykjavik, 1964.

[122] *Iceland to-day. The land and the nation. The Economy and Culture*, Reykjavik, 1961, JACOBSON (G.), GUNNARSSON (J.) et THORLEIFSSON (G.).

[123] THORDARSON (Bj.), *Iceland. Past and Present*, Reykjavik, 1953.

Histoire de Norvège

[124] CHRISTIENSEN, *Norvège. Royaume démocratique*, Oslo, 1962.

[125] DERRY (T. K.), *A History of Modern Norway 1814-1972*, Oxford (Gr.-Br.), 1973. Cette étude est, avec celle de Midgaard, certainement la plus intéressante pour les personnes ne lisant pas le norvégien.

[126] — *A short history of Norway*, London, 1967.

[127] GATHORNE-HARDY (G. H.), *Norway*, 1925. Oslo.

[128] JOLIVET (M. A.), *La Norvège*, Paris, 1932.

[129] KEILHAU (W.), *Norway in World History*, Oslo, 1944.

[130] KNIEDSEN, *Norvège*, Oslo, 1962.

[131] LARSEN (K.), *History of Norway*, Princeton, 1948.

[132] MIGDAARD (J.), *A brief history of Norway*, Oslo, 1970.

[133] STEN (Sv.), KEILHAU (W.), etc., *Den Norsk folks liv og historie gjennemtidene*, 10 vol., Oslo, 1929-1935.

Histoire de Suède

La Suède est sans doute de tous les pays nordiques celui qui a le plus grand nombre de publications de tous ordres connues en France. Nous retiendrons dans un premier temps :

[134] ANDERSSON (I.), *Histoire de la Suède*, Roanne, 1973.

[135] CARLSSON (St.), *History of Modern Sweden*, Stockholm, 1963.

[136] — et ROSEN (J.), *Svensk historia*, 2 vol., Stockholm, 1962.

[137] —, et —, *Den Svenska historien*, 9 vol., Stockholm, 1957-1961.

[138] HALLENDORFF (C.) et SCHÜCK (A.), *A history of Sweden*, Stockholm, 1929.

[139] HERLITZ (N.), *Sweden, a modern democracy on ancient foundations*, Boston, 1938.

[140] HILDEBRAND (E. et L.), *Sveriges historia till vara dagar*, 15 vol., Stockholm (en dépit de son titre ne va pas au-delà de 1936).

[141] MAURY (L.), *La Suède*, Paris, 1932.

[142] OAKLEY (St.), *The Story of Sweden*, London, 1966.

[143] ROBERTS (M.), *Essays in Swedish History*, London, 1967. Ces « essays » forment sans doute la meilleure présentation historique de la Suède.

[144] SVANSTRÖM (R.) et PALMSTIERNA (C. F.), *Histoire de Suède*, Stockholm, 1947.

LES HISTOIRES « CONJOINTES »

De nombreux ouvrages traitent des pays nordiques en parallèle ou conjointement, que ce soit pour des périodes étendues ou pour des études de cas particuliers. Les plus célèbres de ces publications sont peut-être les récits de voyage du XIXe siècle comme ceux de :

[145] CHAILLU (P. du), *Le pays du Soleil de minuit*, Paris, 1882.

[146] — *Un hiver en Laponie*, Paris, 1884.

[147] MARMIER (X.), *Lettres sur le Nord*, Paris, 1957.

[148] GREEN (J.), *La Scandinavie que j'aime*, Paris, 1976. Ouvrage très peu historique mais intéressant pour la vision qu'il donne de la Scandinavie en 1976.

Pour intéressants qu'ils soient, ces livres sont généralement très « dépassés », encore qu'ils aient le mérite du « reportage » et du dépaysement. Nous reviendrons aux études plus proches du domaine historique avec :

[149] ANDREN (N.), *Government and Politics in the Nordic countries*, Uppsala, 1964.

[150] ANTTILA (I.), *Current scandinavian criminology and crime control*, Helsinki, 1974.

[151] BAIN (R. N.), *Scandinavia*, Cambridge University Press, 1905.

[152] BUKDAHL (J.), *Scandinavia. Past and Present*, 3 vol., Odense, 1959.

[153] CARLSSON (St.), *Der Nordern 1720-1815*, Berne, 1960.

[154] CHABOT (G.), *L'Europe du Nord et du Nord-Ouest*, Paris, 1958 ; t. II : *Etude géographique mais avec quelques aperçus historiques et surtout des données démographiques.*

[155] CONNERY (D. S.), *Les Scandinaves*, Paris, 1968 (Publication très « journalistique »).

[156] HECKSCHER (G.), *Démocratie efficace*, Paris, 1957.

[157] — et BERGENDAHL (K.), *Sweden, Norway, Denmark and Iceland in the World War*, New Haven, 1930.

[158] HORTON (J.), *Scandinavian Music. A short history*, London, 1963.

[159] HOVDE (B. J.), *The Scandinavian Countries 1720-1865. The Rise of the Middle classes*, 2 vol., Ithaca, New York, 1948.

[160] HUNTER (L. S.), *Scandinavian Churches*, London, 1965.

[161] JEANNIN (P.), *L'Europe du Nord-Ouest et du Nord*, Paris, 1969.

[162] — *Histoire des pays scandinaves*, Paris, 1956.

[163] JONES (S. S.), *The scandinavian States and the League of Nations*, Princeton, 1939.

[164] JUTIKKALA (E.), *Pohjoismaiden yhteiskunnan historiallinen juuria*, Helsinki, 1965.

[165] JÖRBERG (L.), *The industrial revolution in Scandinavia 1850-1914*, London, 1970.

[166] KARLSTRÖM (O. L.), *The scandinavian approach to Political Integration*, Chicago, 1952.

[167] LAUWERYS (J. A.), *Scandinavian democracy*, Copenhague, 1958.

[168] LINDBERG (F.), *Scandinavian in Great Power Politics 1905-1908*, Stockholm, 1958.

[169] MEAD (W. R.), *An economic geography of the Scandinavian States and Finland*, London, 1958.

[170] PAULSSON (T.), *Scandinavian Architecture*, London, 1958.

[171] SCANDINAVIAN DEMOCRACY, *Development of democratic thought*, Copenhague, 1958.

[172] SHIRER (W. L.), *The Challenge of Scandinavia*, London, 1956.

[173] TOYNE (S. M.), *The Scandinavians in History*, London, 1948.

[174] TRYTTEN (M.), *The scandinavian States and the League of Nations : some political problems*, Wisconsin, 1953.

[175] WUORINEN (J.), *Scandinavia*, Prentice Hall, 1965.

Plusieurs ouvrages incluent les pays nordiques dans des ensembles plus vastes, en particulier lorsqu'il est question de relations internationales. C'est le cas de :

[176] LINDBERG (F.), *La Baltique*, Paris, 1961.

[177] — *Scandinavia and Great power politics*, Stockholm, 1958.

[178] MITCHELL (M.), *Histoire maritime de la Russie*, Paris, 1952.

[179] POTEMKINE (Vl.), *Histoire de la diplomatie*, 3 vol., Paris, 1946-1953.

Il en est ainsi aussi de diverses histoires de nations ayant des relations suivies ou étroites à certains moments avec un ou plusieurs des pays nordiques, en particulier les pays de la Baltique :

[180] ULLMAN (R.), *Anglo-Soviet relations*, 2 vol., *Britain and the Russian Civil war*, New York, 1968.

[181] WHEELER-BENNETT (J.), *Brest-Litovsk. The forgotten peace*, London, 1938.

[182] *Pro Baltica, Mélanges dédiés à K. R. Pusta*, Stockholm, 1965.

[183] PUSTA (C. R.), *Les problèmes de la Baltique*, Paris, 1934.

[184] *La question de la Baltique dans l'Histoire et l'Actualité*, Dusseldorf, 1960.

LES HISTOIRES RÉGIONALES

Les pays nordiques peuvent aussi se retrouver à propos de questions régionales.

La Laponie intéresse tout en même temps la Norvège, la Suède, la Finlande et, parfois, la Russie/URSS.

[185] *Acta Lapponica, Nordiska Muset*, Stockholm, publications à partir de 1948.

[186] ARTAUD (J.), *Les derniers nomades du Grand Nord*, Paris.

[187] BOSI (R.), *The Lapps*, London, 1960.

[188] CHABOT (G.), *La Laponie de Jukkajärvi et Kiruna ; Laponie suédoise*, Paris, 1957.

[189] COLLINDER (Bj.), *Lapparna. En bok om samefolkets forntid och nutid*, Stockholm, 1953.

[190] COLLINDER (Bj.), *The Lapps*, Princeton, 1949.

[191] CROTTET (R.), *La Laponie*, Paris, 1960.

[192] FROELICH (A.), *Les Lapons d'Enontekiö*, Paris, 1949.

[193] HAETTA (L.) et BAER (A.), *Mui'talusat*, Oslo, 1958.

[194] ITKONEN (T. I.), *Suomen Lappalaiset*, 2 vol., Helsinki, 1956.

[195] KARSTEN (R.), *Samefolkets religion. De nordiska lapparnas hedniska tro och kult i religionshistorisk belysning*, Helsingfors, 1952.

[196] KOKKO, *La Laponie aujourd'hui*, Helsinki, 1962.

[197] *Lapin Sivistysseuran julkaisuja*, Helsinki (publications irrégulières).

[198] *The Lapps to-day*, Paris, 1960 (vol. II à paraître depuis 1962).

[199] LIDMAN (J.), *Nordkalott*, Stockholm, 1957.

[200] LISTER (R. P.), *A journey in Lapland*, London, 1965.

[201] MALAURIE (J. N.), *Remarques sur des formes différentes d'acculturation chez les Esquimaux et les Lapons*, Paris, 1958.

[202] MANKER (E.), *Les Lapons des montagnes suédoises*, Paris, 1954.

[203] NESHEIM (A.), *Les Lapons. Histoire et culture*, Oslo, 1970.

[204] NICKUL (K.), *Report on Lapp affairs*, Helsinki, Fennia 76/3, 1953.

[205] PAINE (R.), *Coast Lapp society*, Tromsø, 1957.

[206] RABOT (Ch.), *Explorations en Laponie russe*, Paris, 1889-1892, 2 vol.

[207] *Skolt Lapp Relief Fund*, London, Publications.

[208] TANNER (V.), *Utilisation économique du territoire de Petsamo*, Helsinki, Fennia 49-3, 1927.

[209] TEGENGREN (H.), *En utdöd lappkultur i Kemi Lappmark. Studier i Nordfinlands kolonisationshistoria*, Åbo, 1952.

[210] TURI (J.), *Récit de la vie des Lapons*, Paris, 1974.

[211] VORREN (Ö) et MANKER (E.), *Samekulturen. En oversikt*, Tromsø, 1957.

Les Åland (dites tantôt « îles » tantôt « archipel » et portant en finnois le nom de Ahvenanmaa) ont longtemps été une pomme de discorde entre la Suède et la Finlande :

[212] BARROS (J.), *The Åland question*, New York, 1968.

[213] BONDESTAM (A.), *Åland vintern 1918. Inledning av Matts Dreijer. Skrifter utgivna av Ålands kulturstiftelse VI*, Marienhamn, 1972.

[214] BRIQUET, *La Société des Nations et les îles d'Åland*, *La Revue de Prométhée*, 1939.

[215] CASTREN (E.), *Die Entmilitarisierung und Neutralisierung der Ålandinseln*, Wien, 1960.

[216] CHASTAIN, *Les îles Åland. L'Europe nouvelle*, 1939.

[217] DENIER (J.), *La Suède, la Finlande et les îles d'Åland*, Paris, 1920.

[218] HELLNER (J.), *Ålandsfrågan 1917-1918*, Stockholm, 1960.

[219] HÖIJER, *Le nouvel aspect de la question d'Åland*, Helsinki, 1939.

[220] PALMSTIERNA (C. Fr.), *Ålandsfrågan 1918-1951*, Stockholm, 1951.

[221] *La question des îles d'Åland*, Documents publiés par le ministère des Affaires étrangères de Finlande, Helsinki, 1920.

[222] *Den Svenska utrikespolitikens historia*, IV : *1914-1919* ; V : *1919-1939*, Stockholm, 1951-1953.

[223] SÖDERHJELM, *Démilitarisation et neutralisation des îles d'Åland en 1856 et 1921*, Helsinki, 1928.

[224] TAUBE (M. de), *Problème de la Baltique : les îles d'Åland et le mémorandum de Saint-Pétersbourg du 23 avril 1908*, Paris, 1924.

Certaines questions « régionales » relèvent plus particulièrement d'un pays tout en impliquant d'autres nations. C'est le cas du Schleswig pour le Danemark ou de la Carélie orientale pour la Finlande.

Le Schleswig

[225] ARUP (E.), *Danmarks krise, 1863* : « *Scandia* », vol. 3.

[226] BOUILLE (R. de), *Des droits de la couronne de Danemark sur le duché de Slesvig*, Paris, 1847.

[227] CARR (W.), *Schleswig-Holstein 1815-1848*, Manchester, 1960.

[228] *Den Dansk-Tyske krig, 1864. ugd. af Generalstaben*, 3 vol., Copenhague, *1890-1892.*

[229] FEDERIKSEN (Bj.), *Danmarks sydsslevsigpolitik efter det tyske sammenbrud i 1945.* En analyse af de faktorer, der var bestemmende for dens udformning. Dansk udenrigs politiks instituts skrifter, 3. Aarhus, 1971.

[230] HJELNOLT (H.), *British mediation in the Danish-german conflict 1848-1850*, 3 vol., Copenhague, 1965-1971.

[231] HORNBY (O.), Industrialisation in Denmark and the loss of the Duchies, *Scandinavian Economical History Review*, vol. 17.

[232] JENSEN (N. P.), *Kampen om Sønderjylland*, 4 vol., Copenhague, 1913-1916.

[233] MAGLE (H.), *Le problème du Sudslesvig*, Copenhague, 1950.

[234] STEEPEL (L. D.), *The Schleswig-Holstein question*, Cambridge, 1932.

La Carélie orientale

La documentation, et la littérature de tous ordres, sur cette question est très abondante. Mais on la trouve essentiellement en russe et en finnois, ce qui en limite fortement l'accès. L'ouvrage le plus complet est certainement :

[235] JÄÄSKELÄINEN (M.), *Itäkarjalankysymys*, Porvoo, 1961 (La question de la Carélie orientale).

Toutefois un ouvrage récent en anglais donne de cette question une excellente approche :

[236] CHURCHILL (St.), *The East Karelian autonomy question in Finnish-Soviet relations 1917-1922*, London, 1967.

Quelques documents particuliers sont donnés par :

[237] ERICH, La question de la Carélie orientale, *Revue de droit international*, 1922.

[238] LAHERMA, Le problème de la Carélie orientale, *Revue de Prométhée*, 1939.

[239] MAYNARD (sir), *The Murmansk venture*, London, 1928.

[240] *La question de la Carélie orientale*, 2 vol., Documents publiés par le ministère des Affaires étrangères de Finlande, Helsinki, 1922-1924.

L'histoire « régionale » est fortement développée dans chacun des pays nordiques. Le plus souvent elle existe dans les langues locales, ce qui en limite la diffusion. Toutefois, certains ouvrages trouvent une plus large audience par leur publication en anglais comme :

[241] STAGG (F. N.), *North Norway*, Minnesota, 1952.

Nous ne nous attarderons pas sur ces ouvrages dont on peut trouver mention dans les grandes bibliographies nationales. Cependant, par leur éloignement géographique de leur centre administratif, nous donnerons quelques indications sur les îles Féroë et le Groenland.

Iles Féroë

[242] FAERØERNE, *Affaires étrangères*, Copenhague, 1966.
[243] *The Faroe Islands. Scenery, culture and economy*, Copenhague, 1959.
[244] JACOBSEN (J. Fr.) et ELKAER-HANSEN (N.), *Iles de vieilles roches ; Ames de vieille roche*, Copenhague, 1965.
[245] WILLIAMSON (K.), *The Atlantic Islands. A study of the Faroe life and scene*, with an additional chapter on the Faroes to-day by E. KALLSBORG, London, 1970.

Groenland

[246] BIRKET-SMITH (K.), *The Esquimos of Greenland*, London, 1936.
[247] BURE (Kr.), *Greenland*, Copenhague, 1961.
[248] CHRISTIANSEN (H. C.), *Le Groenland, pays arctique en mutation*, Copenhague, 1970.
[249] CRANTZ (D.), *The history of Greenland*, 2 vol., London, 1820.
[250] DANEMARK, *Summary of statistical information regarding Greenland*, 7 vol., Copenhague, 1947.
[251] GAD (F.), *Gronlands historie*, 2 vol., Copenhague, 1967-1969.
[252] *Greenland*, published by the Royal Danish Ministry for Foreign Affairs, Ringkjøbing, 1958.
[253] *Greenland*, Pub. Commission for the direction of the Geological and geol. investigations in Greenland, t. II : *The past and present population of Greenland ;* t. III : *The colonization of Greenland and its history until 1929*, Copenhague, 1928-1929.
[254] HERTLING (K.), *Greenland past and present*, Copenhague, 1971.
[255] LAURIDSEN (P.), *Bibliographia Groenlandica*, Copenhague, 1890.
[256] MALAURIE (J.), *Les derniers rois de Thulé*, Paris, 1975, réédition utile.
[257] MATHIASSEN (Th.), *Grolændernes historie, belyst gennem udgravningar*, Copenhague, 1935.
[258] REY (L.), *Un univers de glace*, Paris, 1974, ouvrage général mais de bonne initiation.
[259] SKEVE (J.), *Greenland. The Dispute between Norway and Denmark*, Oslo, 1932.

HISTOIRE INTERNORDIQUE ET HISTOIRE « EXTÉRIEURE »

Le goût du voyage, ou de la conquête des mondes, que l'on perçoit tout au long de l'Histoire des pays nordiques depuis les Vikings en passant par Charles XII, se manifeste encore aux XIXe et XXe siècles. Mais la réalité et son reflet — l'Histoire — changent d'objets et de domaines. La conquête des mondes fait place à la construction d'un monde nouveau que l'on trouve dans les relations entre la Norvège et la Suède, dans le scandinavisme, dans l'Union nordique. Le goût du voyage se mue en nécessité qui se manifeste en phénomène migratoire. Quelques titres donneront les indications essentielles.

RELATIONS NORVÈGE-SUÈDE

[260] ALIN (O.), *Den svensk-norska unionen*, 2 vol., Stockholm, 1889-1891.

[261] DOLLOT (R.), *Scandinavie 1906. Enquête sur la séparation de la Suède et de la Norvège*, Paris, 1948.

[262] HELLNER (J.), *La conférence de Carlstad d'août-septembre 1905*, Paris, 1940 (« Le Nord »).

[263] JOURDAN (L.), *La séparation de la Suède et de la Norvège*, Paris, 1906.

[264] JUNGAR (S.), *Ryssland och den svensk-norska unionen upplösning — Tsar diplomati och rysk-finländsk pressopinion kring unions-upplösurigen från 1880 till 1905*, Åbo, 1969.

[265] KNAPLUND (P.), *British views on Norwegian-Swedish Problem 1880-1895*, Oslo, 1952.

[266] LINDGREN (R. E.), *Norway-Sweden. Union, disunion and scandinavian integration*, Princeton, 1959.

L'ouvrage de Lindgren est certainement le tableau le plus complet qui soit sur les relations entre les deux royaumes au XIXe siècle. Il est essentiel à la compréhension de la Norvège et de la Suède, à la fois dans leurs situations intérieures et dans leurs relations. Il est heureusement complété par les vues de Hellner et de :

[267] VOGT, *Les négociations de Carlstad : 1905*, Paris, 1940 (« Le Nord »).

SCANDINAVISME ET UNION NORDIQUE

Là encore le livre de Lindgren est important. Tout comme celui d'Erica Simon — *Réveil national et culture populaire en Scandinavie*, Paris, 1960. Très brièvement nous ajouterons :

[268] ANDERSON (S. V.), *The Nordic Council*, Etats-Unis, 1967.

[269] *La coopération internordique en matières économiques et culturelles*, Copenhague, 1970.

[270] *Coopération nordique dans le domaine social et économique*, Copenhague, 1965.

[271] JORGENSON (Th.), *Norway's relation to Scandinavian unionism 1815-1871*, Northfields (Minn.), 1935.

[272] LUNDH (H.), *Från Skandinavism till neutralitet*, Göteborg, 1950.

[273] VEGARD (Sl.), *Cinq pays nordiques coopèrent*, Copenhague, 1964.

[274] WENDT (Fr.), *The Nordic Council and Cooperation in Scandinavia*, Copenhague, 1959.
[275] ZORGBIBE (Ch.), *Les Etats-Unis scandinaves*, Paris, 1968.

Se plaçant dans une perspective plutôt juridique, l'étude de Ch. Zorgbibe permet de saisir l'histoire du scandinavisme et de l'Union nordique, ainsi que son support psychologique. Sa bibliographie est fort utile.

ÉMIGRATION

Il s'agit ici essentiellement d'une courte bibliographie concernant l'émigration nordique outre-mer. Les migrations intérieures au monde nordique appartiennent plutôt à l'histoire politique, économique et sociale encore que pour la Finlande ce n'ait pas toujours été le cas et qu'il puisse être question par exemple de :

[276] NIKANDER (G.) et BORN (von), *La nationalité suédoise de la Finlande*, Helsingfors, 1920, ou de :
[277] *La question de la minorité finlandaise en Suède*, Helsinki, 1930.

Mais la question essentielle demeure l'émigration vers les Etats-Unis d'Amérique ou l'Australie. Un grand nombre de documents nous sont donnés par l'histoire des Eglises du Michigan, du Delaware ou du Minnesota, de certaines coopératives ou de quelques centres industriels comme :

[278] *Bethlehem Evangelical Lutheran Church, Wing, North Dakota, 50th anniversary 1908-1958*, Washburn, North Dak., 1958.
[279] *Fiftieth anniversary of Paynesville Evangelical Lutheran Congregation, 1907-1957*, Paynesville, Michigan, 1957.
[280] *Fitfy years of progress 1907-1957. The story of the United Co-operative Society of Maynard*, Maynard, Massachusetts, 1967.
[281] *Nashwauk, The iron center. The story of... Compiled by the Fiftieth Anniversary Book Committee*, Nashwauk, Minnesota, 1953.

L'émigration proprement dite vue d'une façon plus générale peut être perçue avec :

[282] BABCOCK (K. Ch.), *The Scandinavian element in the United States*, New York, 1969.
[283] BERGMANN (L. N.), *Americans from Norway*, Philadelphia, 1950.
[284] BLEGEN (I. C.), *The Norwegian migration to America 1825-1860*, 2 vol., Northfield, Minn., 1931-1940.
[285] BREMER (Fr.), *The homes of the New World*, 2 vol., New York, 1954.
[286] COMMAGER (H. S.), *Immigration and American History*, New York, 1962.
[287] HVIDT (K.), Danish Emigration prior to 1914, in *Scand. Econ. Hist. Review*, vol. 14.

[288] — *Flugten til Amerika*, Århus, 1971.

[289] HOGLUND (A. W.), *Finnish immigrants in America 1880-1920*, New York, 1960.

[290] JALKANEN (R.), *Finns in North America*, Michigan, 1970.

[291] KERO (R.), *Migrations from Finland to North America in the Years between the United States Civil war and First World War*, New York, 1970.

[292] KOINKANGAS (O.), *Scandinavian immigration and settlement in Australia before World War II*, Turku, 1974.

[293] KOLEHMAINEN (J.), *The Finns in America*, Michigan, 1947.

[294] — *Haven in the woods : the story of the Finns in Wisconsin*, Wisc., 1965.

[295] — *Star of Hope : the Finns in America*, New York, 1968.

[296] LYNG (J.), *The Scandinavians in Australia, New Zealand and Western Pacific*, Melbourne, 1969.

[297] MORISON (S. E.) et COMMAGER (H. S.), *The growth of the American Republic*, New York, 1951.

[298] QUALEY (C. C.), *Norwegian settlement in the United States*, Northfield, 1938.

[299] VAN CLEEF (E.), Finnish settlement in Canada, New York, 1952 (*The Geographical Review*, n⁰ 42).

Un grand nombre d'ouvrages a aussi paru dans chacun des pays nordiques, concernant tous les types d'émigrations, dans toutes les directions.

LES RELATIONS EXTÉRIEURES
(à l'exception de la seconde guerre mondiale)

[300] ALIN (O.), *Carl Johan och Sveriges yttre politik*, Stockholm, 1898.

[301] ALOPAEUS (S.), *La politique étrangère et la coopération de la Finlande avec l'Europe*, Helsinki, 1969.

[302] BEAUCOURT (C.), *L'Union soviétique et la Finlande, les frontières européennes de l'URSS, 1917-1941*, Paris, 1957.

[303] BELLQUIST (E. C.), *Some aspects of recent Swedish Foreign Policy*, Berkeley and Stockholm, 1929.

[304] BERGERSEN (O.), *Nøytralitet og Krig. Fra Nordens vrepnede nøytralitets saga. En sjømilitaer studie*, 2 vol., Oslo, 1966.

[305] BRUEL, *Les détroits danois du point de vue du droit international*, La Haye, 1936.

[306] COATES (W. P.) et ZELDA (K.), *Russia, Finland and the Baltic*, London, 1940.

[307] COPELAND (W. R.), *The uneasy alliance collaboration between the Finnish opposition and the Russian underground 1899-1904*, Helsinki, 1973.

[308] DANIELSON-KALMARI (J. R.), *Finland's Union with Russian empire*, Porvoo, 1891.

[309] DELAVOIX (C.), *Essai historique sur la séparation de la Finlande et de la Russie*, Paris, 1932.

[310] *Documents on the origins of the war 1898-1914*, 11 vol., ed. G. P. GOOCH and H. W. V. TEMPERLEY, London, 1926-1932.

[311] FISCHER (L.), *Les Soviets dans les affaires mondiales*, t. I, Paris, 1933.

[312] *Finnish Foreign Policy. Studies in Foreign Politics*, Helsinki, 1963.

[313] FOL (J.-J.), *La Finlande dans la politique européenne en 1809-1815*, Paris (*Revue d'histoire diplomatique*, juin 1970).

[314] — La Finlande et son voisin oriental, Paris (*Revue d'histoire diplomatique*, juin 1971).

[315] FRIIS (H.), *Scandinavia between East and West*, New York, 1950.

[316] FUTRELL (M.), *Northern Underground 1863-1917*, London, 1963.

[317] GACHE (P.), La charnière scandinave, Paris (*Revue de la Défense nationale*, VII/1961).

[318] GIHL (T.), *Den Svenska utrikespolitikens historia*, 11 vol., Stockholm, 1951-1959.

[319] GRAHAM (M.), *The diplomatic recognition of the border States : Finland* (Part I), Berkeley, 1935.

[320] GRANDCHAMP (R.), Finlande, Scandinavie, URSS et OTAN, Paris (*Revue de la Défense nationale*, 1960).

[321] GRÈVE (T.), *Norway and NATO*, Oslo, 1968.

[322] GRIPENBERG (G.), *Finland and the Great powers*, Lincoln, 1965.

[323] HARDINGE OF PENHURST (Ch.), *Old diplomacy*, London, 1947.

[324] HARPE (W. von), *Die Sowjetunion, Finnland und Skandinavien 1945-1953*, Köln-Graz, 1956.

[325] HILL (Ch. E.), *The Danish Sound Dues and the command of the Baltic*, Carolina, 1926.

[326] HIRSCHFELDT, *Skandinavien och Atlantpakten*, Stockholm, 1949.

[327] HOLSTI (K.), *The origins of Finnish Foreign Policy 1918-1922*, Stanford, 1968.

[328] IDMAN (K. G.), *Quelques observations sur la coexistence pacifique*, Helsinki, 1960.

[329] JENSEN (B.), *Norway in the United Nations*, Oslo, 1971.

[330] JESSEN (M.-F. de), Les détroits baltiques et leurs problèmes politiques, Paris (*Revue d'histoire de la guerre mondiale*, mai 1928).

[331] JONES (S. S.), *The Scandinavian States and the League of Nations*, Princeton, 1939.

[332] KEILHAU (W.), *Norway and the Atlantic Pact*, Oslo, 1949.

[333] KORHONEN (K.), *Autonomous Finland in the political thought of nineteenth century Russia*, Turku, 1967.

[334] LA RUCHE (Fr.), *La neutralité de la Suède*, Paris, 1953.

[335] LÖCHEN (E.), *Norway in European and Atlantic co-operation*, Oslo, 1964.

[336] MATHIESEN (T.), *Svalbard in International Politics 1871-1925*, London, 1954.

[337] MILLER (K. E.), *Government and Politics in Denmark*, Copenhague, 1968.

[338] MUNCH (P.), *La politique du Danemark dans la Société des Nations*, Paris-Copenhague, 1956.

[339] *Neutrality; the Finnish position*, Speeches of U. KEKKONEN, London, 1970.

[340] ØRVIK (N.), *Fears and Expectations*, London, 1972 (sur Norvège et Communauté européenne).

[341] — *Norwegian foreign policy — a bibliography 1905-1970*, 2 vol., Oslo, 1965-1973.

[342] — *Trends in Norwegian Foreign Policy*, Oslo, 1962.

[343] PAASIVIRTA (J.), *L'administration des Affaires étrangères et la politique extérieure depuis le début de l'Indépendance en 1917 jusqu'à la guerre russo-finlandaise de 1939-1940*, Neuchâtel, 1969.

[344] — *Ensimmäisen maailmansodan voittajat ja Suomi*, Porvoo, 1961 *(Les vainqueurs de la première guerre mondiale et la Finlande)*.

[345] RISTE (O.), *Neutral Ally*, London, 1965.

[346] PAJUNEN (A.), *Finland's security policy in the 1970's*, Helsinki, 1974.

[347] SELEN (K.), *Genevestä Tukholmaan. Suomen turvallisuuspolitiikan painopisteen siirtyminen Kansainliitosta pohjoismaiseen yhteistyöhön, 1931-1936*, Helsinki, 1974 *(De Genève à Stockholm. Le changement d'orientation de la politique de sécurité de la Finlande, de la Société des Nations à la Coopération nordique, 1931-1936)*.

[348] SMITH (C. J.), *Finland and the Russian Revolution 1917-1922*, Georgia, 1958.

[349] SUOMI (J.), *Talvisodan tausta. Neuvostoliitto Suomen ulkopolitiikassa 1937-1939*, Helsinki, 1973 *(L'URSS dans la politique étrangère de la Finlande de 1937-1939)*.

[350] THOMSEN (B. N.) et BRINSLEY (Th.), *Dansk-Engelsk samlandel 1660-1963*, Århus, 1966.

[351] TINGSTEN (H.), *Debate on the Foreign Policy of Sweden*, New York, 1949.

[352] TOMMILA (P.), *La Finlande dans la politique européenne en 1809-1815*, Helsinki, 1962. Ouvrage essentiel pour la compréhension des situations dans le Nord au début du XIXe siècle.

[353] TRYGGER, *L'entrée de la Suède dans la Société des Nations*, Genève, 1923.

[354] VARENIUS (O.), *Kieltraktaten. Den genesis*, Stockholm, 1931.

[355] VIGNESS (P. G.), *The neutrality of Norway in the World War*, New York, 1932.

[356] WARNER (O.), *The Sea and the Sword. The Baltic 1630-1945*, London, 1965.

[357] WAULTRIN (R.), *La neutralité scandinave*, Paris, 1905.

SECONDE GUERRE MONDIALE

La « littérature » concernant la seconde guerre mondiale est particulièrement importante. Pour la Finlande seule, elle comporte plusieurs dizaines si ce n'est plusieurs centaines de titres. La *Revue d'Histoire de la seconde guerre mondiale* (n° 75) donne les indications bibliographiques essentielles. De plus, les quotidiens et périodiques de l'époque sont assez facilement consultables dans les bibliothèques ou les collections particulières. Dans ce domaine, des renseignements appréciables peuvent être aussi trouvés dans certaines grandes « séries », comme le :

[358] CHURCHILL (W. S.), *The second World War*, London, 1950.

Certains documents n'existent encore que dans les langues nordiques, ce qui limite leur diffusion. C'est en particulier le cas pour certaines opérations militaires ou les mémoires de diverses personnalités comme :

[359] LINKOMIES (Ed.), *Vaikea Aika*, Helsinki, 1970 *(Les temps difficiles)*. Ancien Premier Ministre, condamné comme criminel de guerre, Ed. Linkomies nous donne avec ses Mémoires un document psychologique, politique et historique important.

[360] NIUKKANEN (J.), *Talvisodan puolustusministeri kertoo*, Porvoo, 1951 *(Le ministre de la Défense pendant la guerre d'hiver raconte)*.

Nous nous contenterons, pour « dossier » de base, de citer :

[361] ALENIUS, *Finland between the armistice and the peace*, Helsinki, 1947.

[362] ANDENES (J.), RISTE (O.) et SKODVIN (M.), *Norway and the Second World War*, Oslo, 1966.

[363] ASH, *Norvège 1940*, Paris, 1965, Centré sur la bataille de Narvik.

[364] BARUCH, *La Finlande en guerre*, Bruxelles, 1942.

[365] BERTELSEN (A.), *October 43*, London, 1956 (Danemark).

[366] CLARK (D.), *Three days to catastrophe*, London, 1961 (Finlande).

[367] *Dennmark during the German occupation*, Copenhague, 1946.

[368] DERRY (T. K.), *The campaign of Norway*, London, 1952.

[369] *The development of Finnish-Soviet relations during the autumn of 1939*, Philadelphia and New York, 1940.

[370] *Documents sur les relations finno-soviétiques*, Lausanne, 1941.

[371] ERFURTH (W.), *Der Finnische Krieg 1941-1944*, Wiesbaden, 1950.

[372] ERFURTH (W.), *Surprise*, Pennsylvania, 1953 (Finlande et Mourmansk).

[373] FOL (J.-J.), Les réfugiés étrangers en Finlande durant la seconde guerre mondiale, Paris, *Histoire diplomatique*, 4-1969.

[374] — La Finlande dans un miroir déformant, Paris, *La Pensée*, 4-1975.

[375] FRITZ (M.), *German Steel and Swedish iron ore 1939-1945*, Göteborg, 1974.

[376] HAESTRUP (J.), *Le mouvement de la Résistance danoise 1940-1945*, Copenhague, 1970.

[377] HÅSTAD (E.), *Sweden, a wartime survey*, Stockholm, 1942.

[378] HAUSSON (O.), *Risquer plus que la vie*, Paris, 1967 (sur la Norvège occupée).

[379] HEDIN (S.), *Sweden : the dilemna of a neutral*, Stockholm, 1943.

[380] HOPPER, Sweden : a case study in neutrality, *Foreign Affairs*, avril 1945.

[381] ISWOLSKY, *Le peuple russe et la guerre de Finlande*, Paris, 1940.

[382] JAKOBSON (M.), *The diplomacy of the Winter War : an account of the Russian-Finnish war 1939-1940*, Cambridge, Mass., 1961.

[383] JALANTI (H.), *La Finlande dans l'étau germano-soviétique*, Neuchâtel, 1967. Ouvrage comportant bien des erreurs de faits sur la période 1940-1941, comme d'interprétation. Entièrement laudatif d'une politique par la suite remise en question.

[384] KAN (A. S.), *Le problème de la neutralité scandinave au cours de la seconde guerre mondiale*, Moscou, 1954.

[385] KARLSSON (R.), *Så stoppades tysktågen. Den tyska transiterings trafiken i svensk politik 1942-1943. Sverige under andra världskriget*, Stockholm, 1974.

[386] KERSAUDY (Fr.), *La Norvège et les Grandes Puissances de 1938 à 1940*, Paris, 1976.

[387] KOHT (H.), *Norway neutral and Invaded*, London, 1941.

[388] — et SKARD (S.), *The voices of Norway*, London, 1944.

[389] LAMPE (D.), *The savage Canary : the story of resistance in Denmark*, London, 1957.

[390] LINKOMIES (Ed.), La Finlande en 1943, *Nouvelle Revue de Hongrie*, février 1945.

[391] — *Vaikea Aika*, Helsinki, 1970. « Mémoires » d'un Premier Ministre pendant la guerre.

[392] LOOCK (H. D.), *Quisling, Rosenberg and Terboven*, London, 1972.

[393] LUNDIN (C. L.), *Finland in the second World War*, Bloomington, 1957.

L'étude de Lundin est essentielle à la connaissance de la Finlande et de l'historiographie sur la Finlande. Elle est aussi très importante pour la période de l'entre-deux-guerres mondiales.

[394] MILWARD (A. S.), *The fascist economy in Norway*, Oxford, 1972.

[395] MORDAL (J.), *Narvik*, Paris, 1960.

[396] MUNCH (E.), *Sibyllegatan 13 ou la résistance danoise*, Paris, 1970.

[397] NAVISEN (E.), *La route du fer*, Paris, 1964.

[398] NYMAN (Kr.), *Finland's war years 1939-1945*, Helsinki, 1973 (bibliographie des publications autres que finnoises ou russes).

[399] NYSTRUP (P.), *An outline of the German occupation of Denmark 1940-1945*, Copenhague, 1968.

[400] OUTZE (B.), *Denmark during german occupation*, Copenhague, 1946.

[401] PALM (Th.), *The finnish-soviet armistice negotiations of 1944*, Uppsala, 1971.

[402] PAVLOV (D. V.), *Le blocus de Léningrad*, Paris, 1970.

[403] PELTIER (M.), *La Finlande dans la tourmente*, Paris, 1966.

[404] PERRET (J.-L.), *La Finlande en guerre*, Paris, 1940.

[405] PERTINAX, La capitulation de la Finlande, Paris, *L'Europe nouvelle*, 16-III-1940.

[406] PIERRE (A.), Le problème finlandais vu de l'URSS, Paris, *L'Europe nouvelle*, 21-X-1939.

[407] POKHLEBKIN (G. V.), *Finliandiya i vostotchnii sosed*, Moskva, 1968. L'une des études soviétiques des plus intéressantes.

[408] RISTE (O.) et NÖKLEBY (B.), *Norway 1940-1945. The resistance movement*, Oslo, 1970.

[409] ROUSSILLON (D. de), *Vérités sur la Finlande*, Paris, 1947. Première étude en français contestant l'histoire officielle.

[410] ROZDOROJNII et FEODOROV, *Finliandiya — nach servernii sosed*, Moskva, 1966.

[411] SANDLER (A.), *Political aspects of Swedish diplomacy during World War II*, California, 1950.

[412] SCHWARTZ (A.), *America and the Russo-Finnish war*, Washington, 1960.

[413] SOBEL (R.), *The origin of the interventionism — the United States and Russo-Finnish war*, New York, 1960.

[414] TANNER (V.), *The Winter War. Finland against Russia 1939-1940*, Stanford, 1957.

[415] TORRIS (M. J.), *Narvik*, Paris, 1963.

[416] UPTON (A.), *Finland in Crisis 1940-1941*, London, 1964. L'une des œuvres les plus intéressantes sur cette période et sur les influences extérieures pesant sur la Finlande.

[417] WAAVE, *La Bataille de Narvik*, Paris, 1965.

[418] WERSTEIN (I.), *That Denmark might live*, Copenhague, 1967.

[419] WORM-MÜLLER (J.), *Norway revolts against the nazis*, London, 1941.

[420] WUORINEN (J.) (ed.), *Finland and World War II*, New York, 1949. Intéressant surtout pour l'image des rapports finno-soviétiques en Amérique au début de la guerre froide.

HISTOIRE POLITIQUE ET SOCIALE

Histoire intérieure

Il est bien souvent difficile de faire le partage entre les différents domaines du champ historique. L'histoire économique et sociale n'est pas étrangère à l'histoire des relations internationales. De même l'histoire politique et ses développements « intérieurs» ne sont pas sans relations avec l'histoire « extérieure».

Un certain nombre d'ouvrages mêlent tout naturellement les genres. Ce sont tout d'abord les mémoires et les biographies comme celles de :

[421] MANNERHEIM (C. G. E.), *Minnen*, 2 vol., Helsingfors, 1951, dont une traduction abrégée a été publiée en français :

[421 (bis)] — *Mémoires*, Paris, 1953.

[422] HÖJER (T.), *Bernadotte, maréchal de France, roi de Suède*, 2 vol., Paris, 1971.

[423] TOKOI (O.), « *Sisu* » — *even through a stone wall. The autobiography of the first premier of Finland*, New York, 1957.

Il y a aussi les portraits plus rapides, tels ceux de :

[424] KING (J.), *Three bloody men : Mannerheim « the butcher », Denikin the KCB, Koltchak « the bloody one »*, Glasgow, 1919.

[425] RINTALA (M.), *Four Finns. Political portraits of four major leaders of the finnish government : Mannerheim, Tanner, Ståhlberg and Paasikivi*, Berkeley and Los Angeles, 1969.

[426] SCREEN (J. O.), *Mannerheim. The years of preparation*, London, 1970.

Il y a encore les ouvrages généraux qui peuvent avoir un caractère « touristique » mais comportent — inégalement — quelques renseignements intéressants. C'est le cas de la

[427] Collection « Petite Planète », Paris, 1968-1973. Seule manque dans cette série l'Islande.

C'est aussi le cas d'ouvrages collectifs dont l'orientation politique est souvent dictée par les nécessités de l'heure. Ceci est particulièrement sensible avec :

[428] *Liberté créatrice*, Helsinki, 1943 (chapitres de ENCKELL, BROTHERUS, LANGFORS et NUMELIN).
[429] *La Finlande, hier et aujourd'hui*, Helsinki, 1962, sous la direction de G. STENIUS.

Certains « portraits » sont aussi très influencés par les situations politiques des Etats ou les options politiques des auteurs. C'est ce qui se produit avec :

[430] CALLIAS et VOGT, *Au Pays des femmes soldats*, Paris, 1931 (à propos de la Finlande).
[431] CHESSIN (S. de), *Les clefs de la Suède*, Paris, 1935.
[432] PERRET (J.-L.), *Portrait de la Finlande*, Paris, 1937.

Sans s'attacher directement à l'histoire, on retrouve des situations politiques et leurs descriptions dans des œuvres à grande diffusion comme celles de :

[433] DUHAMEL (G.), *Géographie cordiale de l'Europe*, Paris, 1931.
[434] MOUNIER (E.), *Notes scandinaves*, Paris.

Ces « études » rejoignent les notes de voyage [n°s 145 à 147].

De même que pour la seconde guerre mondiale, les pays nordiques apparaissent dans des études plus générales d'un phénomène particulier. C'est ce que l'on voit avec :

[435] MILZA (P.) et BENTELI (M.), *Le fascisme au XXe siècle*, Paris, 1973.
[436] WOOLF (S. F.), *European fascism*, London and Edinburgh, 1968.

Actuellement, et depuis 1971, une petite collection s'attachant aux diverses situations sociales et politiques de la Suède est publiée à Paris :

[437] *La Suède en question*. Plusieurs titres sont disponibles et intéressants pour la Suède actuelle.

Pour les questions plus proprement politiques, nous retiendrons :

[438] ALLARDT (E.) et LITTUNEN (Y.), *Cleavages, Ideologies and Party Systems*, Helsinki, 1964.
[439] ANDREN (N.), *Government and Politics in the Nordic countries*, Uppsala, 1964.
[440] — *Modern Swedish Government*, Stockholm, 1961.

[441] ARNAULT (J.), *Le socialisme suédois*, Paris, 1970.

[442] AUBERT (V.), *Conscientious objectors before Norwegian military courts*, New York, 1963.

[443] BENDIX (R.), et ROKKAN (St.), *The extension of National citizenship to the Lower classes. A comparative perspective*, Washington, 1962.

[444] BJÖRKLUND (St.), *Oppositionen vid 1823 års riksdag. Jordbrukskris och borgerlig liberalism*, Uppsala, 1964.

[445] CAJANDER (A. K.), *L'évolution de la Finlande indépendante*, Helsinki, 1939.

[446] CAMPBELL (A.) et VALEN (H.), Party identification in Norway and the United States, *Public Opinion Quarterly*, 25 (4), 1961.

[447] CASPAR (J.), La résistance légale en Finlande, Paris, 1913.

[448] CROZAT (Ch.), *Les constitutions de Pologne, de Dantzig, d'Esthonie et de Finlande*, Toulouse, 1925.

[449] *La diète de Finlande en 1899*, Paris, 1900.

[450] ECKSTEIN (H.), *Division and cohesion in Democracy. A study of Norway*, New York, 1961.

[451] ELDER (N.), Parliamentary government in Scandinavia, *Parliamentary Affairs* 13 (3), 1960.

[452] ESKOLA (A.), *Local self-government in Finland and the Finnish Municipal law*, Helsinki, 1960.

[453] FERLET (T.), *Miracle de la Suède*, Paris, 1969.

[454] FIVELSDAL (E.) et JACOBSEN (K. D.), *Interresseorganisasjoner og stortingsvalg*, Oslo, 1962.

[455] FOL (J.-J.), *L'accession de la Finlande à l'Indépendance 1917-1919*, Paris, 1975.

[456] FUSILIER (R.), La liberté de la presse en Suède, *Etudes de Presse*, nº 9, 1954.

[457] — *Les monarchies parlementaires*, Paris, 1960.

[458] — *Le Parti socialiste suédois*, Paris, 1954.

[459] — La presse et la politique en Suède, *Etudes de Presse*, nº 7, 1953.

[460] GREENHILL (H.), *The Norwegian Agrarian Party*, Urbana, Ill., 1962.

[461] GROENNINGS (Sv.), *Co-operation among Norway's non-socialist Political Parties*, Stanford, 1962.

[462] HAUTAMÄKI (L.) et SÄNKIAHO (R.), *Some feature about the support of the Finnish Rural Party in years 1962-1970*, Helsinki, 1971.

[463] HECKSCHER (G.), Pluralist democracy, the Swedish experience, *Social Research*, vol. 15, nº 4, 1948.

[464] HORNEMANN (M.), Interressegrupperne og det politiske demokrati, *Økonomi og politik*, 38 (2), 1964 (Oslo).

[465] HÅSTAD (E.), *Det moderna partiväsendets organisation*, Stockholm, 1949.

[466] INGMAN, Le mouvement des paysans finlandais, *L'Europe nouvelle*, 1930.

[467] JANSSON (J. M.), *A century of Finnish government*, Porvoo, 1963.

[468] JÄGERSKIÖLD (St.), Swedish State officials and their position under Public Law and Labor Law, *Scandinavian studies in Law*, 4-1960 (Stockholm).

[469] JÄÄSKELÄINEN (M.), *Itsenäisyyden ajan eduskunta 1919-1938*, Helsinki (*L'Assemblée de la période d'Indépendance 1919-1938*).

[470] KANNINEN, *La Révolution finlandaise en préparation 1889-1905*, Paris, 1912.

[471] KASTARI (P.), *The Constitutional Protection of fundamental Rights and the Constitutional Principle*, Tübingen, 1964.

[472] KASTARI (P.), *Equilibre entre pouvoir législatif et pouvoir exécutif*, La Haye-Helsinki, 1937.

[473] — *La Présidence de la République en Finlande*, Neuchâtel, 1962.

[474] KIHLBERG (M.) et SÖDERLING (D.), *Två studier i svensk konservatism*, Stockholm, 1961.

[475] KOREVO, *La question finlandaise*, Paris, 1912.

[476] KUUSINEN (O. W.), La défaite du fascisme aux élections présidentielles, *L'Internationale communiste*, 1934.

[477] LEHIKOINEN (A.), *Finland 1973*, Turku, 1974.

[478] LINDGREN (J.), *Det socialdemokratiska arbetarpartiets uppkomst i Sverige 1881-1889*, Stockholm, 1927.

[479] LINDMAN (Sv.), *Presidential power in focus. The case of the Finnish President*, Åbo, 1971.

[480] — *Problems in Finnish local government*, Åbo, 1964.

[481] LITTUNEN (Y.) et ALLARDT (E.), Recherches comparatives sur les systèmes de parti et les bases sociales de la politique, *Revue internationale des sciences sociales*, 16 (4), 1964.

[482] MAURY (L.), *Métamorphose de la Suède*, Paris, 1951.

[483] MECHELIN et EHRSTRÖM, *La Constitution du grand-duché*, Paris, 1900.

[484] MEYER (P.), The administrative aspects of the Constitutions of the Northern Countries, *Nordisk administrativt tidsskrift*, 41 (4), 1960.

[485] — *Report on the role of experts in Government : the Scandinavian countries*, Paris, 1960.

[486] MÄKINEN (J.), Les institutions politiques et les problèmes d'aujourd'hui en Finlande, *Revue de science politique*, 5, 1962.

[487] NORDLING (R.), *Suède socialiste et libre entreprise*, Paris, 1970.

[488] NORDSTRÖM (H.), *Sveriges socialdemokratiska arbetareparti under genomsbrottsåren 1889-1894*, Stockholm, 1938.

[489] NOUSIAINEN (J.), *The Finnish political system*, Harvard, 1971.

[490] NYHOLM (P.), *Suomen eduskuntaryhmien koheesio vuosien 1948-1951 vaalikaudella ja vuoden 1954 valtiopäivillä*, Helsinki, 1971 (*Cohésion des groupes politiques à l'Assemblée Nationale au cours de la période législative 1948-1951 et à l'Assemblée de 1954*).

[491] OLSEN (E.), *Considérations sur la Constitution danoise*, Copenhague, 1964.

[492] PALME (O.), *Socialisme à la scandinave*, Paris, 1971.

[493] PARENT (J.), *Le modèle suédois*, Paris, 1970.

[494] PUAUX (R.), et FRANCE (A.), *La Finlande et sa crise actuelle*, Paris, 1899. (Ouvrage intéressant à de nombreux titres et en particulier pour sa clairvoyance.)

[495] RANTALA (O.), *Painostusryhmien ja puolueiden vuorovaikutus. Ongelmia, havaintoja ja tutkimusmenelmiä*, Turku, 1965 *(Interaction des partis et des groupes de pressions. Problèmes, observations et méthodes de recherche)*.

[496] RENSTRUP (Sv.), *Rules of Election of the Danish Parliament*, Copenhague, 1964.

[497] ROKKAN (St.) et WALEN (H.), *Parties, Elections and Political Behavior in the Northern countries*, Köln, 1960.

[498] RUGE (M. H.), *Technical Assistance and Parliamentary Debates*, Oslo, 1964.

[499] SAARIO (V.), Control of the Constitutionality of Laws in Finland, *American Journal of Comparative Law*, 12 (2), 1963.

[500] SAINT-DONAT (C. de) et ROQUEFORT, *Mémoires pour servir à l'histoire de Charles XIV Jean, roi de Suède et de Norvège*, Paris, 1820.

[501] *Scandinavian political Studies*. A Yearbook, Denmark, Finland, Norway and Sweden.

[502] SCHMIDT (E.), Eksperternes rolle i politik, *Nordisk administrativt tidskrift*, 42 (2), 1961.

[503] SJÖDET (R.), *Sveriges första TV-val. En studie i radions och televisionens roll som propagandamedier under 1960 års valkampanj*, Uddevalla, Sveriges Radio, 1964.

[504] *Statistical picture of the Finnish social-democratic party and the various fields of the activity of the Worker's movement*, Helsinki, 1950.

[505] STOLYPINE, *La question finlandaise*, Paris, 1908.

[506] STORING (J. A.), *Norwegian democracy*, Boston, 1964.

[507] *Suur-Suomenkoulu*, Jyväskylä, 1932 *(L'école de la « Grande Finlande »)*. Etonnant document sur l'idéologie nazie en Finlande et le mythe de l'espace vital.

[508] THERMAENIUS (Edv.), *Sveriges politiska partier*, Uppsala, 1933.

[509] TORGESEN (U.), *The role of the Supreme Court in the Norwegian Political system*, New York, 1963.

[510] VALEN (H.) et KATZ (D.), *Political parties in Norway : a community Study*, Oslo, 1964.

[511] VERNEY (D. V.), *Parliamentary reform in Sweden 1866-1921*, Oxford, 1957.

[512] WASBERG (G.), *Forsvarstanke og suverenitetsprinsipp*, Oslo, 1963.

[513] WYMAN (St.), *Municipal government in Norway and the Norwegian municipal law of 1954*, Oslo, 1963.

L'*Ombudsman*, intermédiaire entre les citoyens et l'administration, est au départ une création nordique. Ses fonctions ont tout naturellement donné lieu à une vaste littérature, dans les publications locales comme à l'étranger. Nous retiendrons quatre titres d'ouvrages d'ensemble :

[514] HURWITZ (S.), *L'Ombudsman chargé du contrôle de l'administration civile et militaire au Danemark*, Copenhague, 1968.

[515] LEGRAND (A.), *L'Ombudsman scandinave*, Paris, 1970.

[516] LESKINEN (R.), *The Position and Functions of the Finnish Parliamentary Ombudsman*, Helsinki, 1965.

[517] ROWAT (D. C.) ed., *The Ombudsman. Citizen's Defender*, London-Stockholm-Toronto, 1965.

L'activité des coopératives et des syndicats tient une large place dans les activités nationales et dans la vie quotidienne. Nous nous en tiendrons à :

[518] BLOMKVIST (R.), *Les négociations salariales pendant la période de l'après-guerre*, Stockholm, 1966.

[519] BONOW (M.), The consumer Cooperative Movement in Sweden, *Annals of American Academy of Political and Social Science*, May 1938.

[520] CASPARSSON (R.), *Landsorganisation (LO) under fem årtionden*, 2 vol., *1898-1947*, Stockholm, 1947.

[521] *La Confédération générale du Travail de Suède*, Stockholm, 1968.

[522] *The Constitution of the « Danish employers » confederation*, Copenhague, 1965.

[523] *The Co-operative movement in Denmark*, Copenhague, 1966.

[524] *Co-operative Organization in Norway, 1750-1925*, Oslo, 1960.

[525] DORFMAN (H.), *Labor relations in Norway*, Oslo, 1966.

[526] *Employers and workers, Development and organisation ot the Danish Labour Market*, Copenhague, 1962.

[527] FUSILIER (R.), Le Parti socialiste et les syndicats en Suède, *Revue française de science politique*, nov. 1951.

[528] — *La Scandinavie. Mouvements ouvriers et socialistes 1750-1925*, Paris, 1954.

[529] GALENSON (W.), *The Danish system of Labour relations*, New York, 1962.

[530] GUSTAFSSON (St.), *La Paix du Travail et son évolution en Suède*, Stockholm, 1965.

[531] HUNTFORD (D.), *Le nouveau totalitarisme*, Paris, 1975.

Huntford est parmi les très rares auteurs à s'élever avec violence contre le « socialisme à la suédoise ».

[532] KOCIK (A.), *The Danish trade union movement*, Brussels, 1961.

[533] KNOELLINGER (C. E.), *Labor in Finland*, Cambridge, Mass., 1960.

[534] LÉGER (Ch.), La démocratie industrielle et les comités d'entreprise en Suède, *Cahiers de la Fondation nationale des Sciences politiques*, Paris, 1950.

[535] LINDBLOM (T.), *Sweden's Labor program*, New York, 1948.

[536] *Le mouvement syndical au Danemark*, Copenhague, 1967.

[537] ODHE (Th.), *Scandinavian cooperative wholesale society 1918-1958*, Copenhague, 1960.

[538] PHILIP (D.), *Le mouvement ouvrier en Norvège*, Paris, 1958.

[539] SØRENSEN (C.), Den syndikalistiske ideologi i den danske arbejderbe-vaegelseca 1920-1921, *Historie*, 1969.

[540] *The trade union situation in Sweden, Report of a mission from the International Labour Office*, Genève, 1961.

[541] *The wage Policy of White Collar Worker Unions in Sweden*, Stockholm, 1964.

[542] WENDT (Fr.), *The Nordic Council and Co-operation in Scandinavia*, Copenhague, 1959.

De très nombreuses monographies ont été composées qui étoffent l'histoire économique et sociale. Mais ces études, comme celle de

[543] AUTIO (M.) et NORDBERG (T.), *Vuosisata paperiteollisuutta*, Valkeakoski, 1972 (Usines papetières de Valkeakoski : un siècle d'industrie papetière)

ne sont pas traduites, ce qui en limite grandement la diffusion. Il en va de même pour un très grand nombre d'études économiques, en particulier finlandaises, qui ont pu paraître au cours des récentes années et renouvellent les approches historiques de ces pays. Toutefois, un certain nombre d'ouvrages existent en anglais ou français, ou encore avec des graphiques et des tableaux assez clairs pour que la lecture en soit aisée.

[544] *L'agriculture au Danemark*, édité par le Conseil de l'Agriculture danoise, Copenhague, 1967.

Les différents services nationaux de l'Agriculture publient périodiquement de tels documents.

[545] ALEXANDERSSON (G.), *Les pays du Nord*, Paris, 1971, est la meilleure contribution en français sur la situation économique des pays nordiques de 1955 à 1965.

[546] *Aristocrats, Farmers, Proletarians. Essays in Swedish Demographic History*, Uppsala, 1973.

[547] ARNAULT (J.), *Le « socialisme » suédois*, Paris, 1970.

[548] AUBERT (V.), The professions in Norwegian social structures, *Transactions of the Fifth World Congress of Sociology*, vol. 3., Washington, 1964.

[549] AUBERT (V.), *The Professions in Norwegian social structures 1720-1955*, Oslo, 1962.

[550] BEAUCHET (L.), *Histoire de la propriété foncière en Suède*, Paris, 1904.

[551] *Bidrag till Sveriges officiella statistik : Bergshandtering 1861, Commerce collegii underdaniga berättelse för år 1861...*, Stockholm.

[552] BJØRNSON (Bj.), *Iceland, a geographical, political and economic survey*, Reykjavik, 1958.

[553] *Bulletin statistique des Pêches maritimes*, Copenhague, annuel.

[554] CHAMBERLIN (W. Ch.), *Economic development of Iceland through World War II*, New York, 1947.

[555] *Danish industry in facts and figures*, Copenhague, 1969.

[556] EKELAND (S.), *L'économie norvégienne et l'Europe*, Oslo, 1970.

[557] *Etudes économiques de l'OCDE*, Suède, avril 1970, etc.

[558] L'évolution industrielle des pays nordiques, *Etudes et Conjoncture*, 8-1957.

[559] FAALAND (J.), *Economic policy in Norway*, Amsterdam, 1964.

[560] FARAMOND (G. de), *La Suède et la qualité de la vie*, Paris, 1975.

[561] FLODSTRÖM (I.), *Sveriges nationalförmögenhet omkring 1908*, Stockholm, 1912.

[562] FOL (J.-J.), *La Finlande face à la crise financière*, Paris, 1957.

[563] — Les industries du bois et du papier en Finlande, *La Tribune des nations*, n° 700, Paris, 1959.

[564] — Notes sur l'évolution de la démographie en Finlande de 1950 à 1970, *Boréales*, Paris, 1976.

[565] GLAMAN (K.), *Industrialization as a factor in Economic growth in Denmark since 1970*, Conférence internationale d'Histoire économique, Paris, 1960.

[566] GREEN (J.), *Danish Banks. Structure and position in present economic policy*, Copenhague, 1967.

[567] HAMMARSTRÖM (I.), *Stockholm i svensk ekonomi 1850-1914*, Stockholm, 1970.

[568] HECKSCHER (E. F.), *An economic history of Sweden*, Cambridge, Mass., 1963.

[569] HECKSCHER (E. F.), *Svenskt arbete och liv*, Stockholm, 1967.

[570] HOPPU and SOLITANDER, *Finnish ports*, 1932.

[571] *Housing in the Nordic Countries*, Kob., Oslo, Stockh., Helsinki, Reykjavik, 1968.

[572] *Iceland*, handbook, published by the Central Bank of Iceland, Reykjavik, 1926, 1946, 1967.

[573] *L'industrie danoise, faits et chiffres*, Copenhague, 1969.

[574] JENSEN (B. C.), *The impact of reparations on the postwar Finnish Economy on input-output study*, Washington, 1966.

[575] JENSEN (E.), *Danish Agriculture, its economic development 1870-1930*, Copenhague, 1937.

[576] JUTIKKALA (E.), Industrial take-off in an under-developed country : the case of Finland, *Weltwirtschaftliches Archiv 88*, 1966.

[577] JÖRBERG (L.), *The industrial Revolution in Scandinavia 1850-1914*, London and Glasgow, 1970.

[578] KARJALAINEN (A.), *A national economy based on wood*, Helsinki, 1953.

[579] KLEPPE (P.), *Main aspects of economic Policy since the war*, Oslo, 1968.

[580] KNUDSEN (P. H.), *Agriculture in Denmark*, Copenhague, 1967.

[581] LACHAUX (C.), *L'économie suédoise est-elle socialiste ?*, Paris, 1968.

[582] LEFGREN (J.), Famine in Finland 1867-1868, *Intermountain Economic Review*, IV, 2-1973.

[583] LIBERMAN (S.), *The industrialization of Norway 1800-1930*, Oslo, 1970.

[584] LINDGREN (T.), *Riksbankens sedelhistoria 1668-1968*, Stockholm, 1968.

[585] LINDGREN (V.), *Introduction à vingt années de réorganisation*, Helsinki, 1939.

[586] LINNER (B.), *Sexualité et vie sociale en Suède*, Paris, 1968.

[587] MEDLICOTT (W.), *The economic blockade*, 2 vol., London, 1952-1959.

[588] MELIN (I. S.), Les entreprises d'Etat en Finlande, *Annales d'Economie collective*, 51 (4), 1963.

[589] MONTGOMERY (A.), *The rise of modern industry in Sweden*, London, 1939.

[590] MYRDAL (G.), *Beyond the Welfare State, Economic planning in the Welfare States and its international implantations*, London, 1960.

[591] NORDLING (R.), *Suède socialiste et libre entreprise*, Paris, 1970.

[592] NORGREN (M. et Ch.), *La Suède industrielle*, Stockholm, 1971.

[593] OLSEN (E.), *Danmarks Økonomisk Historie siden 1750*, Copenhague, 1962.

[594] PARENT (J.), *Le modèle suédois*, Paris, 1970.

[595] PETERSEN (E. O.), *Le Danemark — pays laitier*, Copenhague, 1965.

[596] PIPPING (H.), *Bankliv genom hundra år*, Helsingfors, 1962.

[597] PÅLSSON (R.), *La société possible*, Stockholm, 1967.

[598] REHBEN (E.), *Essor et problèmes de l'agriculture danoise*, Copenhague-Paris, 1963.

[599] REUNALA (A.), *Structural change of private forest ownership in Finland*, Helsinki, 1974.

[600] ROGE (Fr.) a publié plusieurs articles en 1957, 1958 et 1959, dans *Etudes et Conjonctures*, sur l'économie et l'évolution industrielle des pays nordiques.

[601] *Le rôle des grandes fondations privées et économiques du Danemark*, Copenhague, 1955.

[602] SCHMIDT (E.), *Dansk Økonomisk politik. Ny udgave*, Copenhague, 1971.

[603] SÖDERLUND (E.) and HECKSCHER (E.), *Svensk industry i historiskt perspektiv*, Stockholm, 1948.

[604] *Technical and Economic Changes in Danish farming. Forty years of farm records 1917-1957*, edited by the Institute of Farm Management and Agricultural Economics, 1957.

[605] THOMAS (S.), *Social and Economic Aspects of Swedish Population movements*, New York, 1941.

[606] *Univers politique*, Paris, 1970, « Les grèves sauvages en Europe ».

[607] University of Stockholm, *The Staff of the Institute for social sciences. Wages, cost of living and national income in Sweden 1860-1930*, 3 vol., London, 1933-1937.

[608] UTTERSTRÖM (G.), Population problems in pre-industrial Sweden, *Scandinavian Econ. Hist. Review*, 1-1955.

L'histoire sociale aborde tout naturellement des domaines moins proches de l'histoire économique. Mais là encore le phénomène de la traduction est un frein aisé à la communication. C'est ainsi que nous n'avons à peu près rien en français ou en anglais sur l'histoire pénitentiaire, si l'on excepte par exemple les articles de :

[609] ARVELO dans le *Bulletin de la Commission internationale et pénitentiaire*, vol. 3, 1933-1934.

alors que localement les documents ne manquent pas.

L'histoire religieuse est mieux connue, par les liaisons avec les Eglises américaines en particulier. Parfois cette histoire s'allie à l'histoire de l'art :

[610] HUNTER (L. S.), *The scandinavian churches*, New York, 1965.

Chaque pays a publié et publie des études sur l'histoire de l'art comme :

[611] ANKER (P.) and ANDERSSON (A.), *The arts of Scandinavia*, London, 1970.
[612] DAHLMANN (O.), *L'art dans l'architecture et l'urbanisme*, Copenhague, 1969.
[613] KAVLI (G.), *Norwegian architecture past and present*, Oslo, 1958.
[614] MULLER (H. B.), *Munch bibliography*, Oslo, 1951.
[615] POULSEN (V.), *Danish painting and sculpture*, Copenhague, 1955.
[616] ÖSTVEDT (A.), *Music and Musicians in Norway to-day*, Oslo, 1961.

Un aspect particulier de cette vie culturelle provient de la donation d'Alfred Nobel qui a donné lieu à de nombreux ouvrages y compris en anglais et en français :

[617] BERGENGREN (E.), *Alfred Nobel. L'homme et son œuvre*, Paris, 1971.
[618] CUNY (H.), *Nobel de la dynamite et les prix Nobel*, Paris, 1970.
[619] FALNES (O.), *Norway and the Nobel Prize*, New York, 1938.
[620] LEWINSOHN (R.), *A la conquête de la richesse*, Paris.
[621] MOSENTHAL (H. de), *The inventor of Dynamite*, London, 1898.
[622] SABATIER (H.), Le paradoxe du prix Nobel, *Bulletin d'information technique et scientifique*, janvier 1951.
[623] SCHOU (A.), *The Nobel Peace Prize*, New York, 1950.
[624] SCHÜCK (H.) and SÖHLMAN (R.), *The life of Alfred Nobel*, London, 1929.
[625] —, LILJESTRAND (G.), OSTERLING (A.) and SÖHLMAN (R.), *Nobel, the man and his prizes*, Stockholm, 1950.

Depuis quelques années le septième art a fait l'objet de nombreuses publications :

[626] BÉRANGER (J.), *La grande aventure du cinéma suédois*, Paris, 1960.
[627] — *Le nouveau cinéma scandinave*, Paris, 1969.
[628] — et GUYON (Fr. D.), *Ingmar Bergman*, Paris, 1969.
[629] *Le cinéma selon Bergman*, Paris, 1973.
[630] *The cinema in Denmark*, Copenhague, 1970.
[631] DALIN (T.), *Le cinéma nordique*, Paris, 1931.
[632] Le cinéma suédois, *La Revue du cinéma*, Paris, 1970, n° 236.

Les écoles et les systèmes scolaires sont aussi présentés et examinés :

[633] Dixon (C. W.), *Society, schools and progress in Scandinavia*, Oxford, 1965.
[634] Hove (O.), *Outline of Norwegian Education*, New York, 1958.
[635] Norrup (J.), *Adult education in Denmark*, Copenhague, 1954.
[636] Skrubbeltrang (Fr.), *The Danish folk high schools*, Copenhague, 1964.
[637] *The Scandinavian seminar*, Copenhague, annuel.
[638] *The school system of Denmark according to the terminology established by Council of Europe*, Copenhague, 1965.
[639] Trial (T. G.), *History of Education in Iceland*, Cambridge, 1945.

Mais depuis peu des documents d'un type nouveau apparaissent. Le plus connu est sans doute :

[640] Jorgensen (M.), *Un lycée aux lycéens, le lycée expérimental d'Oslo*, Paris, 1975.

En même temps que le système d'éducation est mis en cause, de nombreuses questions sont posées à propos des situations culturelles acquises et à venir, surtout en Suède, un peu plus clairement chaque année :

[641] Pålsson (R.), *En prévision des années 60*, Stockholm, 1959.
[642] Nerman (B.), *Aspects démocratiques de la culture*, Stockholm, 1962.
[643] Schein (H.), *La culture, avons-nous de quoi la payer?*, Stockholm, 1962.
[644] Holm (L.), *Stratégie culturelle*, Stockholm, 1964.
[645] Söderbergh (B.), *La culture et l'Etat*, Paris, 1971.

La meilleure introduction à la connaissance du passé comme de l'actualité passe, au moins pour le « domaine » nordique qui nous intéresse ici, par la connaissance de la production littéraire. Ici plus qu'ailleurs peut-être, la littérature apparaît comme un « reflet de la réalité » et les liens qui unissent les genres littéraires à cette réalité d'un temps sont très sensibles ; que l'on songe par exemple à *Madame Marie Grubbe* de J. P. Jacobsen ou à *Deux jours, deux nuits* de P. O. Sundman. Les interférences de l'histoire et le la littérature sont très évidentes avec des œuvres comme celles de V. Linna qui, dans un cadre « classique », a non seulement fait revivre une époque mais provoqué un changement de mentalité chez ses lecteurs et favorisé une modification de la réflexion historique chez les historiens de son pays. Cependant, pour des raisons « d'économie » nous ne pouvons donner ici une bibliographie littéraire qui devrait tout naturellement trouver sa place dans un tel ouvrage.

A la bibliographie historique sélective que nous présentons, à cette bibliographie littéraire que nous évoquons, il faudrait ajouter des indications sur les productions musicales (il suffit de penser à la place « historique » et « nationale » d'un Edv. Grieg ou d'un J. Sibelius), cinématographiques (K. Dreyer !), ou plastiques (Munch, Vigeland, ...) indispensables à une approche « totale ».

Nous laissons aux lecteurs et aux « amateurs » du Nord le soin de compléter nos brèves indications bibliographiques dans ce sens. Les diverses bibliographies générales devraient pouvoir les y aider.

[646] Signalons la naissance (en 1977) de la nouvelle revue *Scandinavian Journal of History* publiée conjointement par les Sociétés d'Histoire du Danemark, de Finlande, de Norvège et de Suède.

Afin d'alléger la lecture d'un texte se référant essentiellement à des faits bien connus dans les pays nordiques, et étayés sur des documents nordiques pour la plus grande part, nous avons choisi de suivre l'exemple de J.-B. Duroselle (dans la 6e édition de son *Histoire diplomatique de 1919 à nos jours*), de J. Chesneaux (au Colloque de Copenhague), etc. C'est-à-dire que nous avons choisi de supprimer les notes en bas de page dans toute la mesure du possible, le lecteur pouvant se reporter aisément à la bibliographie générale « pour connaître nos sources principales ».

DEUXIÈME PARTIE

Etat des connaissances

DONNÉES GÉOGRAPHIQUES GÉNÉRALES

Lorsqu'il est question de l'Europe septentrionale, il est nécessaire de toujours se souvenir que cette région se situe tout entière au nord du 54e parallèle Nord, et qu'un quart environ de son territoire se trouve au-delà du Cercle polaire arctique. Trois mers baignent les rivages de ces pays : mer de Norvège (partie Nord de l'océan Atlantique) à l'ouest, Baltique à l'est, océan Glacial arctique au Nord.

Ces étendues maritimes adoucissent considérablement le climat, en particulier en Norvège. Le mois le plus froid est celui de février. Les températures moyennes varient alors de — 11 ºC au Danemark, le plus méridional, à — 21 ºC en Finlande, la plus orientale. Mais il n'est pas rare que la température « tombe » au-dessous de — 55 ºC durant plusieurs jours en divers lieux de Finlande. Bien que les courants marins les réchauffent, les côtes danoises, qui sont les moins atteintes, sont prises au minimum soixante-dix jours chaque année par le gel, alors qu'à l'intérieur les terres sont gelées pendant au moins cent vingt jours.

Le froid n'est pas le seul ennemi naturel de l'homme. Il y a aussi la nuit qui au-delà du cercle polaire est continue durant plusieurs semaines chaque année, et les distances ne sont pas un facteur négligeable dans les relations humaines : la densité de population est de plus en plus faible du sud au nord et d'ouest en est. Elle varie, en 1971, de 115 hab./km² au Danemark à 12 hab./km² en Norvège, en passant par 18 et 14 en Suède et

Finlande. Mais au nord du Cercle polaire cette densité descend au-dessous de 1 hab./km².

Les altitudes généralement faibles ne jouent pas un rôle important face aux latitudes et aux distances. (Altitudes maximum : Danemark : 173 m ; Finlande : 1 324 m ; Norvège : 2 468 m ; Suède : 2 481 m). C'est plutôt l'imbrication des mers et des terres, la densité et l'étendue des lacs qui peuvent entraver l'agriculture. Seulement 3 % des sols de Norvège peuvent être livrés à la culture (Suède : 9 % ; Finlande : 10 % ; Danemark : 75 %).

Enfin, si ces pays présentent de nombreux caractères communs, ils sont très différents ne serait-ce que par leurs superficies :

Danemark : 45 000 km² ; Finlande : 340 000 km² ; Islande : 103 000 km² ; Norvège : 325 000 km² ; Suède : 450 000 km² (chiffres arrondis).

Seule de ces pays, l'Islande est totalement isolée. Les autres pays nordiques sont reliés à l'Europe par des frontières terrestres communes : 35 km entre Allemagne et Danemark, 1 354 km entre URSS et Norvège-Finlande.

Rappelons que de nombreuses données géographiques ont déjà été publiées aux PUF dans les ouvrages de G. Chabot [156] et de G. Alexandersson [544].

Circulation dans les ports de la Baltique

	Premières glaces	Dernier vapeur	Port gelé	Premier vapeur
Tornio	10 novembre	28 octobre	15 novembre	6 juin
Helsinki	3 décembre	13 décembre	17 décembre	1er mai
Kotka	10 novembre	14 janvier	2 décembre	16 avril

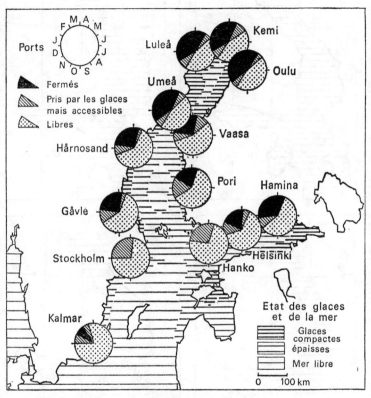

FIG. 1. — Fermeture des ports de la Baltique
selon l'état des glaces

(D'après l'*Atlas de Finlande*, édit. 1925)

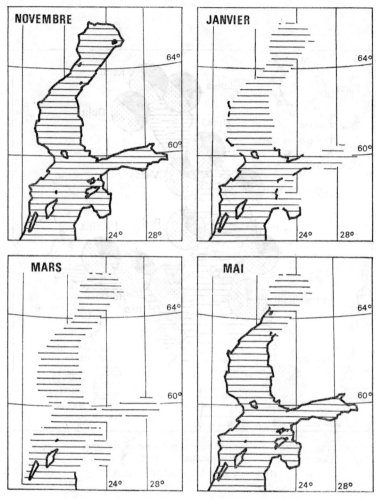

FIG. 2. — Accès aux côtes de la Baltique
Les côtes libres de glaces sont indiquées en traits gras

(D'après l'*Atlas de Finlande*, édit. 1925)

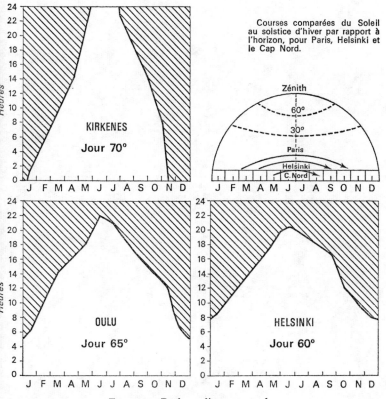

43

Courses comparées du Soleil au solstice d'hiver par rapport à l'horizon, pour Paris, Helsinki et le Cap Nord.

FIG. 3. — Rythme diurne annuel

Aux 70° latitude : Kirkenes; 65° latitude : Oulu; 60° latitude : Helsinki.
Zone hachurée : Période de nuit complète.

Chapitre Premier

LA « CARTE » DU NORD
A L'ÉPOQUE NAPOLÉONIENNE

Les pays du nord de l'Europe : Danemark, Finlande, Islande, Norvège et Suède — regroupés en suédois sous le vocable de *Norden* (1) correspondant à notre « Europe septentrionale » — ont été marqués, de leurs origines à l'époque de la Révolution française, par une double tendance : cohésion et suprématie.

— *Cohésion* interne face au monde extérieur, méridional ou oriental. Ce fait est favorisé par la situation géographique, le peuplement, la langue et la religion, la Finlande faisant exception en ce qui concerne le peuplement et la langue, mais se trouvant incluse dans l'Europe septentrionale par la volonté suédoise qui se manifeste avec la seconde tendance : la suprématie.

— *Suprématie* d'une « nation » sur les autres à l'intérieur de ce monde septentrional, mais aussi, avec les grands rois de Suède en particulier, suprématie de l'Europe du Nord sur le monde proche, germanique, balte ou même slave. Et, de même que la politique des tzars balançait entre l'Ouest et l'Est (ou le Sud), celle des rois de Suède tendait soit à la suprématie interne, soit à la conquête de terres extérieures.

Au moment où se développent les guerres révolutionnaires puis napoléoniennes, les structures et les frontières de l'Europe

(1) *Norden :* terme communément utilisé par Gunnar Alexandersson dans son *Les pays du Nord*, coll. « Magellan », Paris, Presses Universitaires de France, 1971.

septentrionale sont, en gros, fixées depuis déjà plus de deux siècles. Mais structures et frontières n'ont d'équilibre que précaire et bien souvent sont artificielles, ou fictives comme dans l'extrême-Nord. De plus, la Révolution française est, indirectement, un appui à la bourgeoisie et à la noblesse qui combattent les tendances à l'absolutisme royal. En réaction à ces mouvements et à la Révolution française, le pouvoir royal tend à un durcissement et à un refus de libéralisation interne, ce qui modifie ou fige les structures de la société.

Les Etats qui composent l'Europe septentrionale au début du XIXe siècle sont, d'une part, la Suède et, d'autre part, le Danemark. Chacun d'eux dispose de terres extérieures, certaines rattachées en tant que provinces, comme la Finlande à la Suède, la Norvège au Danemark, d'autres en tant que « biens personnels » du roi ou ayant un statut de dépendance indirecte. C'est le cas de la Poméranie pour la Suède, du Schleswig et du Holstein pour le Danemark. Mais c'est aussi le cas de terres relevant indirectement du Danemark par l'intermédiaire de la Norvège comme les îles Féroé (Fär Ö), Jan Mayen, l'Islande, le Groenland, le Spitzberg.

Très dépendante de la mer, l'Europe septentrionale ne pouvait longtemps rester indifférente à l'opposition qui, à la fin du XVIIIe siècle, anime les politiques française et anglaise. Sans doute l'Europe du Nord se tient-elle tout d'abord en dehors des coalitions et conserve-t-elle sa neutralité, échappant ainsi aux guerres. Mais le blocus britannique est une trop belle occasion de réaliser des affaires pour que ces pays habitués au commerce maritime pratiqué souvent dans des conditions naturelles difficiles laissent passer l'occasion. Le Danemark, plus intégré à l'Europe que les autres secteurs de l'Europe septentrionale par ses liens terrestres avec l'Allemagne du Nord, mais puissance maritime d'autant plus importante qu'elle contrôle les détroits du Sund et du Kattegat, unissant ainsi la Baltique (et donc la Russie) à la mer du Nord (et par là à la Grande-Bretagne), est sans doute le premier de ces Etats à se laisser tenter par des échanges commerciaux avec le monde napoléonien. Et le Danemark semblera profiter trop ouvertement du blocus — qu'il tourne, disent les Britanniques — pour que la flotte britannique n'intervienne pas, une première fois en 1801 (bombardement de Copenhague), puis en 1807 (siège et bombardement de Copenhague durant cinq jours). Ulcéré de ce traitement qui le prive de sa flotte — détruite ou saisie par les Britanniques — le Royaume de Danemark rejoint l'alliance napoléonienne. Entre ces deux dates, 1801 et 1807, le roi de Suède, Gustave IV Adolphe, persuadé de la faiblesse danoise, poussé par la crainte de la Révolution (que lui semble incarner Napoléon), sollicité par la Grande-Bretagne qui est le plus gros client des produits suédois, se précipite dans l'alliance contre Napoléon Ier.

Cette participation aux troisième et quatrième coalitions contre Napoléon Ier se révéla désastreuse pour la Suède : militairement battue par les armées françaises sur le continent (où elle perd la Poméranie), elle se trouve de surcroît l'adversaire directe du tzar de Russie allié à Napoléon. Pour couronner le tout, une inflation importante se développe à partir de l'intervention suédoise sur les champs de bataille. Enfin, les maladresses du roi font du monarque un parfait bouc émissaire de tous les malheurs du royaume (y compris de l'épidémie de typhus). Et quand la Finlande est conquise par les troupes russes, le roi est déposé.

Cette défaite suédoise est le premier signe important du remodelage de l'Europe septentrionale dans ses structures comme dans ses frontières. Le second signe en est la défaite danoise en 1813.

Cette fois, ce n'est plus une alliée de la Grande-Bretagne mais de Napoléon Ier qui est vaincue par la Suède (dont les armées sont commandées par l'ancien maréchal d'Empire, Bernadotte) et par la Russie qui a changé de camp. Comme la Suède avait dû céder la Finlande en 1809, le Danemark abandonne la Norvège en 1814. Il conserve cependant quelques possessions extérieures anciennement relevant de la Norvège : l'Islande et le Groenland (tout comme la Suède avait pu « récupérer » la Poméranie en traitant avec ses vainqueurs). Dans les deux cas, mais de façon différente pour la Suède et le Danemark, les « provinces extérieures » ont manifesté leur désaffection vis-à-vis de leur métropole; dans les deux cas on aboutissait à une mise en question complète de la politique intérieure et extérieure de chacune des métropoles par le biais d'une action militaire ne franchissant pas les frontières

« classiques » du pays. Fait particulier : après avoir été pendant plusieurs siècles le champ de bataille où s'affrontaient les troupes russes et suédo-finlandaises, la Finlande était pour un peu plus d'un siècle détachée des pays nordiques et rattachée à la couronne des tzars.

Ainsi, avec l'ère napoléonienne la carte de l'Europe septentrionale se trouve totalement transformée et scindée : jusqu'en 1917 il y a la Scandinavie (Danemark, Islande, Norvège et Suède) et le grand-duché de Finlande qui est une sorte d'Etat de transition entre l'Europe occidentale du Nord et l'Europe orientale.

Tout d'abord, en 1809, il semble que la Suède, qui se voulait aux XVIIe et XVIIIe siècles un destin européen, soit la nation la plus atteinte. Avec le Congrès de Vienne elle semble reprendre de l'importance sur le Danemark qui se trouve alors réduit à un territoire exigu. Mais la renaissance de la Suède est illusoire, tout au moins dans cette direction : pour elle comme pour le Danemark ou la Russie, puissance dont relève la Finlande, l'ère des nationalités est bien entamée.

PROCESSUS DES TRANSFORMATIONS TERRITORIALES

Cette ère des nationalités se manifeste tout d'abord dans les provinces éloignées que sont la Finlande et la Norvège. Dans les deux cas, la Suède se trouve concernée.

En Finlande, le général von Buxhoevden, chargé par Alexandre Ier des opérations militaires contre les troupes suédo-finlandaises, se montre bon élève de Napoléon Ier, non seulement dans le domaine militaire mais aussi dans le domaine politique où il joue des oppositions qui, depuis le milieu du XVIIIe siècle, se manifestent très ouvertement à l'encontre de la Suède. Ces oppositions nées surtout au sein de la petite noblesse de Finlande (d'origine suédoise mais qui, servant dans les armées, se trouve la plus exposée — ou qui, demeurant en Finlande, ne jouit d'aucun pouvoir hormis celui de la régie de terres relativement pauvres) sont assez importantes pour ébranler le pouvoir central, lui faire craindre le pire, et l'obliger à réagir. Cette réaction qui va jusqu'à la condamnation à mort (quand bien même cette sentence n'est

pas suivie d'effet comme ce fut le cas pour le baron Karl Erik
Mannerheim ou pour d'autres) à son tour déclenche complots,
unions secrètes, oppositions de tous ordres. Et la noblesse suédoise
de Finlande, toujours respectueuse de l'ordre monarchique mais
abandonnant sa déférence traditionnelle envers le chef des armées,

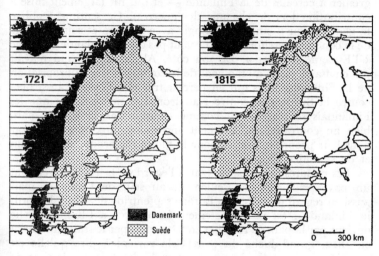

FIG. 4. — Limites territoriales
des Royaumes de Danemark et de Suède

se laisse aller à des pensées autonomistes pour sa majorité, sépa-
ratistes pour les plus actifs ou les plus vindicatifs de ses membres.
Et c'est ainsi qu'un mouvement se dessine au début du XIXe siècle
en faveur de la séparation d'avec la Suède, et comme l'indépendance semble difficilement concevable à cet instant en Finlande
— à la noblesse comme à la bourgeoisie naissante — au rattachement à la Russie, certaines garanties étant demandées par
les représentants de la noblesse finlandaise. La faiblesse de la
Suède, tant dans les domaines militaire qu'économique, précipite
ce mouvement qui trouve quelque justification nationaliste dans
les principes révolutionnaires — dévoyés sans doute, mais perçus

malgré tout. Parallèlement, il existe aussi un sentiment antirusse —
un siècle et plus de guerres ne pouvait pas permettre qu'il en fût
autrement, surtout parmi les petits paysans qui, trop souvent,
servirent de piétaille dans les armées suédoises ou dans les milieux
de propriétaires terriens de la province occidentale (qui est le
grenier à céréales de la Finlande — et qui fut largement mise à
contribution lors de chacune des guerres). Ce sentiment oblige
le général von Buxhoevden à agir avec fermeté et souplesse lors
de la conquête territoriale : il ne veut pas que la Finlande devienne
« l'Espagne du tzar ». De son côté, Alexandre Ier qui n'avait
pas envisagé, jusqu'au moment de la conquête, une appropriation
de la Finlande, mais qui en perçoit très vite l'intérêt aussi bien
contre la Suède que contre Napoléon Ier, ne veut pas que les
Finlandais se considèrent comme conquis par la Russie mais,
bien au contraire, qu'ils soient incorporés aux terres du tzar
dans leur propre intérêt et pour la gloire réciproque du suzerain
et de ses sujets (1).

Les mesures prises par le tzar à l'égard de la Finlande en font
un pays privilégié non seulement au sein de l'Empire, mais
aussi en regard du reste de l'Europe septentrionale. Tout d'abord,
la Finlande n'est pas directement incorporée à l'Empire : elle
devient par la paix de Hamina en 1809, puis par le traité de Turku
en 1812, grand-duché du tzar. Cela revient à dire qu'elle est
propriété personnelle du tzar, qui en Finlande porte le titre de
grand-duc. Certes, les termes employés sont flous et sujets à contro-
verse. On ne sait si la Finlande est une province ou un Etat.
Pour l'étranger (en particulier les « grandes capitales » : Londres,
Paris ou Vienne), il semble que la Finlande soit partie de l'Empire.
Mais aux yeux des Finlandais et des fonctionnaires russes, la
Finlande est une région autonome. Elle est sans doute gouvernée
par le tzar, mais celui-ci agit surtout par l'intermédiaire d'un
gouverneur général russe assisté d'un « Sénat » finlandais, véritable
gouvernement local qui est lui-même représenté auprès du tzar
par un secrétaire aux Affaires finlandaises. Ce Sénat dont la
section économique forme le vrai gouvernement en Finlande est
entièrement autonome de Saint-Pétersbourg. Il a la haute main

---

(1) L'ouvrage de P. Tommila [352] est, sur ce sujet, du plus haut intérêt.

sur toutes les questions intérieures y compris les douanes. Seules, les Affaires étrangères lui échappent, ainsi que dans une certaine mesure les questions de la Défense. Renforçant cette autonomie octroyée, Alexandre Ier maintient en Finlande la loi suédoise et décide que le grand-duc (le tzar donc) ne pourra promulguer ou supprimer de lois sans le consentement des « Etats », c'est-à-dire de l'Assemblée des Ordres. L'impression d'autonomie est encore renforcée, dans un premier temps, par le fait que le gouverneur général russe nommé par Alexandre Ier n'occupe pas immédiatement son poste (il guerroie contre Napoléon Ier) et ses pouvoirs sont alors assumés par le secrétaire aux Affaires finlandaises, qui est un Finlandais : le général Armfelt.

C'est en grande partie sous l'influence du général Armfelt, qui a sa confiance, que le tzar Alexandre Ier prend un certain nombre de mesures qui doivent rallier les hésitants. C'est ainsi qu'il décide qu'aucun fonctionnaire russe ne saurait occuper d'emploi en Finlande, l'inverse n'étant pas. Et l'on verra au cours du XIXe siècle plusieurs centaines de Finlandais occuper de hauts postes dans l'administration civile et militaire de l'Empire, le plus célèbre de tous étant sans doute C. G. E. Mannerheim qui sera général du tzar avant de regagner la Finlande en 1918. Mais d'autres seront amiraux, généraux, gouverneurs généraux, etc. En outre, pour éviter tout désordre en Finlande, le tzar décide l'augmentation des salaires de tous les fonctionnaires finlandais qui se trouvent ainsi largement privilégiés non seulement par rapport à leur situation antérieure mais aussi par rapport aux fonctionnaires russes et même par rapport aux fonctionnaires suédois. On comprend que dans ces conditions les fonctionnaires finlandais se soient, au moins dans un premier temps, montrés de fidèles et loyaux serviteurs du grand-duc.

Enfin, désarmant ainsi les plus antirusses, du moins provisoirement, Alexandre Ier décide en 1811 le retour de l'« Ancienne Finlande » au grand-duché : ce territoire avait été cédé par la Suède à la Russie en 1721 lors du traité de Uusikaupunki (Nystad) et était réclamé par les plus nationalistes des Finlandais. Par cette série de mesures, les Finlandais les plus suédisés se détachent de la Suède d'autant plus aisément qu'un accord semble intervenir entre les souverains de Suède et de Russie et que la Finlande est

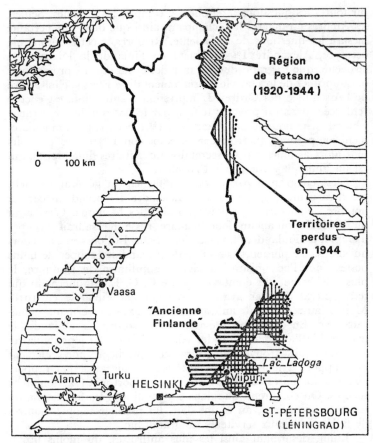

FIG. 5. — Frontières orientales de la Finlande (1811-1944)

assurée de n'avoir pas à prendre parti en cas de conflit entre son ancienne et sa nouvelle métropole.

On peut retourner la proposition en disant qu'ainsi la Suède se trouve plus isolée qu'elle ne l'avait jamais été. Ajoutant aux problèmes intérieurs, cette situation internationale réduit la Suède à un « petit » Etat cerné par des puissances qui alors sont redoutables, qu'il s'agisse de la Russie d'Alexandre Ier, de la France de Napoléon Ier qui, par ses armées, atteint aux rives de la Baltique, du Danemark allié à Napoléon Ier.

La défaite suédoise en Finlande avait précipité la chute du roi qui, appréhendé, fut destitué (« hurlant et vomissant » comme le décrit l'académicien suédois Ingvar Andersson dans son *Histoire de la Suède* [134]). Un gouvernement provisoire est alors formé qui a pour tâche double la réorganisation intérieure et la réorientation de la politique étrangère.

La première des situations à régler est bien sûr celle concernant le régime. Les intrigues de palais sont nombreuses qui veulent mettre sur le trône soit le prince héritier Gustave — âgé de 9 ans, il n'aurait pu gouverner et ainsi le pouvoir nobiliaire aurait eu les mains libres pour un temps — soit le duc Charles, oncle du roi déchu. Sans héritier, le duc Charles ne pourrait être qu'une solution provisoire, mais son élection devrait permettre au royaume de reprendre souffle. D'autres encore avancent le nom d'un prince danois dont l'élection devrait, à leurs yeux, permettre de « débloquer » la situation internationale en fournissant indirectement des alliances « rentables » à la Suède tout en lui assurant une lignée convenant particulièrement aux monarchistes traditionalistes. Finalement, la résolution de cette question est reportée et les conjurés, nobles et officiers, qui avaient obtenu la déchéance du roi, se mettent d'accord sur l'élaboration d'une nouvelle constitution.

Cette constitution rédigée, discutée et adoptée en deux semaines va demeurer en vigueur jusqu'en 1970 — avec il est vrai des amendements notables à partir du début du XXe siècle. Elle est fort peu influencée par les idées libérales de l'époque en dépit de ce qui en a été dit, et les références à Montesquieu n'en font pas pour autant un modèle de démocratie, mais plutôt de garanties sérieuses pour le pouvoir aristocratique. Le roi conserve des pouvoirs étendus : c'est à lui qu'il appartient de gouverner le royaume. Cependant les Etats, qui portent le nom de Riksdag, selon l'usage médiéval dont ils conservent la forme ancienne, participent largement au pouvoir législatif qui doit désormais se réunir tous les cinq ans. Mais de larges couches de la population

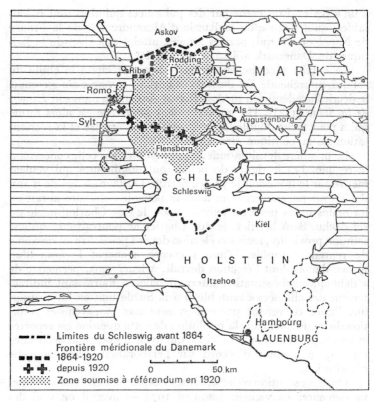

Fɪɢ. 6. — Schleswig-Holstein (1814-1920)

ne sont pas représentées au Riksdag : « maîtres de forges » ou agriculteurs, par exemple, qui depuis le milieu du xvɪɪɪᵉ siècle constituent des groupes numériquement importants et dont le rôle économique va croissant. Les références à Montesquieu sont cependant importantes en ce qui concerne la séparation du pouvoir judiciaire des autres. Enfin, une loi spéciale sur la liberté de la presse complète cette constitution.

La paysannerie encore fort nombreuse — elle constitue près

de trois quarts de la population — n'est guère représentée dans le Riksdag, hormis par les grands propriétaires terriens. Cette constitution consacre donc la puissance de la noblesse et de la grande bourgeoisie commerçante et terrienne qui ont conduit cette révolte de palais aboutissant finalement à l'élection de Charles XIII (le duc Charles) qui régnera de 1809 à 1818 grâce à l'appui en particulier de l'armée et des fonctionnaires qui occupent une place importante au sein des Etats. Le choix du nouveau monarque est aux yeux de tous une solution d'attente : Charles, sans héritier, a déjà 61 ans quand il parvient au pouvoir. Mais cette solution d'attente n'est pas que dynastique : elle concerne aussi l'orientation de la politique étrangère, c'est-à-dire la place de la Suède au sein de l'Europe. Après bien des intrigues de couloir, le duc Christian-Auguste est finalement désigné comme prince héritier. Commandant l'armée dano-norvégienne, le duc avait alors, dans l'esprit d'un certain nombre de Suédois, la possibilité de donner sans coup férir la Norvège à la Suède. Ses électeurs avaient été enclins à le croire étant donné l'importance de son commandement et ses dissentiments affichés d'avec la cour de Copenhague. Par là, on pensait pouvoir compenser la perte de la Finlande et réorienter la politique suédoise par une ouverture vers l'Atlantique. Mais cet espoir est vite déçu. Le duc attend le retour de la paix entre Danemark et Suède, en 1809, pour accepter l'offre de couronne royale. Les partisans de Christian-Auguste se consolent de ce retard, et du renoncement à la Norvège auquel ils sont contraints, en espérant un rapprochement rapide entre les royaumes de Suède et de Danemark et une union avec l'ensemble de l'Europe napoléonienne, par le truchement de Copenhague. Mais ce calcul se révèle brusquement illusoire : en mai 1810, le duc meurt subitement. Sa venue et sa disparition avivent l'opposition qui anime les « gustaviens », très conservateurs — dont l'un des partisans les plus en vue est le grand maréchal Axel von Fersen, ami de l'ancienne reine de France, Marie-Antoinette — et les libéraux ou modérés. La disparition du duc est l'occasion de manifestations violentes à Stockholm en particulier, où on accuse assez ouvertement les « gustaviens » d'être les responsables de cette mort (ces bruits demeureront incontrôlés, mais Axel von Fersen trouvera la mort au cours des émeutes de Stockholm, antigustaviennes).

En 1810, la question de la succession se trouve à nouveau ouverte et elle comprend toujours implicitement la politique étrangère. En quelques jours, quelques princes danois font connaître qu'ils sont candidats au trône de Suède. Cela serait de peu d'importance si l'un des candidats n'était le roi de Danemark lui-même offrant ainsi la possibilité de la réunion des couronnes de Danemark et de Suède. Mais le souci de plaire à Napoléon Ier, tout en s'en garantissant et en envisageant une revanche sur le tzar avec à la clé une reconquête possible de la Finlande, amène un petit groupe d'officiers suédois à « négocier » la candidature du maréchal d'Empire Jean-Baptiste Bernadotte. Le 21 août 1810, Bernadotte est élu héritier du trône de Suède. Dès l'automne 1810 il va, plus que le roi, orienter la politique militaire et étrangère de la Suède. Et cette politique, contrairement à l'attente de nombreux Suédois, ne sera pas d'alliance avec, mais d'opposition à Napoléon Ier.

Officiellement, la Suède a rompu ses relations avec la Grande-Bretagne. Mais les provinces suédoises de Scanie (sud de la Suède) et de Poméranie (en Allemagne) continuent d'être de hauts lieux de la contrebande anglaise. Après un temps d'attente, Napoléon Ier fait réoccuper la Poméranie par les troupes françaises. L'alliance esquissée entre la France et la Suède lors de l'élection de Bernadotte est complètement abandonnée en 1812. Et la Suède, ulcérée par l'occupation de la Poméranie, rejoint l'alliance qui maintenant réunit la Russie et la Grande-Bretagne. Ce retournement modifie l'orientation de la politique extérieure de la Suède : alliée de la Russie, elle ne peut plus espérer reconquérir la Finlande. Elle est obligée de centrer son action en direction de la Norvège à l'ouest. Ce changement dans les relations internationales laisse aussi espérer aux cercles dirigeants suédois une revanche armée sur le Danemark. Ainsi serait redoré le blason guerrier bien terni depuis le début du siècle. Bernadotte devenu Charles-Jean en Suède s'emploie tout d'abord à réorganiser l'armée suédoise. Il institue la conscription — les troupes sont uniquement suédoises dans leur recrutement et la piétaille ne peut plus être levée comme par le passé dans les provinces extérieures. Il obtient aussi le vote de crédits importants pour le réarmement et la modernisation de l'armée. Comme la situation financière est encore fort loin d'être assainie, Charles-Jean décide le roi à refuser la reconnaissance des emprunts d'Etat contractés auprès des pays soumis à la France (Pays-Bas, Italie, Allemagne). En même temps, et toujours à l'instigation du prince Charles-Jean, la loi sur la liberté de la presse est modifiée dans un sens très restrictif.

En août 1812, la Suède passe officiellement dans le camp des ennemis de Napoléon Ier sans que le prince Charles-Jean obtienne la pleine direction des opérations militaires comme il l'avait espéré : ses attaches anciennes font que les alliés se méfient encore de l'ex-maréchal d'Empire ; ses ambitions nouvelles dont certaines sont murmurées sans qu'on puisse savoir si elles sont fondées (en particulier en ce qui concerne ses intentions de médiation entre les alliés et son ancienne patrie, la France, où il souhaiterait rejouer un rôle de premier plan) rendent les alliés comme les Suédois méfiants à son égard. En dépit de la faiblesse de son armée, et des suspicions qui l'entourent, Charles-Jean parvient à battre les troupes danoises à Bornhöved et Sehested. Il fait alors appliquer par ses alliés — Grande-Bretagne et surtout Russie — les décisions qui avaient été prises en 1810-1812 concernant le rattachement de la Norvège à la Suède. C'est surtout auprès d'Alexandre Ier que Charles-Jean trouve l'appui qu'il souhaite. Ce soutien paraît tout naturel : orienter la Suède vers l'Ouest, c'est lui faire oublier l'Est. Le tzar y a tout intérêt afin de maintenir la paix dans sa nouvelle province de Finlande, et garantir l'équilibre des forces en Europe septentrionale. C'est ce qu'exprime assez clairement le ministre des Affaires étrangères de Russie, N. P. Roumiantsov, dans une lettre de fin janvier 1814, à son représentant à Stockholm, G. A. Stroganov, quand il écrit que le rattachement de la Norvège à la Suède doit fournir

« tous les moyens de cimenter, entre les deux Cours, ces liens d'amitié qui doivent si essentiellement contribuer à la tranquillité du Nord et d'effacer la dernière trace des dispositions que la perte de la Finlande pourrait encore avoir laissées envers nous dans l'esprit de la nation suédoise. *C'est sous ce rapport que la réunion de la Norvège pourra être d'une utilité directe pour la Russie* (1) ».

(1) Lettre de Roumiantsov à Stroganov, le 28-1-1814. Moskvafoto XXVI, SRA.

Une seule chose avait été oubliée lors des conversations suédo-russes qui aboutirent à cette réunion : l'obtention de l'accord des Norvégiens eux-mêmes. C'était là chose courante : le vaincu devait se plier aux bons loisirs des vainqueurs, y compris dans les questions de nationalité. Mais dans cette guerre ce n'est pas la Norvège qui est vaincue. C'est le Danemark dont justement la Norvège se sent assez détachée.

La Norvège, province danoise, puis part égale dans le royaume uni de Danemark-Norvège depuis 1380, se trouvait en fait toujours dirigée par des Danois ou des Allemands — qui bien souvent se considéraient plus en pays conquis qu'en un royaume uni. Le blocus décidé par la Grande-Bretagne, et qui avait abouti à la destruction de la flotte danoise, avait grandement frappé l'économie norvégienne très tributaire du commerce britannique. Si l'on ajoute que les Norvégiens éprouvaient depuis longtemps un certain sentiment de supériorité en raison de leurs qualités de marins qui avaient déjà fait la gloire de leurs ancêtres Vikings, on comprendra que la nouvelle situation économique ait aiguisé les oppositions à l'égard du Danemark. A cela s'ajoutent d'autres influences où la tradition et l'idéologie ont leur part. En Norvège, plus qu'ailleurs dans le Nord, la Révolution française est bien accueillie. Les vieilles structures égalitaires sont réveillées par les nouvelles de l'étranger et favorisées par le long isolement de la Norvège. La défaite du Danemark semble à beaucoup en Norvège l'occasion de recouvrer l'indépendance ancestrale. Quand Copenhague signe avec Stockholm le traité de Kiel par lequel l'ancien royaume dano-norvégien disparaît au profit d'un nouveau royaume suédo-norvégien, les Norvégiens refusent de le reconnaître. Il leur semble doublement contre nature : depuis six années, ils vivaient de façon autonome et s'en accommodaient fort bien. Or, ils ne sont pas consultés pour cette occasion qui les place dans les rangs des vaincus. D'autre part, si les intérêts norvégiens et danois pouvaient se conjuguer et se compléter, ceux de la Suède semblent, tout en même temps, trop différents et trop concurrentiels de ceux de la Norvège. Le mouvement de « bascule » de la Suède qui renonce à son axe oriental (la Finlande) pour s'orienter vers l'Occident ne peut se faire qu'au détriment de la Norvège. De plus, le rattachement à la Suède serait non seulement le signe de la défaite danoise — qui est réelle —

mais norvégienne, que les Norvégiens ne ressentent pas et ne peuvent reconnaître. Il y a aussi que l'armée suédoise, engagée sur le continent, ne peut pas dans l'immédiat intervenir en Norvège, alors que la Norvège est elle-même militairement organisée. Enfin, le prince Christian-Frédérick, cousin du roi de Danemark et son représentant en Norvège, pense qu'avec la défaite du Danemark le pouvoir est vacant et qu'il peut se l'approprier — si la Norvège demeure indépendante.

A la mi-février 1814, le prince rencontre 21 citoyens norvégiens, propriétaires terriens, etc., considérés comme les représentants des notables du pays. Cette réunion a lieu à Eidsvoll, propriété de l'un des notables, à une cinquantaine de kilomètres au nord d'Oslo. Ces citoyens lui disent leur volonté d'indépendance. Il est alors hâtivement décidé que le prince Christian-Frédérick agira en tant que régent et combattra les décisions du traité de Kiel par tous les moyens, y compris militaires, et qu'une assemblée nationale sera réunie afin de donner au nouveau pays une constitution.

Le 10 avril, 112 représentants des plus grands propriétaires terriens et de la bourgeoisie urbaine se réunissent à Eidsvoll. (Ces représentants, pour des raisons pratiques ou de convenance, sont surtout des fonctionnaires, des militaires ou des membres du clergé. En fait, il n'y a que 37 propriétaires terriens et 18 commerçants, soit une nette minorité.) Le 17 mai, la Norvège est proclamée royaume indépendant par cette assemblée. Christian-Frédérick en devient le roi, et la constitution du royaume est publiée.

Par cette constitution, la Norvège, royaume libre, indépendant et indivisible, confie le pouvoir exécutif à son souverain élu en cette occasion (mais la monarchie devient du même coup héréditaire, sauf en cas d'absence d'héritier mâle direct : le trône est alors soumis à élection). Le pouvoir législatif est confié à une assemblée élue par élections censitaires à deux degrés : le Storting. Ce Storting se subdivise en deux chambres : le Lagtin, sorte de chambre haute, réunissant le quart des membres du Storting, et l'Odelsting. Les deux chambres examinent séparément, mais en même temps, les projets de loi. En cas de désaccord entre les deux chambres, une majorité des deux tiers de l'assemblée commune tranche. Pour toutes les questions autres que législatives, le Storting se réunit toujours en assemblée plénière et unique. Le roi est tenu de faire appliquer les lois, même s'il les désapprouve. Le souverain dispose toutefois d'un veto qu'il ne peut cependant renouveler plus de trois fois pour la même loi. Le pouvoir judiciaire est indépendant et, par le biais d'une haute cour, le Storting a la possibilité de mettre en accusation les ministres, les juges ou des membres de l'assemblée. Enfin cette constitution garantit les libertés fondamentales dont celles de la liberté d'expression (presse, etc.) en même temps qu'elle interdit la création de titres nobiliaires, etc.

Hâtivement rédigée, cette constitution est fortement marquée par la tradition (qu'en l'occasion on fait remonter aux anciens temps Vikings) en même temps que par les constitutions américaine de 1787 et française de 1791. En 1814, alors que les alliés balaient les derniers restes de la Révolution française et de son esprit, la constitution du royaume de Norvège est certainement la plus démocratique qui soit en vigueur en Europe. Elle est publiée — et appliquée — avant que la Suède ait pu agir militairement. Au mois d'août, quand la Suède est en mesure d'intervenir par les armes pour conquérir ce qui lui a été offert par le traité de Kiel, elle se trouve diplomatiquement en position délicate. Certes, la Grande-Bretagne ne peut renier ses engagements antérieurs, mais elle tient à préserver au mieux la Norvège avec laquelle elle commerce traditionnellement de façon importante, d'autant que les Norvégiens font appel à Londres pour la sauvegarde du nouveau royaume. Cependant, sous la pression d'Alexandre Ier en particulier, la Grande-Bretagne refusera d'entendre les Norvégiens et organisera le blocus des ports de Norvège, ce qui amoindrira grandement la volonté de résistance des Norvégiens. Le nouveau royaume se trouve donc très isolé. Mais les alliés continuent de se méfier de Charles-Jean et font en sorte qu'aucun appui militaire direct ne lui soit accordé. Charles-Jean, qui cherche à se concilier les Suédois tout autant que les membres du Congrès qui se réunit à Vienne, veut une campagne rapide et aussi limitée que possible (étant donné aussi les forces dont il dispose) afin d'administrer la preuve qu'il est soucieux de ses sujets et capable de gouverner pacifiquement le Nord. Il n'est pas impossible non plus qu'après avoir dû renoncer à jouer tout rôle politique en France Charles-Jean ait souhaité se garantir de toute surprise. Il n'est toujours que prince héritier en Suède et ne se sent pas totalement assuré du trône. En limitant l'affrontement avec les Norvégiens, il espère sans doute, à défaut de la couronne suédoise qui peut encore lui échapper, se conserver la couronne norvégienne. De leur côté, les Norvégiens qui craignent les suites néfastes pour leur commerce du blocus des ports cherchent à aboutir à une paix de compromis. Après une campagne de quinze jours limitée au sud du pays, les antagonistes parviennent à un compromis dit « convention de Moss » (ville proche d'Oslo).

Par cette convention, après que le prince Christian-Frédérick ait renoncé au trône, les membres du Storting décident de reconnaître le roi de Suède pour roi constitutionnel de Norvège. Cependant le roi régnant, Charles XIII, désignera immédiatement le prince héritier, Charles-Jean, comme vice-roi en Norvège. En l'absence du vice-roi, le souverain suédois sera représenté en Norvège par un gouverneur général qui pourra être suédois. Ce sont là les concessions consenties par la Norvège à la Suède, car de son côté la Suède accepte que la Norvège conserve la constitution et les institutions, y compris financières, dont elle vient de se doter. Le Storting obtient même que la flotte marchande norvégienne ait son propre pavillon, et que les questions de défense soient, dans une large mesure, de son ressort.

Cette convention acceptée par les deux parties fait que la Norvège ne passe pas de la tutelle danoise à la tutelle suédoise. Elle devient un royaume ayant pour souverain le même que celui qui est reconnu en Suède. Mais ce roi ne peut, en Norvège, agir qu'en roi de Norvège, de même qu'en Suède il règne en tant que roi de Suède, exclusivement. Seules, les questions concernant les Affaires étrangères relevant directement et personnellement du monarque sont communes aux deux royaumes.

La Suède qui avait cru regagner avec la Norvège ce qu'elle avait perdu avec la Finlande est trompée dans son attente. Elle demeure amoindrie. Seul, son roi regagne un peu de son éclat passé. Et la Norvège, par sa constitution et la convention de Moss, échappe à tout absolutisme, conserve une très large autonomie et, bien que le recrutement de son Storting soit encore aristocratique, elle se révèle de tendance démocratique.

Le pays qui, de toute évidence, a le plus perdu au cours de

cette période est le Danemark. Territorialement, il conserve les
dépendances du Groenland, d'Islande et des îles Féroé — toutes
terres pauvres — mais perd la Norvège. Et puis surtout, sa flotte
est largement détruite. Du coup, il perd aussi ses moyens commerciaux en même temps que ses débouchés extérieurs qui lui sont
ravis par la Grande-Bretagne. Avec le retour de la paix, la ban-
queroute devient officielle. En une journée, l'ancienne monnaie
tombe au sixième de sa valeur. Les fonctionnaires désemparés
sont atteints par « l'épidémie des bourses plates ». La corruption
est monnaie courante et il semble bien que, plus qu'ailleurs encore,
il y ait quelque chose de pourri au royaume de Danemark. Au
lendemain de la défaite, le roi s'enferme dans l'absolutisme le
plus rétrograde. Les quelques libertés accordées au cours de l'ère
révolutionnaire sont toutes supprimées et la société danoise se
trouve enfermée dans un dangereux immobilisme. Sans doute,
le Danemark reçoit-il du Congrès de Vienne la Poméranie suédoise
en échange du Lauenbourg. Mais c'est là un cadeau empoisonné :
avec cet apport, le tiers des sujets du roi de Danemark sont Allemands ou germanophones. Et les Danois ont alors le sentiment
d'être non seulement pauvres, abandonnés de tous, amputés de leur
branche norvégienne mais aussi menacés jusque dans leur culture
et leur langue par les sujets germanophones qui viennent renforcer
les tendances naturelles du palais royal et ont pour les soutenir tout
un arrière-pays menaçant directement le Danemark.

En 1815, quand l'Europe retrouve une paix de restauration,
la carte de l'Europe septentrionale a été totalement bouleversée.
L'ancien royaume de Danemark-Norvège est réduit à un petit
Danemark terriblement affaibli. Le royaume de Suède-Finlande a
disparu au bénéfice d'un grand-duché de Finlande qui semble
dépendre davantage de l'Europe orientale que de l'Europe septentrionale, tandis que la Suède après une révolution de palais ne
parvient pas à s'établir en Norvège. Ouragan éloigné, Napoléon
n'en a pas moins fortement marqué le nord de l'Europe.
    Les modifications de frontières qui sont intervenues n'ont
pas apporté de modification de structures dans les « métropoles ».
Les deux pays qui connaissent en 1815 un réel allégement de
l'autocratisme sont ceux où les bourgeoisies commerçantes, les

propriétaires terriens et la petite noblesse ont pu « négocier » leur passage d'une couronne à une autre : la Norvège très évidemment, la Finlande dans une moindre mesure. Mais chacun de ces pays, désormais replié sur lui-même, va connaître en même temps qu'une prise aiguë de la conscience nationale une crise de société qui ne fera que croître et se révélera avec la révolution industrielle.

Chapitre II

STAGNATIONS ET ESSORS
DES SOCIÉTÉS SEPTENTRIONALES
AU DÉBUT DU XIXᵉ SIÈCLE

Au lendemain des guerres napoléoniennes, l'Europe septentrionale connaît un isolement diplomatique et commercial profond qui ne crée cependant pas une unité de devenir : chacun des quatre pays en question — car l'Islande encore très éloignée géographiquement ne participe guère à la vie du Nord — semble se replier sur lui-même, s'enfermer dans ses frontières nouvelles et oublier ses liens anciens. Ce repliement ne cessera qu'avec le développement de ce qu'on appelle la Révolution industrielle. Mais cette période sera dans le Nord relativement tardive : commencée au milieu du XVIIIᵉ siècle en Grande-Bretagne, elle ne touche réellement les rives de la Baltique que dans la seconde moitié du XIXᵉ siècle. Cela ne signifie pas que rien ne se passe. Dans le domaine purement technique les nouveautés ne sont pas ignorées : le premier moulin à vapeur est construit en 1801 au Danemark ; la navigation à vapeur apparaît dès 1819 en Baltique, les premières grandes papeteries et les grandes imprimeries à partir de 1820, etc. Mais ces nouveautés sont encore des cas d'exception dans le premier tiers du siècle frappé de surcroît par de nombreuses crises agricoles tant de production que de commercialisation. Le manque de capitaux n'est pas étranger à cette stagnation : en 1815, quand la paix est rétablie, Suède et Danemark sont au bord de la faillite la plus complète, Norvège et Finlande ne disposent pas d'un système autonome. Toutes les situations vont longtemps se ressentir de cette dépendance ou de ce handicap.

LA CULTURE POPULAIRE

Parallèlement à cette léthargie économique qui paraît générale et semble donner un même destin à l'ensemble de l'Europe septentrionale, un autre phénomène se manifeste, qui touche chacun de ces pays d'une façon assez identique, au cours du premier tiers du siècle. Mais cette fois ce mouvement n'est pas de sommeil ; il s'oppose à la léthargie économique. C'est un « réveil intellectuel » que parfois on peut appeler tout simplement éveil et qui, comme au Danemark en particulier, permet de parler « d'âge d'or » de la vie artistique et tout particulièrement littéraire.

Né d'une situation politique et économique bloquée, ce réveil artistique débouche après quelques décennies sur un essor économique et politique. C'est un « lieu », un « temps » d'attente. Il plonge ses racines dans les couches nouvelles des populations en mutation. Il ne vient pas des cours mais est issu des bourgeoisies urbaines et rurales, et revêt des formes diverses qui se répètent de lieu en lieu.

Si l'on tente de mettre en évidence les caractères communs de ce mouvement, on peut dire qu'il est tout en même temps tourné vers la tradition, la religion, la culture populaire et contre le pouvoir central, la cour, l'aristocratie. Très influencé par les romantismes allemand et français, il est renouveau patriotique (ou « national ») et religieux. C'est de cette époque que date la renaissance du christianisme « authentique », rigoriste, puriste, éloigné des hiérarchies ; de cette époque aussi, la redécouverte des sagas anciennes qui incitent à une meilleure connaissance du passé dans ses coutumes et son expression et invitent au voyage ; de cette époque encore, la recherche des valeurs populaires traditionnelles. C'est, pêle-mêle, le foisonnement, le débordement, la générosité, le fantastique, le rationnel et l'irrationnel des romantismes européens. Mais il s'y ajoute une forme « populaire » qui n'est pas de condescendance des élites pour le peuple mais issu du peuple et recueilli par ses élites qui se mettent à son écoute. Et de Copenhague à Helsinki, en passant par Oslo qui s'appelle encore Christiania et par Stockholm, on voit pasteurs, médecins ou professeurs gagner les campagnes non seulement pour porter la « bonne parole », piètre médicament de l'âme, mais surtout pour écouter parler, pour voir vivre le peuple des paysans, des forestiers, des pêcheurs. Tous ceux qui vont entreprendre cette quête, sans concertation et bien souvent en dépit de toutes les embûches que dressent les pouvoirs centraux ou locaux, sont des hommes (ou des femmes — particulièrement nombreuses en Norvège) animés d'une foi religieuse profonde, d'un sentiment patriotique évident. Pour eux, les valeurs supérieures sont Dieu et le Peuple. Et que constatent-ils ? Dans le tourbillon des alliances et des guerres, ces notions fondamentales se sont perdues. Dès lors, comme l'écrit N. F. S. Grundtvig en 1810 :

« les gens simples perdent pied et se découragent, les hommes cultivés doutent et calculent, les riches jouissent et dorment. Pour la plupart Dieu n'est qu'une idée et la patrie n'est qu'un mot » (1).

Pour retrouver la pureté, la grandeur ancestrale, il faut s'éloigner des cours, fuir l'atmosphère cosmopolite des palais, « aller au peuple ». Mais ce mouvement n'est pas à sens unique. Ou, s'il l'est, c'est de façon bien particulière. Ces pasteurs, ces médecins, ces professeurs ne veulent pas

« faire monter le peuple vers nos creuses abstractions, mais [ont la ferme volonté qu'ils considèrent comme un devoir absolu de se] plonger dans sa plénitude vitale » (2).

C'est une recherche de « l'authenticité » nationale à laquelle invitent ces chercheurs. Leur « nation » est tout en même temps la « petite patrie », province ou village, et l'ancien territoire, viking pour les Scandinaves, finno-carélien pour les Finlandais. Et l'on comprend que leurs quêtes aient profondément touché et les populations rurales et les bourgeoisies urbaines pour lesquelles les recherches entreprises dans les pays voisins semblent familières quand elles viennent à leur connaissance.

Aux yeux des enquêteurs spécialisés du XXe siècle, ces chercheurs peuvent passer pour des amateurs. Cela est vrai. Mais ce sont

---

(1) Voir W. Michelsen, *To optegnelser of Grundtvig fra kriseåret 1810 : Hvavd vare vi fordum ? Hvavd ere vi nu ? Meddelte med noter og afterskrift*, 1956 et thèse 1954.

(2) On retrouve cette idée souvent exprimée aussi bien chez N. F. S. Grundtvig, *Smaaskrifter om den historiske Høiskole*, 1872 que J. Knudsen, *Om folketig Voekkelse og Dannelse*, 1903 ; K. G. Heidenstam, *Karolinerna* ; Porthan, etc.

aussi des encyclopédistes avertis et, dans tous les cas, des amateurs fort instruits de cette science nouvelle : la philologie, héritée des grammairiens du xviiie siècle, et diffusée dans le Nord (y compris en Allemagne) par Rasmus Rask (1787-1832) en particulier — dont les élèves les plus célèbres en France et en Allemagne sont sans doute les frères Grimm. L'action de ces chercheurs est bien sûr diverse. Elle permet à la bourgeoisie, jusque-là attirée par les cours, de connaître un autre pôle d'attraction, de rapprocher des couches de populations qui ailleurs sont plus éloignées et parfois antagonistes. Elle évitera par la suite une rupture entre le monde rural et le monde urbain. Elle incite aussi les nantis à agir en faveur des moins favorisés. Cela n'implique pas une aumône faite de temps à autre, mais le travail entrepris, les méthodes employées poussent cette bourgeoisie à un certain respect des « gens simples », à agir non pas pour mais avec eux. Aussi quand les enquêtes dans les milieux populaires amènent la question de la scolarisation ou d'une façon plus générale de l'éducation, il est constitué des écoles « populaires » particulièrement actives et nombreuses au Danemark et en Norvège, plus tardives en Suède et en Finlande. Mais que ce soit dans un pays ou un autre, on ne peut comparer ces écoles aux « universités populaires », etc., qu'on a connues en France durant quelques années. La caractéristique essentielle de ces écoles est de vouloir, hors du système universitaire traditionnel (qui est généralement dénoncé comme sclérosé, inadapté à la vie, etc. — déjà !), donner à ceux qui y participent une culture générale ou technique de haut niveau, qui soit « nationale » par son contenu, « populaire » par ses méthodes. De plus les programmes comme les horaires sont choisis par tous ceux qui participent à ces écoles. Le but de ces « écoles » est, dans une certaine mesure (car les écoles « traditionnelles » existent aussi), de donner à leurs élèves un niveau technique égal à celui qu'ils atteindraient s'ils pouvaient fréquenter les écoles officielles — élitistes. Mais ce but n'est pas unique. Il en est un autre au moins aussi important qui est la recherche d'une forme de bonheur par la connaissance de son identité, par la possibilité d'une émancipation « intérieure ». C'est donc à une véritable promotion psychologique ou/et sociale que doivent aboutir ces écoles. On pourrait sans doute reprocher à ces établissements de n'être que progressifs — ou au mieux

progressistes — et non révolutionnaires, d'être, en fin de compte,
« paternalistes ». Mais ce n'est pas ainsi qu'ils sont ressentis alors
par ceux qui les fréquentent ni par ceux qui les répandent, ni
non plus par les pouvoirs centraux qui — tout particulièrement
au Danemark où le vieux roi continue longtemps de sévir —
frappent les pasteurs, médecins ou professeurs. Pour ces pouvoirs,
ces écoles, par leur vie, leur développement, l'esprit qui les anime,
contestent l'autocratie et l'absolutisme. La répression, inexistante
dans les débuts en Finlande ou en Norvège, touche très tôt les
intellectuels danois à qui toute liberté d'expression est refusée.
Si à l'aube du xixe siècle le philosophe P. A. Heiberg est contraint
à l'exil, en 1820 encore le philologue J. J. Dampe est condamné
à mort pour son attitude oppositionnelle. Sa peine commuée
en prison à vie, il sera libéré lors de la révolution de 1848.

C'est au cours de ce premier tiers du xixe siècle, entre la fin
de l'ère napoléonienne et les révolutions de 1848, que ressurgissent
les sagas ou le *Kalevala*, qu'apparaissent des auteurs originaux qui
assureront à l'Europe septentrionale une renommée durable et
mondiale, comme Kierkegaard, Andersen, Wegerland, Moe,
Œhlenschläger, Tegner, Lönnrott, etc. Mais jusqu'aux années
de la Révolution de 1848 à peu près il y a rupture profonde entre
la grisaille qui règne sur la vie économique et politique et la « gloire »
des arts et des lettres dont nous verrons plus loin, mais très rapidement, les courants et évolutions. Cette période de « repli »
permet cependant aux peuples du Nord de se forger une mentalité
particulière. Cette mentalité se crée, pour une bonne part, grâce
au mouvement de culture populaire qui n'est encore qu'embryon-
naire et n'a connaissance que des milieux ruraux. Mais il va bientôt
trouver un autre domaine d'action qui sera le mouvement ouvrier.
Et il va le marquer dans ses différentes expressions : politiques,
syndicales, culturelles. Les écoles populaires pouvant changer de
dessein, leur organisation sera un cadre déjà existant et bien
vivant ; leurs animateurs pourront se manifester encore dans les
domaines culturel et religieux mais aussi par le biais des innom-
brables associations de coopérateurs, de ligues de tempérance,
d'associations féministes, sportives, etc. Structures et militants vont
permettre un développement original à ces sociétés septentrionales.

POPULATION

Au cours de ce xixᵉ siècle qui selon les pays s'achève en 1905 (Suède et Norvège) ou 1917-1918 (Finlande et Danemark), la population de l'Europe septentrionale fait plus que doubler en dépit d'une très grande misère, de famines et d'une émigration importante. Partout la densité de population est faible, même au Danemark pourtant cinq à huit fois plus peuplé que les autres pays.

	Danemark		*Finlande*	
	Population	*h/km²*	*Population*	*h/km²*
1800	920 000	20,45	832 000	2,45
1850	1 400 000	31,1	1 600 000	4,7
1900	2 400 000	53,3	2 650 000	7,8
	Norvège		*Suède*	
	Population	*h/km²*	*Population*	*h/km²*
1800	880 000	2,7	2 300 000	5,1
1850	1 400 000	4,3	3 500 000	7,7
1900	2 200 000	6,7	5 100 000	11,3

Durant la seconde moitié du xixᵉ siècle, plus de 2 millions d'habitants du Nord émigrent vers les Etats-Unis d'Amérique, les années « de pointe » se situant entre 1882 et 1903. En 1882, 26 000 Norvégiens émigrent ; en 1887, ce sont 46 000 Suédois ; en 1903, 25 000 Norvégiens, etc. De 1880 à 1890, 83 947 Danois s'installent aux Etats-Unis. De 1850 à 1920, plus de 1 million de Suédois gagnent le Nouveau Monde, et 695 000 de 1860 à 1910. Les Finlandais sont moins nombreux à suivre ce mouvement : ils ont la possibilité de travailler à Saint-Pétersbourg et en d'autres lieux de Russie, proches de la Finlande. On en compte cependant plus de 300 000 qui, au cours de la deuxième moitié du xixᵉ siècle,

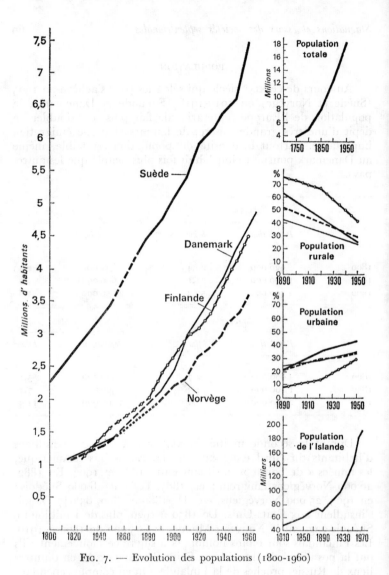

FIG. 7. — Evolution des populations (1800-1960)

se rendent outre-Atlantique. Le plus souvent ces émigrés se rassemblent par « nation » dans leur nouvelle « patrie ». C'est ainsi que des quartiers de Chicago, de New York, de Minneapolis, de Seattle, sont « suédois ». On trouve le plus grand nombre de ces émigrés à proximité de la région des Lacs. Mais un grand nombre s'installe aussi en Californie. Quelques dizaines de milliers vont jusqu'en Australie. Cette émigration représente une forte ponction de population : en 1900, l'ensemble des populations des pays nordiques atteignait un peu plus de 12 millions d'habitants. L'émigration du dernier demi-siècle représente à peu près 17 % de cette population.

Ces départs d'Europe sont généralement définitifs. Pour deux dizaines de milliers d'émigrants, il y a moins d'un demi-millier de retours. Ce mouvement migratoire n'empêche pas un taux d'accroissement encore important jusqu'à la première guerre mondiale.

Taux d'accroissement (en °/oo)

	Danemark	Finlande	Norvège	Suède
1821-1830	9	13,5	13,6	11
1851-1860	12,9	6,5	12,1	10,4
1871-1880	9,9	15,4	6,1	9,05
1911-1920	11,9	6,7	?	6,7

Ce qui caractérise aussi cette population est son aspect rural. Le premier pays qui voit sa population urbaine équilibrer sa population rurale est la Suède. Mais ce n'est qu'entre 1900 et 1910. La Finlande devra attendre près de deux décennies après la seconde guerre mondiale pour atteindre à cet équilibre. Durant la première décennie du xxᵉ siècle, la Norvège n'a que 28 % de sa population « urbanisée », le Danemark : 40 % et la Finlande : 10 %.

A l'intérieur de chacun de ces pays, les populations rurales sont très composites et leur image varie grandement de Danemark en Suède, de Norvège en Finlande. Mais c'est toujours parmi elles qu'on trouve la plus forte misère, tout spécialement chez

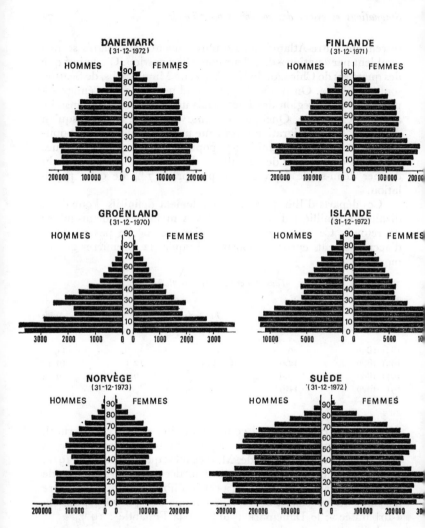

Fig. 8. — Pyramides des âges (1970-1973)

les journaliers et les tenanciers qui « fournissent » lors des années de famine le plus gros lot des « errants », des chemineaux, mais aussi, lors des années « normales », un très fort pourcentage d'émigrants. Cette puissance numérique du monde rural subsiste bien après que le monde urbain ait obtenu une majorité quantitative par les caractères « paysans » qui survivent longuement chez les citadins des villes d'Europe septentrionale, et leur attachement au monde de la campagne dont ils ne sont jamais tout à fait séparés.

TRANSFORMATIONS AU DANEMARK

Bien que soumis aux mêmes caractères généraux que les autres pays d'Europe septentrionale, le Danemark se trouve dans une situation particulière :

— plus méridional que les autres, il se trouve climatiquement favorisé ;
— à la croisée des routes maritime (de l'Atlantique à la Baltique) et terrestre (du cap Nord à l'Europe méditerranéenne), il occupe un lieu privilégié ;
— son territoire particulièrement « ramassé », ses faibles altitudes, sa densité de population relativement élevée permettent une mise en valeur aisée de ses sols.

D'un autre côté, ce pays est particulièrement handicapé par son manque complet de matières premières et de ressources énergétiques de quelque nature que ce soit, ainsi que par son manque de cohésion dans les moyens de transport unissant les grandes régions : la presqu'île du Jutland et les îles (1). Le Danemark, dont il est dit communément que « l'homme est la seule matière première sur laquelle il puisse réellement compter », se trouve confronté à des problèmes qui seraient aussi bien ceux d'un archipel relié à la terre ferme par un pont d'une soixantaine de kilomètres de largeur, et dont la longueur des côtes dépasse 7 300 km.

_____

(1) Sur les 406 îles dénombrées, 97 sont habitées. Les plus importantes sont la Seeland avec Copenhague, la Fionie avec Odense, la Lolland, Borholm et Falster.

Au cours du XIXe siècle, le Danemark connaît une grande période de crises qui le conduit à réorienter son économie. Ce sont les années qui vont de 1864, lors de la guerre des Duchés, à 1870, quand l'Allemagne réunie par la férule de Bismark se préoccupe davantage de l'Europe occidentale ou méridionale que septentrionale.

Quand débute le XIXe siècle, le Danemark vient de réaliser sa première révolution agricole. Il sort d'une longue période de réorganisation qui a abouti au remembrement des terres, à la redistribution des propriétés, au rachat de nombreuses métairies par les métayers. En 1815 — et ce chiffre restera désormais stable — près de 90 % des exploitations agricoles sont des entreprises familiales. Elles s'adonnent pour leur majorité à la culture céréalière mais, bien souvent, par le manque de moyens de transports comme par la mauvaise situation financière, elles sont contraintes à vivre en circuit fermé.

La Banque d'Etat qui existait depuis 1776 est fermée en 1818 et réorganisée. Mais ce n'est qu'à partir de 1846-1864 que la situation s'améliore nettement. De 1854 à 1857, 13 nouvelles banques font leur apparition, dont la Privatbanken de C. F. Tietgen de Copenhague, qui va devenir la plus grande banque d'affaires du pays et concurrencer les banques hambourgeoises. De débiteur, le Danemark devient créditeur. (C'est au cours de la même période que le « paysage » danois se modifie : la première ligne de chemin de fer entre en service en 1844 de Copenhague à Roskilde ; des services réguliers de vapeur relient des îles ; le réseau télégraphique fonctionne à partir de 1854; la première papeterie à vapeur est construite à Strandmølle-Copenhague en 1821 ; Chr. Sørensen construit la première linotype en 1844 ; les salles de ferme commencent d'être planchéiées à partir de 1856 et l'habitat animal séparé de l'habitat humain, etc.)

Dans le domaine purement agricole, le Danemark est très vite largement excédentaire jusqu'en 1864, pour la production céréalière. Par contre, l'exploitation forestière cesse totalement. Largement mise à contribution au XVIIIe siècle, pour ses bois de construction et de chauffage, la forêt ne représentait plus que 4 % des sols à peine au début du XIXe siècle. Cette forêt est cependant essentielle pour la protection de l'agriculture : elle stabilise les dunes côtières et forme un écran contre les vents. A dater de 1805, Chr. D. Reventlow obtient la mise en application d'un code de protection forestière. En 1866, la forêt a doublé ses surfaces par rapport à 1805 et les a presque triplées aujourd'hui (420 000 ha de forêt en 1971).

Facilitant l'exportation des céréales et l'introduction des matières premières (surtout le fer), les droits de douane sont supprimés dans le Sund en 1857. Ce mouvement commercial est aussi favorisé à partir de 1846 par l'ouverture des frontières britanniques aux céréales européennes grâce à la suppression des *corn laws*. La production est elle-même accrue par l'introduction de la mécanisation et surtout, dans un premier temps, par le drainage systématique des terres entrepris peu avant 1850. De 1850 à 1875, la production croît de 60 %, cet excédent étant pour l'essentiel exporté. C'est aussi de cette période que datent les coopératives de producteurs et de consommateurs. La première est créée en 1860 par le pasteur H. Chr. Sonne. Elle est bientôt suivie de nombreuses autres qui ne s'uniront cependant qu'à la fin du siècle en une organisation unique.

Parallèlement à ce mouvement encore diffus, l'amorce de l'industrialisation se manifeste essentiellement dans les domaines artisanaux. Et alors que le Danemark ouvre ses frontières aux matières premières, il les ferme partiellement aux produits finis afin de protéger les productions locales qui sont, pour la première fois, présentées dans leur ensemble en 1852 lors de l'exposition de Copenhague. Les droits de douane institués en 1863 resteront en vigueur jusqu'en 1908. Ils se révèlent très favorables à la production danoise. Mais deux faits bouleversent la situation entre 1864 et 1870. C'est tout d'abord la guerre des duchés quand la Prusse s'empare de la question du Schleswig-Holstein et règle la situation par les armes. Le Danemark se trouve amputé du tiers de son territoire et des deux cinquièmes de sa population. Du coup son économie se trouve paralysée. Seule sa flotte pourrait compenser ces pertes. En 1866, les diverses compagnies maritimes danoises se regroupent et forment la « DFDS ». Cette compagnie, d'importance mondiale par son tonnage, est très vite confrontée à un effondrement des cours du fret dû, pour une bonne part, à la généralisation de la navigation à vapeur. Or, la flotte danoise n'a qu'une quarantaine de navires à vapeur sur environ 3 000 unités. De plus, le commerce mondial se modifie : la Grande-Bretagne achète de plus en plus dans les Amériques tandis que la Russie met de nouvelles terres en culture à l'Est. Du coup la production danoise est moins intéressante sur les marchés internationaux.

Faute de débouchés, l'agriculture danoise bascule : elle abandonne la production céréalière pour s'adonner à l'élevage et à la production des plantes fourragères. En dix ans, la conversion est totale. Le Danemark conquiert alors de nouveaux marchés (jusqu'en Sibérie) mais d'exportateur de céréales, il devient importateur.

A dater de 1870, l'élevage devient une industrie. Les landes disparaissent. Des prairies artificielles sont créées, l'emploi des engrais chimiques généralisé, les coopératives de producteurs de lait, de beurre, etc., se multiplient. Il y en a 1 en 1880, 217 en 1888, 700 en 1890, etc.

Les coopératives de consommateurs suivent un développement identique. En vingt-cinq années, de 1866 à 1891, leur nombre passe de 1 à 150. En 1910, il y en aura 1 364. Ces coopératives, qui créent des circuits parallèles aux circuits commerciaux traditionnels, parviennent à regrouper 80 % des producteurs, c'est-à-dire l'ensemble des petits producteurs. Elles se doublent d'abattoirs, de fruitières, etc. Leur action, au début essentiellement économique, se fonde sur quatre principes simples :

1 / les membres administrent eux-mêmes les coopératives ;
2 / dans les décisions à prendre, « une voix est une voix » ;
3 / les coopératives sont ouvertes à tous ;
4 / les bénéfices sont répartis proportionnellement au volume d'affaires de chacun des bénéficiaires.

C'est l'apprentissage d'une démocratie économique, à défaut de démocratie politique.

En 1896, pour mieux combattre les grands propriétaires terriens et les grands commerçants, les coopératives se fédèrent et forment d'abord l'Organisation nationale des Coopératives de Producteurs, puis, en 1899, le Comité central des Coopératives. A l'action purement économique qui permet aux coopératives de contrôler, en 1914, 70 % de la production laitière (qui double de 1870 à 1914 tandis que la production porcine quintuple), s'ajoute la modernisation des moyens de production (y compris par la production et la commercialisation coopératives des engrais, des centrifugeuses, etc.) et l'éducation des producteurs et des consommateurs. Les coopératives utilisent alors les structures des Ecoles « populaires ». En 1866, ces écoles ont un millier d'élèves. En 1876, il y en a 4 000 et 8 000 en 1914. Ces écoles sont assez importantes pour recevoir un statut officiel et un soutien financier de l'Etat à dater de 1892.

Par ses écoles comme par son action quotidienne et par sa presse, le mouvement coopératif influe sur la situation sociale et politique des campagnes, et fait pénétrer dans le monde rural un esprit « socialisant » si ce n'est socialiste, « neutraliste » si ce n'est pacifiste, qui se développe parallèlement au mouvement syndical et socialiste urbain dans lequel les migrants ruraux ne se trouvent pas dépaysés.

A côté du mouvement coopératif, le mouvement ouvrier est héritier de trois courants au moins :

— le mouvement libéral, parfois révolutionnaire, qui s'est manifesté d'abord dans la bourgeoisie et à travers les Lettres, les Arts et les Unions philanthropiques de la fin du XVIIe et du début du XIXe siècle. C'est lui qu'on retrouve au fil des Ecoles populaires, etc. ;

— le mouvement nationaliste issu en partie de la paysannerie danoise s'opposant aux hobereaux allemands aux XVIIIe et XVIIIe siècles, et renforcé par la défaite de 1814, dans un sens plus nationaliste encore ;

— un mouvement plus spécifiquement socialisant qui subit très fortement les influences étrangères et tout particulièrement allemandes.

Ces trois tendances peuvent se résumer ainsi : tendances libérales, prise de conscience nationale, influence idéologique révolutionnaire extérieure.

Ce mouvement a des racines profondes. Dans les campagnes, contre les hobereaux allemands ; dans les villes aussi où les bourgeoisies marchandes sont fort cosmopolites. Dès la fin du XVIIIe siècle, les mouvements revendicatifs et nationalistes sont très actifs.

Ils s'expriment en particulier en 1794 lors des grèves de Copenhague, réprimées brutalement. Lors de la vague révolutionnaire de 1830, le mouvement acquiert un caractère nouveau qui contredit son aspect nationaliste : il est très influencé par le mouvement révolutionnaire allemand voisin. Et, bien sûr, ce sont les « duchés » qui se révèlent les plus sensibles à cette influence germanique. Aussi la répression antirévolutionnaire prend-elle parfois un aspect nationaliste comme lors de l'emprisonnement puis de l'exil du dirigeant libéral du Holstein : U. J. Lornsen.

Si les Révolutions de 1848 sont fortement ressenties dans les milieux urbains, elles ne sont pas suivies d'effets immédiats, d'autant que le roi, pour combattre sa noblesse, s'appuie sur la bourgeoisie à laquelle il concède quelques libertés. Bien qu'on note une candidature ouvrière à la chambre basse dès 1847 — celle du tisserand Klamer — ce n'est réellement qu'à partir de 1870 que se développe le mouvement ouvrier. Mais entre 1850 et 1870, préparant cette « percée », de nombreuses organisations « parallèles » voient le jour. Les plus importantes sont certainement les associations féministes — dont celle de Mathilde Fibiger qui agit dès 1850 — et les multiples petites églises contestataires dont la « Mission intérieure » fondée en 1861, héritière — pour partie — de Kierkegaard, et s'opposant à l'église officielle.

La pensée socialiste, introduite d'Allemagne au Danemark par l'étudiant Fr. Dreier en 1848, ne se diffuse réellement qu'à partir de 1874 avec la parution du journal *Socialdemokraten*. Ce quotidien politique se double très vite d'un hebdomadaire satirique : *Raven (Le Corbeau)*, en 1876, puis d'une revue littéraire de même tendance : *Det Litterære Venstre (La Gauche littéraire)*, en 1877. Cette diffussion de la pensée socialiste ne signifie nullement qu'on a affaire à une société libérale. Si la censure a été abolie en 1849, le conservatisme monarchique reste fort. Le 8 mai 1872, H. Brix, P. Geleff et L. Pio, membres danois du Comité central de la Iʳᵉ Internationale ouvrière sont arrêtés, emprisonnés et finalement expulsés,

« les idées socialistes étant incompatibles avec le maintien de l'Etat danois... le fait de répandre les idées socialistes constitue un crime contre la Constitution danoise ».

Le Ier Congrès du Parti social-démocrate se tient en 1876 mais il faut attendre 1898 pour que les différentes associations ou fédérations syndicales se réunissent en une organisation unique. La date marquante du mouvement ouvrier danois est certainement 1899, qui est celle de l'épreuve de force, décisive, entre le monde du travail et le patronat qui s'appuie sur un corps spécial de gendarmerie pour « contrôler » les mouvements revendicatifs ouvriers et paysans.

Commencée à Copenhague, une grève aux revendications très limitées (salaires) s'étend rapidement en raison de l'attitude du patronat qui décide du lock-out des grévistes. Au lieu d'abattre le mouvement, ce lock-out l'étend : la grève devient générale. Elle va durer quatre mois. Les ouvriers résistent aux pressions de tous ordres et aux difficultés économiques grâce à l'aide matérielle du mouvement coopératif. Le dénouement intervient en septembre 1899 : syndicats et patronat parviennent à un accord dit « compromis de septembre » qui va dominer toute la vie sociale danoise du xxe siècle. Par ce compromis le mouvement syndical devient un partenaire égal en droit dans toutes les discussions professionnelles. Les conventions collectives deviennent la règle. Les accords alors signés vont servir de base à la charte du Travail. Ce n'est qu'en 1960 que certains aspects de ce « compromis » seront remis en question par les syndicats (en particulier en ce qui concerne la démocratie dans les lieux de travail et les possibilités de cogestion). Il est remarquable que, dès 1907, en vertu de ce « compromis », l'Etat soit contraint de créer un fonds d'aide aux chômeurs qui est géré par les organisations syndicales tandis que le fonds d'aide aux indigents l'est par les communes.

De même que ce mouvement ouvrier s'était appuyé sur le mouvement coopératif et, dans ses débuts, sur le mouvement féministe, de même ce dernier va bénéficier du développement du mouvement ouvrier. La première association de femmes remonte à 1871 *(Dansk Kvindesamfund)*. Dès le départ, ce groupement où se mêlent adhérents féminins et masculins, reprenant les écrits de Thomssine Gyllemburg (1773-1856), dénonce la situation de la femme au foyer qui « a les devoirs d'une servante sans en avoir les droits ». Les objectifs que se fixe cette association sont pour l'essentiel le droit à une formation professionnelle et les droits civiques complets. Une association plus directement politique et socialisante est organisée en 1886. Divers journaux féministes paraissent aussi. Le plus ancien — qui continue de paraître actuellement — est le mensuel *Kviden og Samfundet*. C'est l'organe officiel de l'Association des Femmes à partir de 1885. En 1887, une autre revue, *Hvad vi vil*, plus engagée, paraît à son tour.

Si l'on compare les résultats obtenus à la situation des femmes en Europe méridionale et centrale (dont l'Allemagne), ils sont bien sûrs très positifs. Mais ils ne satisfont pas les mouvements féministes. Notons cependant qu'avant la fin du siècle il y a de nombreuses femmes non seulement dans l'enseignement mais dans des professions encore bien fermées ailleurs, comme la médecine (première femme médecin à Copenhague : Nielsine Nielsen, en 1889), que des bureaux officiels de placement se préoccupent particulièrement de la main-d'œuvre féminine et qu'en 1889 les femmes bénéficient de l'émancipation juridique. De 1903 à 1915, les femmes obtiennent le droit de vote dans les diverses assemblées (paroissiales d'abord, communales ensuite et enfin législatives). Ce n'est toutefois qu'en 1919 que les salaires deviendront officiellement égaux pour les hommes et les femmes, et seulement dans la fonction publique.

*
* *

Alors que le Danemark avait, au cours du XIXe siècle, pu paraître isolé du reste de l'Europe septentrionale — et après les guerres napoléoniennes, la guerre des duchés confirme cette impression — le creusement du canal de Kiel (1895-1900) semble rapprocher l'évolution du Danemark des autres pays nordiques, au moins en ce qui concerne les mouvements sociaux.

Rude coup porté à l'économie danoise en faisant de Hambourg et de Lübeck des concurrents directs de Copenhague, ce canal obligeait le Danemark à s'ouvrir davantage sur le monde extérieur (la précaution de Copenhague port franc à dater de 1894 n'est pas cantonnée au seul domaine commercial) et tout particulièrement sur les autres pays scandinaves : Norvège et Suède.

ÉVOLUTIONS COMPARÉES DE LA NORVÈGE ET DE LA SUÈDE

Tout comme le Danemark, la Norvège ne dispose au début du xixe siècle d'aucun capital. Certes, la Banque de Norvège est créée en 1816, et sa monnaie gagée sur l'argent métal pour que règne la stabilité. Mais les réserves sont à peu près inexistantes et il faut attendre 1842 pour que la stabilité s'établisse dans le domaine monétaire ainsi que dans les autres domaines économiques. Plus que le Danemark, la Norvège est handicapée par la configuration de ses sols. L'essentiel de ses terres arables est couvert de forêts, et sa population est fort dispersée. Sa seule richesse vraie se trouve sur les mers et dans l'exploitation de ses forêts. La nourriture est pauvre mais, dans sa monotonie, est pour sa presque totalité tirée des sols.

La période qui couvre la première moitié du siècle est surtout consacrée à la mise en culture des terres arables, par l'abattage et la commercialisation des bois. Aucune statistique certaine ne permet de dire quelle surface de champs fut à l'époque gagnée sur la forêt. On peut cependant estimer que de 26 à 30 000 ha sont ainsi mis en valeur entre 1820 et 1840 — ce qui permet de couvrir à peu près les neuf dixièmes des besoins en céréales et pommes de terre. Mais les moyens de culture restent très archaïques, presque médiévaux (charrues à socs en bois, etc.).

Le rôle des écoles populaires est essentiel dans le développement et les débuts de la mécanisation. Elles sont animées par Jacob Sverdrup qui les veut surtout pratiques et d'une « rentabilité » immédiate. Mais, outre cette formation technique, les agriculteurs les plus pauvres bénéficient d'une nouvelle répartition des terres qui, en 1821, retire ses terres à l'Eglise (jusqu'alors propriétaire du dixième des sols) et les distribue aux tenanciers. La propriété demeure de petite taille : la majorité des fermes disposent de moins de 600 ha; seuls 35 fermiers sont propriétaires de plus de 10 000 ha, et un seul de ces grands propriétaires appartient à la noblesse (Severin Løvenskiold). Cependant les plus déshérités, en Norvège, connaissent une période particulièrement difficile jusqu'en 1830. Ils sont plus nombreux aussi et la paupérisation générale s'accroît.

La révolution industrielle va se manifester en Norvège de

façon plus traditionnelle qu'au Danemark. La Norvège dispose de nombreuses chutes d'eau et de quelques mines de cuivre, de fer, d'argent, de nickel. Ces secteurs sont tout naturellement touchés par la révolution industrielle. Mais la Norvège est, traditionnellement, adonnée à la pêche. Et c'est par la pêche comme par l'exploitation forestière que va commencer cette révolution. Au début, en 1850, les capitaux investis dans les pêcheries sont britanniques. Très vite les capitaux norvégiens interviennent et remplacent les capitaux étrangers. Ces pêcheries sont particulièrement importantes étant donné que non seulement la population urbaine mais aussi une très grande part de la population rurale s'adonnent à la pêche. De 1850 à 1880, le tonnage de la flotte norvégienne fait plus que quintupler, passant de 284 000 tonneaux à 1 519 000 — ce qui la met au troisième rang mondial. Le tonnage doublera encore dans les trente années suivantes. Sur mer, l'une des grandes innovations est l'emploi du canon à harpon pour la pêche à la baleine, qui est mis au point par le Norvégien Svend Foyn.

La pêche est concurrencée par l'exploitation du bois. Cette exploitation devient industrielle après 1830 avec l'introduction des scies circulaires et les autres nouveautés de la mécanisation. Les exploitations forestières et les scieries essaiment sur tout le territoire (tout comme les pêcheries s'étendent tout au long des côtes). En 1870, il y en a près de 36 000, c'est-à-dire neuf fois plus que les autres entreprises industrielles, si l'on excepte les conserveries de poissons. Mais l'exploitation forestière progresse surtout après 1860 quand l'attention se porte non seulement sur les coupes mais aussi sur la protection des biens naturels.

De même que l'agriculture danoise s'était trouvée en difficulté du fait de la modernisation des moyens de transport et du développement agricole de l'Amérique, de même les exploitations forestières norvégiennes ressentent très sensiblement le déferlement des produits d'outre-Atlantique sur les marchés européens. Cette période correspond à une forte dépression en Grande-Bretagne. Cette dépression affecte tout particulièrement la Norvège, entre 1870 et 1880, la Grande-Bretagne étant le principal correspondant commercial de la Norvège. Alors, pour la deuxième fois depuis la moitié du xixe siècle, après la crise qui avait suivi la guerre de Crimée quand le commerce norvégien avait connu une chute brutale, en 1857, l'économie norvégienne est en crise. Cela se ressent jusque dans les effectifs des travailleurs qui mettront plus de dix années pour reprendre leur progression.

Nombre d'ouvriers employés en

	1850	1860	1865	1870	1875	1879	1885
Scieries	4 090	6 026	6 997	10 020	12 048	10 217	10 300
Constructions mécaniques	10 057	1 251	4 594	6 701	9 853	7 011	7 110
Textiles	1 481	2 982	3 359	3 898	5 128	4 901	6 037
Industries alimentaires	879	1 794	2 425	2 668	4 031	4 010	4 691
Briqueteries	1 539	2 079	2 100	2 366	3 013	3 540	2 354
Moulins	913	1 151	1 647	1 515	1 979	2 039	1 787
Papier	192	144	202	353	1 191	1 363	2 343
Allumettes	30	95	153	436	1 293	1 208	1 578
Total	12 279	17 281	24 431	31 358	45 657	41 593	45 313

Cette période, 1870-1880, est dominée par les questions sociales intérieures et le développement du mouvement ouvrier.

Alors, la misère ouvrière est grande. Nous en avons une image avec le roman en grande partie biographique de Knut Hamsun, *La faim*, publié en 1890. Les conditions de travail mais aussi d'habitat sont particulièrement difficiles. Dans les quartiers ouvriers, une enquête de 1859 reprise en 1875 montre que ces conditions d'habitat se détériorent de 1859 à 1875, qu'une famille ouvrière sur trois seulement dispose d'une cuisine à côté de la pièce unique pour le logement ; que les enfants sont astreints au travail par les nécessités économiques : 8 % de la main-d'œuvre dans les nouvelles entreprises a moins de 15 ans et parfois moins de 10 ans ; en particulier dans les verreries : 18 % des ouvriers, 33 % dans les fabriques d'allumettes ; 41 % dans les fabriques de cigarettes, etc.

Le mouvement ouvrier, sous ses diverses formes : coopératives et syndicats essentiellement, prend un nouveau départ après 1870.

La première union ouvrière avait été créée en 1849 par Marcus Thrane (1817-1890). Ce fils d'un banquier, renvoyé pour malversations, avait connu l'opprobre et la misère durant son enfance. Après divers voyages en Allemagne et en France où il connaît la Révolution de 1848, il rentre en Norvège acquis aux idées socialistes. Il entreprend la publication d'un petit journal dans un port marchand (vivant de l'exportation du bois) proche d'Oslo. Puis il voyage en Norvège et en Suède afin de répandre les idées « sociales ». En 1850, son Union ouvrière rassemble plus de 20 000 membres répartis dans 273 sections. Dans toute sa propagande, Marcus Thrane se montre disciple de Louis Blanc et de Proudhon. A l'époque il s'appuie sur les petits paysans, les ouvriers agricoles et les artisans. La peur d'une révolution provoquée par les pétitions présentées par M. Thrane et par les manifestations de ses partisans pousse le gouvernement à réagir. A la suite d'une manifestation qui se termine par des bagarres, M. Thrane et 116 autres dirigeants de ce mouvement sont arrêtés puis condamnés à des peines de prison. De plus, le mouvement est dissous. Quand, quatre années plus tard, M. Thrane sort de prison, ses partisans ont disparu, le mouvement est éteint, et le premier dirigeant ouvrier norvégien émigre aux Etats-Unis.

Le seul résultat positif — qui n'est pas négligeable — obtenu par ce mouvement est d'avoir contraint le gouvernement à réglementer les types de tenures et à imposer des contrats écrits aux propriétaires. D'autre part, M. Thrane avait eu le rare mérite à l'époque d'attirer l'attention sur les plus défavorisés de la société norvégienne. C'est un émule de M. Thrane, Eilert Sundt, qui en 1864 fonde la seconde Union ouvrière. Mais E. Sundt demeure trop idéaliste, trop utopiste pour atteindre le grand nombre. Toutefois, E. Sundt, reprenant l'action de M. Thrane, la renforce et permet aux gens des villes de mieux connaître ceux des campagnes, et inversement.

Après diverses tentatives qui, toutes, tournent court du fait de la répression ou de la misère qui contraint ces travailleurs à une grande mobilité, la première organisation durable est fondée en 1882 dans les milieux de la presse et de l'imprimerie de Trondheim. La date officielle de la naissance des syndicats est 1884. Elle est suivie de peu de celle du Parti social-démocrate. Il est remarquable que tous ceux qui ont contribué à la naissance et l'existence, éphémère ou durable, de tous ces mouvements ont d'abord travaillé au Danemark et en Allemagne où ils ont été en contact avec des militants de la Iʳᵉ Internationale.

En 1899, les divers syndicats corporatifs s'unissent en une seule organisation qui, alors, groupe 16 000 syndiqués — alors que les coopératives rassemblent 30 000 membres. Mais la situation des syndicats et de tout le mouvement ouvrier, comme les faits économiques eux-mêmes, est très influencée par les liens qui unissent la Norvège à la Suède, et de ce fait connaît un aspect très politisé et n'est pas exempte de remous nationaux et nationalistes qui font vibrer la Norvège au moment où l'industrialisation prend un grand essor. Aussi ce qui marque le plus le développement du mouvement norvégien est-il l'aspect nationaliste qui s'exprime aussi bien dans les revendications ouvrières que paysannes, dans les différents clubs ou associations, et dans la presse.

Il en va différemment en Suède où pourtant, comme au Danemark et en Norvège, les organisations « annexes » jouent un rôle important, que ce soit les associations féministes, de tempérance, ou culturelles. Mais la Suède ne connaît pas les difficultés frontalières du Danemark ni les effets de la subordination de sa politique à celle d'un autre pays. Si la Suède se montre nationaliste, dans ses couches populaires, c'est souvent en réaction aux demandes norvégiennes, incomprises.

Favorisée politiquement, la Suède l'est aussi « naturellement ». Ses ressources sont nombreuses. En fer, tout d'abord : elle possède de grands gisements dans le Nord (Kiruna, etc.) et dans le Sud (Lindesberg, etc.). Ces gisements ne sont plus à découvrir : ils ont participé à la richesse de la Suède depuis l'époque viking et, à la fin du xviiiᵉ siècle, sa production atteignait 200 000 t/an. Mais elle a aussi du charbon, en petites quantités, du chrome, du nickel, du cuivre, du manganèse, du plomb, du zinc, mais aussi de l'argent et de l'or. Elle dispose encore de vastes forêts, de grandes étendues de terres arables, de cours d'eau nombreux, importants pour le flottage mais aussi pour l'électrification.

Disposant de ces ressources, la Suède bénéficie enfin d'une certaine avance technique (puddlage du fer introduit dès la fin du xviiiᵉ siècle) et d'une assise internationale importante :

durant tout le xviie siècle et la plus grande partie du xviiie siècle, la Suède apparaît comme une puissance européenne non négligeable. Les villes en particulier se sont développées (en soixante-dix ans, de 1620 à 1690, Stockholm passe de 12 000 à 60 000 habitants, pour atteindre les 100 000 en 1850) à un tel point qu'un Bureau d'urbanisme est mis en place dès le xvie siècle, avec à sa tête Klaus Flemming.

Mais au début du xixe siècle, la Suède est aussi très handicapée. L'industrie aurait besoin de se transformer et de passer de la fabrication artisanale à la véritable industrie. Or, elle ne le peut pas par manque de capitaux et par le caractère figé de sa société, ancrée dans le passé par ses structures archaïques qui relèvent plutôt du Moyen Age bien qu'officiellement le servage n'existe pas.

A la fin du xviiie siècle, de nombreuses fabriques disparaissent par manque de capitaux. Ce manque de liquidités comme de réserves financières, déjà noté pour les autres pays d'Europe septentrionale, est sans doute moins grave que pour les pays voisins : les structures financières existent déjà et les ressources naturelles sont nombreuses et diversifiées. Quelques « grandes » familles (les Tottie, Arfvidson, Michaelson, Benedicks, etc.) joueront un rôle essentiel dans la constitution du capital bancaire à partir de 1850. Mais les capitaux étrangers, attirés par les ressources naturelles de la Suède, jouent aussi un rôle important à partir de 1830.

Comme ailleurs dans le Nord, le véritable démarrage industriel se produit dans la seconde moitié du siècle bien que certaines dispositions aient été adoptées bien avant.

L'une des décisions essentielles touche au monde rural. De 1807 à 1827, un certain nombre de mesures (abolition du servage en Poméranie, création de sociétés d'économie rurale, etc.) l'ont fait évoluer. Mais c'est surtout par l'introduction de l'assolement annuel et le regroupement des terres (en 1827) que le paysage rural se modifie. Les récoltes sont plus abondantes, certes, mais aussi ces réformes obligent 85 % des fermes à se déplacer. Elles font « éclater » les villages. Les deux premiers résultats en sont une amélioration des rendements d'un point de vue national mais aussi, pour les individus, un renforcement de la distinction entre riches et pauvres qui accroît la misère dans le monde des paysans non propriétaires de terres (les tenanciers, les journaliers, les « habitants de cabanes », métayers ou fermiers particulièrement défavorisés). Cette séparation en « classes » est encore aggravée par une décision votée en 1823 par le Parlement (l'ancien Riksdag, assemblée héritée du début de l'époque moderne). Alors les forêts domaniales sont cédées aux propriétaires privés. Cela permet sans doute au Trésor de trouver quelque répit, mais cela aussi précipite la spéculation foncière et la ruine de l'exploitation forestière qui, alors, répond aux lois du plus grand profit immédiat. Tous les propriétaires ne réagissent pas de la même façon. C'est ainsi que Pehr Lagerhjelm et Emmanuel Rothoff, maîtres de forges — et par là encore exclus du Riksdag —, déclarent en 1831 :

> « Un profit petit et régulier sur un commerce étendu est plus honorable qu'un grand profit sur un petit commerce » (1).

C'est cette politique appliquée par l'ensemble des maîtres de forges qui transforme l'artisanat en industrie.

Alors que le commerce intérieur et extérieur s'était effondré — et le port de Göteborg s'en trouve ruiné pour un long temps à partir de 1820 — avec la fin du blocus (et la fin des guerres européennes) du début du siècle, le gouvernement parvient à stabiliser les prix à partir de 1830 et aligne la monnaie suédoise sur l'argent en 1834... De 1831 à 1871, les commerçants se regroupent pour réunir des capitaux suffisants et créent des banques qui libèrent le crédit et permettent les modernisations nécessaires. Ce sont en particulier la Skånska Privatbanken (qui deviendra la Skåns Enskilda Bank) plus tard absorbée par la Skandinaviska Kreditaktiebolaget, en 1863. Cette banque, soutenue par l'industriel danois C. F. Tietgen, deviendra la Skandinaviska Banken animée par Th. Mannheimer. Il y a aussi la Stockholms Enskilda Bank de A. C. Wallenberg, en 1856, la Stockholms Handelsbank de l'Allemand L. Fraenckel qui, en 1871, devient la Svenska Handelsbanka, etc. A côté de ces réalisations pratiques, des recherches

---

(1) Voir Eli HECKSCHER, Den Gamla svenska brukslagstift ningens betydelse, in *En bergsbok. Några studier över svenskb ergshantering tillägnade*, de Carl SAHLIN, Stockholm, 1921.

théoriques sur les données économiques sont entreprises en particulier par L. G. Rabenius qui publie un traité d'économie en 1829, et C. A. Agardh qui, en 1852, donne un *Essai statistique sur l'économie politique de la Suède*, très influencé par J.-B. Say (1).

Le commerce suédois se trouve favorisé à partir de 1849 par l'ouverture au libéralisme économique et par le libre-échangisme prôné par la Grande-Bretagne. En même temps, la chute des cours du bois scié qui nuit à la Norvège avantage la Suède qui a un commerce moins spécialisé. L'implantation des scieries mécaniques et les débuts de transformation du bois en pulpe pour la pâte à papier permettent cet essor. On considère, en l'absence cependant de statistiques précises, que le commerce suédois quadruple de 1856 à 1896. Ce commerce bénéficie des nouveautés techniques mais aussi du début d'infrastructures des réseaux de communication bien souvent financés sur fonds privés. On assiste à partir de 1849 à la mise en place systématique du réseau ferré (dont la construction sera achevée vers 1870-1875) suivant un schéma directeur proposé par Nils Ericson. Ce réseau ferré s'étendant sur tout le pays est partout contrôlé par l'Etat là où il y a une possibilité de développement industriel. Parallèlement, là où le réseau ne peut suffire aux transports privés, les capitaux peuvent être investis dans les moyens de transports, à l'exemple du canal Trollhätte entièrement financé par la maison de commerce Schön & Cie de Stockholm, en 1838-1844. Mais ces constructions doivent, dans tous les cas, être reliées aux réseaux d'Etat. A la fin du siècle, le réseau ferré privé est deux fois plus long que celui de l'Etat, mais son trafic demeure très inférieur et ses moyens très rudimentaires : la traction animale est utilisée jusqu'en 1870 dans le Värmland.

A partir du début de la deuxième moitié du XIXe siècle, fortement influencés par les physiocrates français, tout comme le ministre J. A. Gripenstedt qui les soutient, les industriels se manifestent dans le domaine commercial en se rendant à l'étranger pour vendre leurs produits. Le plus célèbre d'entre eux est certainement le maître de forges H. Göransson qui fait connaître les aciéries Sandviken dans toute l'Europe. Mais ce commerce extérieur demeure faible jusqu'en 1914 : Hambourg reste le principal marché

(1) *Försök till en statsekonomisk statistik öfver Sverige.*

financier de la Suède, et par là le développement extérieur est bridé et soumis à des impératifs qui échappent à Stockholm.

À l'intérieur, ces mêmes industriels se manifestent par le soutien qu'ils accordent aux innovations techniques, en particulier dans la sidérurgie : Bessemer installe ses fours à Sandviken en 1866, puis le procédé Siemens est implanté et amélioré ainsi que le procédé Thomas. Le grand tournant dans l'industrialisation est pris à la fin du siècle avec l'emploi de l'énergie électrique.

Si le Riksdag, comme les industriels, accepte le système libéral, le laissez-faire économique, cela aboutit très vite à la ruine des couches moyennes, à la diminution des revenus des fonctionnaires. En même temps, les derniers vestiges des corporations disparaissent, au moins légalement. C'est aussi de cette période, qui connaît les grandes migrations vers les Etats-Unis, que datent les dernières grandes disettes — toujours régionales, comme dans le Norrland en 1869 — qui disparaissent, tant par l'amélioration des rendements que par celle des transports. Mais près du tiers des céréales doit encore être importé alors que la population agricole décroît : de 72,4 % en 1870, la population rurale passe à 62,1 % en 1890 et 48,8 % en 1910.

Tout comme en Norvège et au Danemark, la population urbaine demeure très proche du monde rural qu'elle n'abandonne jamais totalement, et dont elle ressent rapidement et profondément les crises. En 1880, à la suite d'une crise qui peut être apparentée aux crises de surproduction, et dont la liberté de commerce est partiellement responsable, les prix et les salaires agricoles s'effondrent. Les réactions sont diverses. Du point de vue étatique, cela pousse à un retour au protectionnisme qui est effectif dans le domaine agricole en 1888 et en 1892 dans le domaine industriel. Du point de vue social, cette crise pousse les ouvriers à réagir. Les premiers sont les ouvriers des scieries qui se mettent en grève en 1879. Mais ils sont alors peu nombreux et inorganisés. Leur lutte est vouée à l'échec. Ce n'est qu'après 1880 que le mouvement ouvrier s'organise.

En 1881, le tailleur August Palm rentre d'Allemagne et du Danemark où il a travaillé. Il va, en Suède, jouer le rôle que Thrane avait eu en Norvège : il diffuse les idées socialistes dans les milieux ouvriers (alors, on recense 137 000 ouvriers. Il y en aura 189 000 en 1890). Ces idées n'étaient pas totalement ignorées, mais elles restaient dans des cercles limités bien que l'année précédente (en 1880) Anton Nyström ait fondé l'Institut ouvrier de Stockholm. C'est en 1898 seulement que les différentes sections syndicales se réunissent en un syndicat unique, la puissante LO (Landsorganisationen). Comme au Danemark, le travail préparatoire à ce regroupement ouvrier a pu se faire grâce en bonne partie aux sociétés coopératives. Très rapidement le syndicat LO va regrouper la grande majorité des ouvriers. En 1902, pour quelque 400 000 ouvriers industriels, il y a 66 000 syndiqués. En 1907, la LO a 231 000 adhérents dans le pays.

Le patronat ne tarde pas à réagir à l'union ouvrière. En 1902, les patrons se groupent afin d'éliminer la concurrence entre eux et forment le SAF (Svenska Arbetsgivarförenigen), association des employeurs. Deux autres syndicats seront créés par la suite : le TCO, syndicat des fonctionnaires (dit encore syndicat des ouvriers en col blanc), et le SACO, syndicat « universitaire » groupant ingénieurs, médecins et enseignants. Ces deux derniers syndicats ne grouperont guère qu'un tiers des syndiqués suédois en dépit de l'importance croissante du secteur tertiaire dans l'économie.

Comme au Danemark, les Ecoles supérieures populaires et tout particulièrement l'Institut ouvrier de Stockholm qui, à partir de 1906, développe ses Centres d'Etudes dans tout le pays, permettent aux ouvriers d'accéder à une culture générale, professionnelle et syndicale, et leur formation échappe totalement aux « circuits » traditionnels quand bien même ces Ecoles se développent parfois à l'image des établissements officiels, comme l'internat de Brunnsvik qui, en 1906, devient une véritable Université ouvrière.

C'est aussi à partir de 1880 que se développe le mouvement travailliste qui revêt des formes diverses : ligue de tempérance, mouvements féministes, mouvement de « planning » familial et de contrôle des naissances qui naît officiellement en 1880, Parti social-démocrate surtout. Ce parti a une croissance assez rapide (voir page ci-contre).

Il est vrai qu'à partir de la fin du XIXe siècle les conflits sociaux s'expriment de plus en plus dans le domaine politique, alors que la révolution industrielle prend, à l'intérieur d'un système protectionniste, une « vitesse de croisière » non contestée.

Années	Nombre de sections	Nombre d'adhérents
1889	14	3 194
1896	28	15 646
1902	87	49 190
1905	137	67 325
1907	239	133 388

Les deux domaines privilégiés de cette révolution industrielle semblent au début du xxᵉ siècle être celui des dérivés du bois et celui du fer. L'exploitation forestière qui avait fortement opposé la Suède à la Norvège touche alors à sa fin pour deux raisons au moins : la forêt primitive suédoise a été détruite par cette exploitation, le marché mondial a été conquis par les fournisseurs canadiens. Mais il y a aussi que cette exploitation cède la place à la fabrication des dérivés du bois, d'abord la pulpe puis, avec l'introduction de la chimie, le transfert des industries du bois à la chimie qui entre en scène à partir de 1872 et dans la production industrielle à dater de 1890 (grâce aux inventions de Carl Daniel Ekman et ses premières applications dans l'usine de Bergvik). En 1910, cependant que la forêt est protégée et reconstituée, les exportations du bois et des dérivés (y compris la pâte chimique) représentent plus de 45 % de l'ensemble des exportations suédoises. Alors que la production de pâte à papier était de 62 100 t en 1885-1889, de 1898 à 1913, cette production est quintuplée et représente plus de la moitié de la production mondiale. A la veille de la première guerre mondiale, la Suède exporte 874 000 t de pâte à papier (Norvège : 465 000 t, Finlande : 120 000 t).

La production du fer est ancienne. Son exportation sur une grande échelle date des dernières années du xixᵉ siècle, que ce soit sous forme de minerai ou sous forme de produits finis. Mais cette dernière n'en est qu'à ses débuts : la principale industrie métallurgique, la skf (roulements à billes), n'a encore que 2 500 ouvriers en 1913. A cette date, alors que la production du fer a été multipliée par 9 depuis 1870 (pour seulement deux fois plus d'ouvriers), les exportations atteignent 6 440 000 t annuellement, surtout en direction de l'Allemagne qui est devenue tout en même temps le principal fournisseur et le principal client de la Suède. Le véritable « tournant » pour la Suède demeure cependant les années 1905-1914. Il est soumis à un fait politique en bonne part extérieur : la rupture d'avec la Norvège, et à un fait social intérieur : l'accession à la majorité politique de la classe ouvrière. Cette évolution n'est pas révolutionnaire, elle n'est pas violente comme en d'autres régions. Ce n'en est pas moins une période d'affrontements très rudes où le nationalisme le dispute au socialisme. C'est aussi une période où on voit renaître sous des formes nouvelles les vieilles idées de scandinavisme et, avec la guerre mondiale, les espoirs de réorientation de la politique suédoise en direction de la Finlande.

SITUATION DE LA FINLANDE

La situation de la Finlande est assez différente de celle des autres pays d'Europe septentrionale — nous l'avons déjà noté. Son orientation, au cours du XIXe siècle, semble échapper à cette Europe du Nord.

Par certains côtés, sa situation peut être rapprochée de celle du Danemark : la Finlande est essentiellement agricole mais aussi elle n'a pas l'unité ethnique de la Suède ou de la Norvège. A la différence du Danemark cependant, les ethnies qui se trouvent en Finlande ne sont pas aussi nettement séparées géographiquement. Certes, les « Suédois » habitent surtout les côtes et l'ouest de la Finlande, mais surtout ils occupent un rôle déterminant dans la société. Ce sont les grands propriétaires terriens, les grands commerçants, la bourgeoisie urbaine et la noblesse. Ils forment cependant une minorité dans le pays. La majorité, finnoise, est composée à l'origine des « prolétaires », des paysans, des forestiers. Au cours du XVIIIe siècle une petite bourgeoisie finnoise ainsi qu'un clergé finnois se développent. Prolétaires ou petits bourgeois, on les retrouve partout, du sud au nord, de l'ouest à l'est. Ils forment « la masse ».

Le développement industriel sera encore plus tardif qu'en Suède, et plus difficile qu'en Norvège ou au Danemark. A cela

Années	Total d'habitants	Finnois		Suédois	
		Nombre	%	Nombre	%
1880	2 060 693	1 756 381	85,23	294 876	14,31
1890	2 379 922	2 048 545	86,07	322 604	13,56
1900	2 712 453	2 352 990	86,75	349 733	12,89
1910	2 911 164	2 571 145	88,02	338 961	11,60

deux raisons fondamentales : la Finlande, plus nordique, est le plus continental (et le plus oriental) des pays d'Europe septentrionale ; elle est naturellement pauvre, par son sol, son sous-sol, son climat mais aussi par sa dépendance de fait à la Russie, elle-même très sous-développée, très retardataire.

Aussi, bien souvent, la Finlande apparaît comme repliée sur elle-même. Elle se trouve, plus que les autres pays, soumise aux intempéries. Le XIXe siècle est ponctué de disettes fréquentes qui se compliquent aisément d'épidémies fort meurtrières. En 1832, pour une population de 1 400 000 personnes, la disette et le choléra provoquent la mort de 22 246 d'entre elles. L'une des périodes les plus pénibles est la décennie 1860-1870. Les provinces les plus riches (Vaasa et Turku) elles-mêmes n'ont que de mauvaises récoltes. L'année 1867 en particulier fut catastrophique : encore en juin tout le pays était recouvert de glaces et de neige, et les premières gelées se manifestèrent dès le début septembre. Les quelques rares récoltes ne purent assurer que 2 hl de grains en moyenne par personne. La mortalité, qui en période normale était de 4 000 personnes par mois, s'éleva rapidement à 8 000 pour atteindre 25 000 au printemps 1868. En trois ans, il mourut 369 388 habitants pour une population de 1 750 000, soit 210 °/₀₀. Encore à l'automne 1868 la mortalité était de 77 °/₀₀ (pour 1868 : 137 720 morts, soit 7,9 % de la population). Ce n'est qu'à partir de 1869 que la situation redevient normale.

La Finlande connaît un début de développement à la faveur de la guerre de Crimée. Jusque-là l'Empire s'était peu préoccupé de sa nouvelle province — qui légalement lui restait extérieure. Sans doute, diverses mesures avaient été adoptées qui toutes tendaient à détacher davantage la Finlande de la Suède : en 1842, la monnaie suédoise est retirée de la circulation et la Banque de Finlande obtient le droit de frapper monnaie. Celle-ci est le « rouble finlandais », distincte du « rouble russe ». De grands travaux ont été entrepris pour rendre navigable l'immense complexe lacustre oriental du pays : le Saimaa, etc. Mais ces mesures sont fragmentaires.

La guerre de Crimée modifie le tableau. La Finlande durant cette période s'est montrée fidèle au grand-duc qui, à son tour, s'intéresse plus activement à son grand-duché. Comme les autres pays, la Finlande ouvre ses frontières. Les matières premières en particulier sont libres de tous droits de douane et les douanes n'existent plus qu'entre la Finlande et la Russie — ce qui rapproche la Finlande du monde occidental. En même temps, le commerce intérieur est libéralisé (l'autorisation pour l'ouverture des commerces n'est plus nécessaire : seule la clause de distance subsiste : deux mêmes commerces ne peuvent exister à proximité immédiate — et seuls les produits pharmaceutiques, les alcools et les poisons sont soumis à contrôle). En 1865, il y a 612 boutiques de commerce de détail dans les campagnes et 1 432 en 1875.

Ce commerce, comme toute industrie, est entravé par le manque de moyens financiers. Une évolution commence à se manifester en 1863. Bien que toujours alignée sur la monnaie russe, la monnaie finlandaise s'en détache et prend le nom de « mark » (en finnois *markka*). L'année suivante une banque privée est créée. Puis, en 1877, le mark est aligné sur le franc français de l'époque. En dépit de toutes les difficultés, le mark restera stable durant quarante années, jusqu'en 1917.

En même temps que se manifeste cette évolution, et de façon plus visible, le système d'enseignement connaît une grande expansion. La diffusion de l'enseignement se trouve favorisée en partie par le grand-duc qui s'appuie tantôt sur les Suédois, tantôt sur les Finnois, c'est-à-dire que, selon les périodes et les circonstances, ce point d'appui bascule du monde urbain, bourgeois, au monde rural, prolétaire. De nombreuses écoles, primaires et techniques, sont ouvertes dans les années 1857-1870 qui favorisent la diffusion des améliorations techniques [mais ce développement de l'enseignement appartient aussi à ce qu'on appelle la « guerre des langues » sur laquelle nous revenons plus loin]. Ces améliorations sont très vite sensibles dans l'élevage en particulier. De la situation de disette, de manque, la Finlande peut assez rapidement passer à l'état de pays exportateur de produits laitiers.

Années	*Exportation annuelle moyenne de beurre* (en millions de kg)
1886-1890	7,2
1891-1895	10,3
1896-1900	12,0

Ces exportations sont aussi rendues possibles par l'amélioration des moyens de transport, tout d'abord ferroviaires (relations avec Saint-Pétersbourg), puis maritimes par l'intervention des brise-glace à partir de 1890.

L'essentiel du développement industriel est cependant, pour la Finlande, l'exploitation de « l'or vert », seule richesse immédiate de ce pays. La première scierie à vapeur est mise en service à Iijoki, en 1860. C'est à partir de ces scieries que se constituent capital et prolétariat. Les ports se développent en raison des apports de l'arrière-pays (apports qui parviennent par flottage) et à partir des ports se constituent dépôts bancaires, compagnies d'assurances, mais aussi flotte marchande, bassins de radoub et chantiers navals. En quelques années le port de Kotka connaît une activité intense pour la Baltique du XIXᵉ siècle : de 300 à 400 navires, annuellement, entre 1870 et 1880. Naturellement, la crise connue en Norvège et en Suède du fait de la concurrence canadienne se retrouve aussi en Finlande. Mais les ressources forestières finlandaises sont plus importantes que celles des deux autres pays et les conditions d'exploitation moins onéreuses. Cela permet au commerce finlandais de mieux résister à cette concurrence.

Années	Nombre d'unités sciées (en millions)
1878	5
1885	6,5
1890	11,3
1900	25,3

Cette exploitation forestière permet aussi la naissance des industries dérivées du bois qui, toutes, apparaissent avant la fin du siècle. Mais si importantes qu'elles soient pour la Finlande, ces industries ne se manifestent que rarement sur le marché mondial où la concurrence, mieux armée techniquement et financièrement, leur est défavorable. A côté de ces industries issues de la forêt, les plus importantes sont les usines textiles. Le grand centre industriel est la ville de Tampere particulièrement bien située entre deux systèmes lacustres — de niveaux différents — et où les usines peuvent utiliser, soit directement, soit après transformation, la force motrice hydraulique.

La mise en place du réseau ferré, à partir de 1862 (première voie : Helsinki -Hämeenlinna : 100 km) permet un accroissement notable du commerce et surtout une régularité plus grande dans le flux des importations et des exportations sur la totalité de l'année (les cartes de la p. 97 complètent celles de la p. 42 — on pourrait dire que le transport ferroviaire des marchandises est directement proportionnel à l'épaisseur des glaces et de la neige). La modernisation des moyens de transport (le réseau ferré finlandais, construit à l'époque du grand-duché, porte encore aujourd'hui la marque de ses origines : l'écartement des voies est celui connu en Russie, puis en URSS et non celui de la Suède ; si bien que le réseau finlandais est naturellement relié au réseau soviétique, tandis que le réseau de Suède et de Norvège l'est à celui de l'Europe centrale et occidentale) oblige aussi la Finlande qui ne veut pas dépendre de Saint-Pétersbourg à posséder son industrie métallurgique ne serait-ce que pour la fabrication des rails et

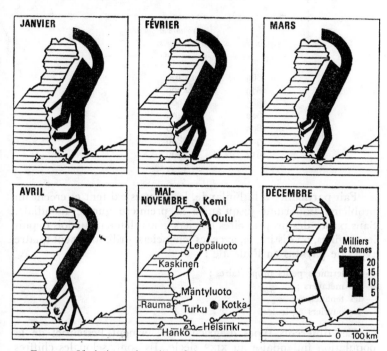

Fig. 9. — Variations saisonnières des exportations à partir des ports du nord de la Finlande, Kemi et Oulu en 1950 (Acheminement par voies ferrées lors de la prise des glaces). (Cartes à comparer avec celles de la figure 2, page 42, sur l'état des glaces en Baltique.)

des locomotives. Cette industrie lourde, dont la principale est la « Lokomo Oy », est aussi installée à Tampere, pour les constructions terrestres, à Helsinki et surtout Turku — avec les chantiers navals — pour tout ce qui touche aux transports maritimes. Ces industries emploient une main-d'œuvre assez abondante pour un pays pauvre et peu peuplé (voir page ci-après).

A côté de ces ouvriers industriels, on trouve aussi un nombre important mais mal connu d'employés de maison qui renforcent le prolétariat urbain. Cependant, ces ouvriers et employés sont peu nombreux en regard du prolétariat rural.

Années	Nombre d'ouvriers industriels
1869	10 100
1879	12 900
1885	29 900
1890	42 400
1895	48 200
1900	78 800
1913	108 800

Fait particulier à la Finlande, les tenures existent et créent un problème important jusqu'après la première guerre mondiale. Sans parler des propriétaires fonciers généralement suédois depuis les origines, on distingue, avec les tenanciers, ordinairement quatre types de paysans en Finlande :

— les fermiers petits propriétaires ;
— les métayers ;
— les tenanciers ;
— les ouvriers agricoles.

Ces différents types d'agriculteurs forment l'essentiel de la population finlandaise au xixe siècle. Ils sont, selon les chiffres officiels :

Types d'agriculteurs	1815 Nombre	1815 % population	1870 Nombre	1870 % population	1901 Nombre	1901 % population
Propriétaires	75 842	57,2	88 030	39,2	103 199	35,5
Métayers	6 331	4,8	11 561	5,5	6 976	2,4
Tenanciers	31 001	23,4	56 597	26,8	41 987	14,4
Ouvriers	19 472	14,7	60 181	28,5	138 857	47,7
Total	132 646		211 369		291 019	

Selon certains autres renseignements, il y aurait eu, en 1901, pour les agriculteurs non propriétaires : 207 000 métayers, tenanciers et ouvriers agricoles, soit près de 20 000 tenanciers et ouvriers en plus de ce que donnent les statistiques officielles.

La situation de ces personnes est particulièrement difficile, surtout après les famines de 1863-1867 qui provoquèrent la ruine de nombreux petits paysans et grossirent les rangs des paysans sans terre. Si la position des ouvriers agricoles est généralement connue, car se rapprochant de celle de ces ouvriers dans les autres pays, celle des tenanciers l'est moins. D'une façon générale, le tenancier n'a aucun droit. Le propriétaire lui prête un lopin de terre contre une ou plusieurs journées de travail à effectuer sur les terres du propriétaire. Le nombre de journées et le type de travail sont fixés par le propriétaire et peuvent être modifiés à tout moment. Le cas limite — qui existe encore à la veille de la première guerre mondiale — est celui où le tenancier doit six jours de travail hebdomadaire au propriétaire. Bien entendu, ce travail n'est pas rémunéré puisque le propriétaire consent en contrepartie au tenancier un lopin de terre et une cabane — mais il arrive que la cabane soit à construire et que le lopin soit un marécage qu'il faudra « sortir » des eaux. On conçoit aisément que, dans ces conditions, les tenanciers et les ouvriers agricoles soient très perméables à la propagande socialiste et se manifestent très tôt aux côtés des ouvriers urbains dans le mouvement politique et social.

Ce mouvement syndical apparaît tardivement : c'est en 1899 que les organisations ouvrières se manifestent indépendamment des autres mouvements. Longtemps, le mouvement ouvrier a été subordonné aux mouvements nationalistes, en particulier « Jeune Finnois », et aux mouvements coopératifs qui, à l'exemple des autres pays d'Europe septentrionale, sont largement implantés dans le pays. Comme en Suède, le mouvement s'appuie sur les associations féministes et les sociétés de tempérance. Il est volontiers légaliste et réformiste. Il reste quelque temps fortement marqué par ses origines bourgeoises : les premiers animateurs du mouvement ouvrier et du Parti social-démocrate, comme le fondateur du Parti NR af Ursin, sont issus de la bourgeoisie finlandaise. Même quand ces courants se seront complètement émancipés des formes bourgeoises, ils en porteront la marque au moins dans certains aspects de leurs actions et de leurs orientations. Mais à partir de 1903, le mouvement syndical évolue rapidement. Ses revendications sont encore largement nationalistes et politiques. Cependant, les mots d'ordre de journée de douze heures, puis dix heures de travail, et d'égalité des sexes, rencontrent de larges échos jusque dans les campagnes. L'aspect plus politique que social des revendications — un peu à l'image de la Norvège, mais de façon plus nette car dominante — tient, sans aucun doute, à la subordination de la Finlande à Saint-Pétersbourg, et vient en réaction à la pression croissante des panslavistes sur la Finlande.

La première grande manifestation de ce mouvement date de 1905 : la révolution qui secoue l'Empire russe se répercute, avec retard, sur le grand-duché, puis touche les autres pays nordiques. A Helsinki, les manifestations sont nationalistes et revendicatives dans le domaine social. Sans cesse, il y a ambiguïté entre les deux types de revendication, mais toujours la situation politique se révèle déterminante, à Helsinki comme à Oslo.

LA QUESTION DES LANGUES

L'une des questions qui se trouve commune aux divers pays est celle des langues. Mais, comme bien souvent, cette question commune est multiforme et varie grandement d'un pays à un autre. Au Danemark, la cour parle allemand ; en Norvège, la langue officielle est tout d'abord le danois ; en Suède, il y a cohabitation de langue noble et de langue vulgaire ; en Finlande, le suédois est la langue de culture et de gouvernement, tandis que le finnois n'a pas droit de cité et que le russe tente de se faire une place.

Cette question des langues est tout autant politique que sociale. Elle est plus ou moins longue à régler selon les lieux, et chacun des pays opère de façon différente pour trouver une issue.

Au Danemark

On pourrait dire qu'au début du XIXe siècle le Danemark se divise en trois secteurs : la cour, le Danemark proprement dit (avec le Jutland, la Seeland, la Fionie et les îles), et les duchés

(Schleswig et Holstein). L'allemand est la seule langue parlée à la cour et dans les duchés ; le danois l'est dans le reste du Danemark.

D'origine germanique, le danois est nettement différencié des autres langues de même souche dès le xiᵉ siècle. Dans le courant du xviiiᵉ siècle, le danois lui-même se scinde en deux courants : noble et vulgaire. La langue noble est bien entendu la langue écrite, citadine. C'est le *rigssproget* qui s'oppose à la langue parlée, paysanne, variable d'une région à une autre, morcelée en patois mais ayant une certaine unité, surtout à la fin du xixᵉ siècle. C'est le *rigsmålet*. Les deux langues ne sont pas incompatibles. Elles se séparent de l'allemand et trouvent leur unité face à lui.

Après une période d'incertitude, le pouvoir royal retrouve en 1815 toute son autorité et son absolutisme. On a pu dire que de 1665 à 1849 le Danemark a vécu sous le régime de la *Lex regiae*, c'est-à-dire selon le « bon plaisir et l'agrément » du roi. Le retour de cet autoritarisme est mal supporté, d'autant que le royaume se trouve réduit au « petit » Danemark après la perte de la Norvège. La perte de territoires et la disparition des libertés s'accompagnent d'une volonté de revanche ou tout au moins de regrets et d'honneur blessé. Le ressentiment s'exprime sourdement contre le palais royal et la question des langues est tout naturellement évoquée. Ceci ne serait pas très grave si, en 1830, la querelle n'était avivée par la question du Schleswig. Le ton monte après la mort du roi Frédéric IV : son héritier, le prince Christian, qui avait, en 1814, été l'éphémère roi de Norvège porte les espoirs des libéraux. Or dans le Sud, les libéraux des villes s'appuient largement sur les libéraux allemands. Ils exigent une constitution séparée, une certaine autonomie pour les provinces de langue allemande. C'est une nouvelle atteinte à ce qu'on n'appelle pas encore, mais qui est déjà, l'intégrité nationale. La question des langues, déjà point de rupture entre citadins et paysans, le devient entre libéraux et conservateurs, d'une part, entre libéraux du Nord et du Sud, d'autre part. Elle est rendue plus aiguë encore par l'apparition du « romantisme national ». Ce mouvement littéraire et artistique que nous avons déjà évoqué ne reste pas limité aux cercles littéraires citadins. Pour le journal *Almuevennen (L'Ami du Paysan)* qui paraît à partir de 1842, mais surtout avec la création de la Société des Amis des Paysans (Bondevenners

Selskab) en 1846, le mouvement pénètre profondément les campagnes.

La question des langues trouve un moment d'apaisement en 1848. Le vieux roi meurt en janvier. Son fils — qui n'a pas d'héritier direct — fortement ébranlé par les Révolution de 1848 et en opposition avec la noblesse qui lui reproche sa liaison avec Louise Rasmussen, ancienne danseuse et roturière, s'allie à la bourgeoisie et se proclame roi constitutionnel. Alors la lutte se déplace : désormais, la lutte des langues au Danemark s'oriente vers un aspect plus national. Les duchés font appel à l'Allemagne, tandis que le Danemark se tourne vers le « scandinavisme ». Il n'est plus question de dispute linguistique avec le redéploiement géographique. L'opposition qui parfois semble se manifester entre langue écrite et langue parlée est finalement réglée en 1875 quand les deux langues sont codifiées et reçoivent un statut officiel. Vite surmontée, cette opposition des langues a cependant été très sensible durant la majeure partie du XIXe siècle.

En Suède

C'est en Suède que la lutte des langues est le moins vive, le moins sensible dans ses répercussions politiques. Là, elle est surtout sociale. Il y a la langue des paysans, la *landsmål*, et celle des gens cultivés, la *bokmål*. La langue paysanne puise dans le fond commun scandinave et bien souvent les paysans de Suède sont, par leur langue, plus proches des paysans norvégiens par exemple que de la bourgeoisie de Suède (mais la densité de population, les distances sont telles que ces paysans ne se connaissent pas et ne peuvent pas se rencontrer, alors que les bourgeoisies ne veulent pas se comprendre entre elles, par nationalisme, et ne veulent pas comprendre leurs paysanneries par « fierté de classe »).

Le pouvoir aristocratique qui domine en Suède durant tout le XIXe siècle nie — ou ignore volontairement — qu'il y a une question de langue. Mais il prend conscience de cette situation en 1905, l'année du grand traumatisme. Alors, quand la Norvège se détache de la Suède, ce pouvoir aristocratique s'aperçoit qu'un facteur important a joué en faveur de la Norvège : son unité nationale — qui n'existe pas en Suède, en particulier en raison de l'opposition linguistique qui sépare les villes des campagnes. A

cela s'ajoute l'échec du « scandinavisme » prôné par la Suède
et dans lequel la langue cultivée de Suède aurait dû trouver une
place privilégiée. Après 1905, la « révision » de la politique suédoise amène à une intégration de la langue paysanne, à sa reconnaissance et sa codification. Après cette date on assiste à une
véritable mise à jour de la langue suédoise. Comme ailleurs, le
rôle des Eglises dissidentes n'est pas négligeable : elles donnent
aux paysans la possiblité de s'exprimer en des lieux officiels (les
temples), dans leur langue, à partir de 1865 avec l'Eglise baptiste,
de 1875 avec l'Eglise méthodiste, de 1878 avec l'Eglise « libre »
(Fédération suédoise des Missions : Svenska Missionsförbundet)
qui se répand rapidement dans les campagnes. De même, les
organisations « parallèles » comme celles de tempérance (en
particulier l'Ordre des bons Templiers : Godtemplarorden, fondé
en 1879) et l'action des écrivains qui à la fin du XIXe siècle ont
recueilli la tradition orale. Toutes ces actions convergent finalement vers un même but : revaloriser la langue paysanne. Elles
permettent aussi de faire connaître les provinces dans la capitale
et leur donnent une fierté nouvelle. C'est ainsi, que de 1880
à 1890, la Scanie avec Baath et O. Hansson, le Värmland avec
Fröding et Selma Lagerlöf, le Vättern avec Heidenstam, la Dalé-
carlie avec Karfeldt et Selma Lagerlöf encore, le Norrland avec
P. Molin et P. Hallström, sont mieux connus. Et quand la Suède
se trouve à nouveau réduite à son seul territoire, en 1905, on assiste
à un retour au nationalisme et au traditionalisme favorisés par les
travaux de l'historien Harald Hjärne qui publie une étude
critique des *Annales de Suède*, tandis qu'Arthur Harzeluis introduit
physiquement les provinces dans Stockholm en créant le très beau
musée de plein air de Skansen qui, aujourd'hui encore, domine
le port face au palais royal. Ainsi, la « lutte » des langues, en Suède,
est calme, ouatée, diffuse, et n'apparaît jamais comme primordiale.

En Norvège

Tout comme la Suède, la Norvège connaît un certain bilinguisme, et, comme en Suède, il y a la langue paysanne (*landsmål*
dite encore *Nynorsk*, c'est-à-dire « nouveau norvégien »), et la
langue cultivée dite *riskmål* ou encore « dano-norvégien ».
De même que le Danemark refusait l'emprise de la langue

allemande, de même la Norvège veut se démarquer de son ancienne métropole, le Danemark. A partir de 1840, la langue paysanne gagne du terrain sur la langue cultivée. C'est une façon de manifester son indépendance vis-à-vis du Danemark, mais aussi vis-à-vis de la Suède : les bourgeois et les nobles suédois qui se rendent en Norvège sont parfaitement incapables de comprendre cette langue paysanne qui pour eux est une langue aussi étrangère que celle de leur paysannerie. Ce *landsmål* (écrit aussi *landsmaal* et de plus en plus souvent appelé *Nynorsk*) est constitué à partir de divers parlers paysans recueillis et « harmonisés » en particulier par Ivar Aasen, fils de paysan, lui-même instituteur rural et auto-didacte, l'un des grands philologues du Nord. Son action est ren-forcée par celle de A. O. Vinje, comme lui fils de paysan et insti-tuteur rural et qui, de 1858 à 1870, publie un périodique, *Dölen (L'habitant des vallées)*, en *landsmål*.

Tout comme au Danemark, les intellectuels norvégiens jouent un rôle déterminant dans cette création et, comme leurs confrères méridionaux à la même époque, comme leurs voisins orientaux un demi-siècle plus tard, ils s'appuient sur le monde paysan dans lequel ils répandent cette langue accessible à tous. La presse, là aussi, occupe une place importante, surtout après 1860. Mais bien vite la dispute linguistique revêt en Norvège un caractère politique : le dano-norvégien, dit encore norvégien classique, est considéré comme nécessaire par les partis politiques conservateurs, tandis que le « nouveau norvégien », s'appuyant sur le monde paysan, est le moyen d'expression choisi et défendu par les mou-vements coopératifs, syndicaux et généralement la « gauche ». Ce « nouveau norvégien » est facilement assimilé à la défense des minorités et marque un point important quand, en 1907, il est admis dans la « forteresse » du conservatisme qu'est alors l'Univer-sité. Le dano-novégien et le « nouveau norvégien » semblent alors trouver un certain équilibre. En 1908, un « Conseil linguistique » *(Språkråd)* est créé afin de protéger les deux langues. Ce conseil conforte la loi de 1885 sur l'égalité des langues en Norvège *(landsmål* et *riksmål)*. Les deux langues sont alors considérées comme langues de culture. Si le dano-norvégien, ancienne langue des « colonisateurs », se maintient en Norvège, c'est en grande partie grâce à la gloire acquise, au Danemark, par des hommes tels

Anderssen ou Kierkegaard, tandis que le « nouveau norvégien » gagne ses lettres de noblesse avec Ibsen ou Wegerland. Le renforcement des positions du dano-norvégien au moment où le nationalisme est le plus fort s'explique aussi par le développement du « scandinavisme », et la volonté de certains politiques norvégiens, qu'ils soient de droite ou de gauche, d'échapper au chauvinisme ou à l'esprit de clocher. Ainsi, la lutte linguistique est d'abord une lutte nationale mais trouve un équilibre dans le refus du nationalisme le plus étroit. C'est par le jeu politique que cette lutte s'atténue pour se transposer en d'autres domaines. Jamais elle n'est violente, mais elle est le lieu des oppositions sociales autant que nationales. C'est ce qui la démarque nettement de la question linguistique dans les autres pays du Nord et tout particulièrement de la Finlande où, justement, cette lutte est fort tranchée.

En Finlande

La situation de la Finlande est très particulière. Les populations y sont nettement séparées. Il y a les Finnois à l'origine incertaine, mais certainement outre-ouralienne et dont la langue est, avec le hongrois, le rameau européen des langues ouralo-altaïques. Ces Finnois sont, dans leur majeure partie, paysans, chasseurs, pêcheurs, forestiers. S'ils sont propriétaires, c'est des terres qu'ils cultivent eux-mêmes. La tradition les veut plus prolétaires que propriétaires. Et puis, à côté, il y a les Suédois, d'origine germanique, marchands, soldats, prêtres, qui sont les colons et par là les propriétaires terriens. Ils ont pris possession des côtes méridionales et occidentales, des meilleures terres. Ils possèdent et régentent les « demeures » comme le commerce, les lois comme les cours. Ce sont les maîtres. Par leur langue, ils se sentent rattachés à la cour royale de Stockholm d'abord, et, parce que cette langue est européenne, à la cour de Saint-Pétersbourg ensuite, quand bien même le suédois n'y est pas connu. Le finnois, lui, est réservé à la plèbe.

A partir de 1830, la situation évolue. On peut la lier à la prise de conscience « nationale » et aux manifestations des intellectuels qui se détournent des cours pour s'intéresser au peuple. Ce mouvement, nous l'avons déjà vu, n'est pas particulier à la

Finlande. Mais nous le retrouvons aussi en Finlande. Le plus connu des intellectuels de l'époque est sans doute Elias Lönnrot, médecin de campagne qui, voyageant en Carélie, recueille la tradition orale auprès des villageois. E. Lönnrot avait déjà travaillé sur les traditions et publié, dès 1827, un *Mémoire sur le mythe du Dieu Väinämöinen (De Väinämöine priscorum Fennorum numine)*. Mais c'est surtout la publication en 1835 du *Kalevala*, puis dix ans plus tard des *Chants du Kantele* (la *Kanteletar*) qui assure sa renommée et marque l'entrée en scène du finnois. L'action de Lönnrot est renforcée par celle du « Club du Samedi » qui, rassemblant un certain nombre d'intellectuels — tous d'origine suédoise (1) —, décide de répandre le finnois en particulier par la publication d'ouvrages dans cette langue. Ce « Club du Samedi » débouche très vite sur la création de la Société de Littérature finnoise, encore très active aujourd'hui.

Très rapidement, le *Kalevala* atteint à une audience internationale. Il est traduit en français par Léouzon Le Duc en 1845, et Leconte de Lisle en reprend certains éléments dans ses *Poèmes barbares*. En Finlande, même le finnois, grâce à l'action du Club du Samedi et de la Société de Littérature finnoise, est reconnu comme langue de culture. Mais il lui faut une reconnaissance autre qu'intellectuelle : il faudrait qu'il soit admis légalement. Or, la majorité des Suédois y sont opposés. Cette population suédoise représente encore près de 20 % de la population et, tenant les rênes du pouvoir, elle ne veut pas les abandonner. Cependant une troisième composante existe en Finlande : le pouvoir russe qui s'appuie tantôt sur « l'élite » suédoise et tantôt sur la « masse » finnoise. C'est contre la volonté des Suédois que le grand-duc, « protecteur » de l'Université, introduit l'enseignement en finnois à l'Université. Le soutien du grand-duc à la langue finnoise ne va pas très loin. Mais il existe, et aide à la diffusion de l'enseignement du finnois. Cela ne signifie pas que le mouvement en faveur du finnois soit inféodé au pouvoir russe. Bien au contraire. Au moment où la Suède tente de se rapprocher de la Finlande à l'occa-

---

(1) Les membres du « Club du Samedi » sont, à l'origine : Keckmann, Gadolin, Gyldéen, Ilmoni, Lille, Lindfors, Nordström, Rein, Ståhlberg, Ticklén et Lönnrot.

sion de la guerre qui sévit en mer Noire et lui laisse les mains libres en Baltique, le mouvement dit fennomane apparaît comme l'expression de l'identité finnoise, à l'écart de la Russie et contre les « tentations » suédoises. Ainsi la « guerre des langues » en Finlande (et il est significatif qu'en Finlande on parle de guerre et non de lutte des langues) a-t-elle un caractère multiforme. Ferment d'unification contre les pouvoirs extérieurs de Stockholm et de Saint-Pétersbourg, c'est un ferment de division intérieure car les langues ne recouvrent pas qu'une réalité nationale : elles manifestent aussi une réalité sociale et, pendant très longtemps, parler suédois sera, volontairement ou inconsciemment, affirmer son appartenance à une classe bourgeoise, nobiliaire, aisée, non prolétarienne.

Il serait cependant trop simple de dire par opposition que parler finnois c'est s'affirmer prolétaire. Parler finnois, c'est tout d'abord être paysan. Et longtemps les paysans se méfieront des Finlandais parlant suédois. Mais le nombre de svédophones ne cesse de décroître tant par le jeu de la natalité plus forte dans les familles finnoises que dans les familles suédoises que par le fait nouveau à partir du milieu du XIXe siècle du nationalisme qui veut que l'usage du finnois soit, d'une part, un défi à toute oppression et, d'autre part, le signe d'une cohésion nationale, même lorsque le pouvoir russe se révèle libéral ou lointain comme sous Alexandre II qui accède au trône en 1855.

C'est au moment où la France s'ouvre au libre-échange que le finnois devient par rescrit impérial langue officielle au même titre que le suédois. Alors la minorité svédophone se raidit : la langue suédoise devient un privilège qu'il faut conserver. Les Etats généraux (Diète) de Finlande réunis peu après, en 1863, refusent droit de cité au finnois. Pour eux, la seule langue de travail continue d'être le suédois. C'est aussi de cette époque que datent les théories raciales de Gobineau qui rencontrent rapidement un écho favorable dans quelques milieux suédois de Finlande. Ceux-là se sentent Aryens et par là supérieurs. Ce groupe peu nombreux est cependant assez actif pour dresser durablement les deux groupes linguistiques l'un contre l'autre.

La pression exercée par les svédophones sur les fennophones est si forte dans tous les domaines, publics et privés, que le fennomane Snellman — d'origine suédoise — peut déclarer en 1880 que le programme de base du mouvement libéral est de « libérer la majorité (du pays) de la tutelle et de la tyrannie linguistique de la minorité ». Le moyen le plus simple utilisé par les svédophones pour maintenir leur prééminence est de se référer constamment aux lois suédoises antérieures à la naissance du grand-duché (en devenant grand-duc de Finlande, le tzar a maintenu toutes les lois existant avant 1808), ce qui est parfaitement légal, mais de plus en plus désuet.

En dehors du domaine législatif et juridique, le lieu le plus visible de l'affrontement des langues est le domaine scolaire et particulièrement celui de l'enseignement secondaire. Après un bref moment où un système libéral — en ce qui concerne les langues — s'instaure dans les écoles secondaires, système qui favorise les fennomanes (1), mais aussi l'agitation nationaliste, un coup d'arrêt est marqué en 1869. Alors l'enseignement secondaire est retiré des mains ecclésiastiques (souvent nationalistes et fennomanes) pour être confié à un bureau particulier dont le premier directeur est le lieutenant général C. von Kothen, svédophone rétrograde qui avait appartenu à l'entourage de Nicolas Iᵉʳ. Imbu de la supériorité raciale suédoise, l'action pratique du lieutenant général tend à interdire l'usage du finnois dans l'enseignement secondaire. Mais cette action semble trop soumise aux intérêts russes pour rassembler les esprits. Et si le lieutenant général a le pouvoir d'interdire l'emploi du finnois dans les écoles officielles, il ne peut empêcher que les fennomanes se cotisent pour construire des écoles privées qui après quelque temps obtiendront des subsides publics grâce en particulier à l'action d'Yrjö-Koskinen (qui « ose » en 1894 prononcer un discours en finnois devant la Maison de la Noblesse — ce qui est encore considéré par l'ensemble des nobles et de la diète comme une « impertinence »). A partir de 1889, un changement quantitatif se manifeste : le nombre

---

(1) Ce « favoritisme » est tout relatif : auparavant le finnois « n'existait pas » dans les écoles secondaires. Le fait qu'une place lui soit ouverte dans l'enseignement, même infime et dérisoire par rapport à sa réalité nationale, est une brèche ouverte dans la digue svédophone. Et c'est bien ainsi qu'était ressenti ce « libéralisme » linguistique.

de lycéens d'origine fennophone est égal à celui d'origine svédophone. Cela marque encore un très grand déséquilibre : il y a
autant de fennophones que de svédophones dans les lycées alors
que les svédophones ne représentent, à la fin du siècle, qu'à peine
18 % de la population de Finlande — ce qui fait que, pratiquement, les fennophones sont cinq fois moins nombreux à recevoir
une éducation secondaire que les svédophones. Mais c'est un signe
qui ne peut tromper : désormais, le combat des svédophones est
d'arrière-garde — une arrière-garde qui tirera des cartouches
faisant mouche durant encore près d'un siècle.

Une autre faille se produit dans le front svédophone en 1889,
mais cette fois dans le domaine de la presse. En 1867, le grand-duc
soumet à la diète un projet de loi tendant à la surveillance et à
la censure de la presse. La diète rejette le projet sans en discuter.
Ce n'est pas tellement par libéralisme que par manque d'intérêt.
En effet, les écrits en finnois sont alors soumis à des contraintes
très fortes : seuls les écrits officiels (rescrits, lois, décisions de
justice, écrits religieux) peuvent être publiés sans difficulté, ainsi
qu'un assez grand nombre de traductions et les recueils folklo-
riques. La Société de Littérature finnoise publie ainsi les poèmes
de la tradition orale et des traductions dont, par exemple, les
romans d'Eugène Sue en 1849. En 1854, officiellement toutes les
publications sont soumises à la censure préalable, comme elle
est pratiquée dans l'empire des tzars. Toutefois, et c'est un aspect
important de la question qui explique le désintérêt de 1867,
les svédophones pensent pouvoir s'appuyer — à tort ou à raison —
sur les publications qui sont faites en Suède. Pour eux, la censure
russe n'existe pas. Cette censure vise donc essentiellement les
publications en finnois, ce qui rend service aux svédophones plus
qu'à la Russie qui, alors, fait figure de puissance oppressante.
Il semble donc que tout soit pour le mieux au moins pour les
svédophones. Mais en 1889 le journal *Helsingfors Bladet* animé
par les libéraux de langue suédoise doit cesser de paraître faute
d'un soutien suffisamment large. Il fait alors place à un journal
de même tendance, mais de langue finnoise, le *Päivälehti (Le
Journal)*, qui tente au moins dans ses débuts de réduire la lutte
des langues et de faire passer un courant plus unitaire dans le
sens national. Très vite, il se heurte à la double barrière de la

censure russe et de l'opposition qui rejette les svédophones et les fennophones dans des camps adverses, situation que bien entendu exploite le pouvoir russe.

Au contraire des autres pays du Nord, la « guerre des langues » ne s'apaise pas en Finlande avec le siècle. Elle restera très forte, sensible jusqu'après la seconde guerre mondiale et si elle passe souvent au deuxième plan, même au XIXe siècle, elle est toujours sous-jacente dans tous les conflits sociaux et politiques. Parfois, elle en est le révélateur.

CHAPITRE III

LES SITUATIONS POLITIQUES
AU XIXᵉ SIÈCLE

Si les situations économiques, linguistiques et culturelles peuvent présenter de nombreux points communs, les situations politiques sont très différentes. Deux pays sont « dominés » : la Norvège et la Finlande ; un est « dominateur » : la Suède ; le quatrième est isolé : le Danemark. Deux sentiments communs parfois unissent certains éléments, animent certaines couches sociales d'un pays à l'autre, « par-dessus » les frontières. Ce sont le « scandinavisme », trait particulier au nord, et le syndicalisme, fait général à la fin du XIXᵉ siècle.

SITUATION POLITIQUE AU DANEMARK

La date marquante du XIXᵉ siècle est, au Danemark, 1864. Il y a l'avant et l'après 1864, c'est-à-dire l'avant et l'après-« guerre des duchés ». Il se trouve aussi que cette date marque le départ d'un certain développement industriel et social. On pourrait, schématisant, dire qu'avant 1864 le Danemark se maintient dans un certain immobilisme et qu'après tout bouge, aussi bien dans les domaines sociaux que politiques. La période 1815-1864 n'est cependant pas d'un calme absolument plat. Deux dates peuvent être retenues qui ne sont pas spécifiquement danoises : 1830 et 1848, mais qui là aussi marquent une évolution certaine des situations.

Après la chute de Napoléon Iᵉʳ, avec le Congrès de Vienne, le Danemark se replie sur lui-même. Son roi, Frederik VI, qui fut libéral avant 1808, incarne alors le conservatisme le plus rétrograde.

Sa devise est son programme : « Nous seul savons. » Sa personne physique semble être à l'image des malheurs qui se sont abattus sur le royaume. Petit, maigre, triste, il paraît sans cesse dépassé par les événements du monde qui est aux portes de son domaine, et qu'il semble vouloir ignorer. Il y parvient assez bien et franchit sans dommage la période révolutionnaire de 1830. Cependant, sous la pression des mouvements libéraux allemands (dans les duchés) et danois, il lui faut consentir d'alléger le poids de sa férule. En 1831, des « corps consultatifs de citoyens responsables » sont formés au niveau des paroisses puis, en 1834, au niveau des provinces. Ces « corps » sont purement consultatifs et peu représentatifs car les élections sont censitaires (elles ne touchent en fait que 2 % de la population). Seuls peuvent y participer les propriétaires terriens aisés. Mais c'est une amorce tout en même temps de démocratisation et de régionalisation. Régionaux, ces conseils se réunissent en quatre lieux : Itzehoe pour le Holstein, Slesvig pour le Schleswig, Viborg pour le Jutland et Roskilde pour les îles. Ces élections aux conseils permettent de mesurer la force de la tradition et du renouveau qui s'exprime surtout à travers le Parti libéral. Dès la création de ces conseils, un journal libéral, le *Faedrelandet*, paraît, qui connaît vite des difficultés en raison de son opposition à la couronne et de la censure exercée par le pouvoir.

En 1837, après la promulgation d'une loi sur leur organisation, des conseils municipaux sont élus. Ils marquent une forte poussée des libéraux, y compris à Copenhague (où habitent alors 120 000 personnes) où pourtant seulement 1,6 % de la population peut participer aux élections. Le libéralisme se manifeste aussi, après de violentes manifestations à Copenhague, dans la décision d'abolir la torture en justice. Cependant, la libéralisation du régime n'est guère possible aussi longtemps que vit le vieux roi qui détient les pouvoirs. Frederik VI meurt en 1839 et est remplacé par son cousin qui a une réputation de libéralisme — mais tout est relatif ! Il tient cette réputation de son court passage sur le trône de Norvège, en 1814. En fait, accédant au pouvoir, il va se montrer très conservateur.

Alors que se développe le courant libéral — qui s'exprime en particulier par la presse : le *Faedrelandet* devient quotidien en 1839, un journal satirique, le *Corsaren*, est publié pendant quelques années par Meir Aron Goldsmith — des difficultés nouvelles apparaissent dans les duchés. Le mouvement libéral se manifeste en s'appuyant très largement sur les libéraux allemands ainsi que sur les propriétaires terriens allemands locaux. Il demande en fait l'autonomie de ces régions. A ce mouvement répond un parti de fermiers danois du nord et centre Schleswig réclamant leur union plus étroite avec le Danemark. C'est vers lui qu'incline le pouvoir, c'est-à-dire en une direction antilibérale niant l'existence des problèmes nés de ces minorités nationales. La monarchie réagit en durcissant sa politique, et alors que de nouvelles élections, cette fois pour les conseils de paroisse et de comté, accordent une large place aux libéraux, les journalistes humoristes et libéraux Goldschmidt et O. Lehmann se retrouvent en prison. En fait, la situation est toujours bloquée et il faut attendre que le monde extérieur heurte assez fortement aux frontières pour que le Danemark évolue.

Cette ouverture se produit en 1848. Le choc essentiel naît des échos éveillés par les révolutions qui agitent l'Europe, à commencer par Paris et la Pologne. Il se trouve aussi que le roi meurt et est remplacé par son fils Frederik VII. L'agitation se manifeste, pour une part, dans les milieux libéraux et tout particulièrement dans les milieux estudiantins et allemands. Une loi avait au début du siècle réformé l'enseignement en le rendant obligatoire pour une période de sept ans. Au milieu du XIXe siècle, l'alphabétisation est à peu près réalisée pour l'ensemble du pays. Ce mouvement est bien sûr à rapprocher de l'action des intellectuels se détachant de la cour (Hans Christian Andersen, 1805-1875, est encore considéré comme le premier auteur prolétarien danois), de la multiplication des sociétés culturelles (Société Athenoeum, Société pour la Diffusion des Sciences naturelles, Ecole polytechnique de Copenhague, etc.), des diverses manifestations du romantisme (qui se concrétisent dans les constructions de l'hôtel de ville de Copenhague, du Tivoli, de l'Ecole métropolitaine, etc.). Le roi qui prend le pouvoir est obligé de s'appuyer sur la bourgeoisie marchande (donc libérale à Copenhague) étant donné l'opposition que lui manifeste la noblesse (sa liaison est mal vue de la cour). Mais il n'a pas une claire conscience de ce qui se passe dans les duchés où les premières manifestations en faveur de l'indépendance ont lieu dès 1844.

En mars 1848, les membres du Parti de Schleswig-Holstein au Conseil consultatif refusent de reconnaître le nouveau roi et demandent leur intégration à l'Allemagne. C'est alors que le roi Frederik VIII, s'appuyant sur les libéraux de Copenhague et faisant appel au sens « éclairé » de ses concitoyens, se proclame roi constitutionnel, marquant ainsi de façon quelque peu inattendue la fin de la monarchie absolue. Cela ne satisfait pas les libéraux des duchés qui forment un gouvernement provisoire et se tournent vers l'Allemagne, en fait la Prusse. Le Danemark est alors la proie d'une guerre à la fois intérieure (duchés contre reste du Danemark, libéraux contre conservateurs) et extérieure car les duchés reçoivent l'appui de la Prusse. De son côté Copenhague peut espérer l'appui, au moins moral, de la Suède. Si la guerre tourne court, cela tient essentiellement à l'action de la Grande-Bretagne et surtout de la Russie qui souhaitent conserver la liberté de navigation dans les détroits et ne désirent pas voir la Prusse contrôler ce trafic. Il semble que le Danemark puisse alors connaître un développement nouveau : l'opposition entre Copenhague et les duchés réveille le sentiment d'union scandinave : la Suède affirme même qu'elle viendra au secours du Danemark contre la Prusse si besoin est. Cette promesse, chiffrée dans un premier temps à 15 000 hommes, restera lettre morte. Mais elle suscite bien des espoirs.

Ce bref affrontement conduit Frederik VII à garantir l'autonomie des duchés un moment occupés par les troupes prussiennes (jusqu'en 1851). A l'intérieur, une assemblée constituante est réunie. Forte de 150 membres — dont le quart désigné par le roi, les autres élus par les citoyens de plus de 30 ans — cette assemblée a pour tâche de voter une constitution. Celle-ci est proclamée le 5 juin 1849 et demeurera en vigueur jusqu'au 5 juin 1953 avec divers amendements, essentiellement en 1866 (dans un sens rétrograde), 1901 et 1915 (dans un sens libéral). Cette constitution de 1849 proclame l'indépendance du pouvoir judiciaire, partage le pouvoir législatif entre le monarque et le parlement. Le roi est investi du pouvoir exécutif mais ne possède ce pouvoir qu'au nom du peuple. C'est ce qui explique qu'il ne peut lever des impôts sans l'accord du parlement ni mener une action politique quelconque sans l'assentiment d'au moins un des ministres. Les ministres nommés par le roi sont responsables devant le parlement qui peut les déférer devant une haute cour. Le parlement lui-même est composé de deux assemblées : le Folketinget (chambre des Députés) élu pour trois ans par les citoyens (hommes) de plus de 30 ans et non indigents. Cette chambre réunit 100 représentants tandis que le Landstinget (sénat) en a 70 élus pour quatre ans par un système à deux degrés, à l'exception de 12 d'entre eux directement nommés par le monarque. Le roi conserve la possibilité de dissoudre les chambres. Enfin, les libertés de presse et de religion sont garanties. Cette constitution permet dans un premier temps de porter le nombre d'électeurs de 2 à 14,5 % de la population.

Cela ne règle cependant pas les rapports du Danemark avec ses duchés pour lesquels, après une première recherche infructueuse, une assemblée particulière, le Rigsråd (conseil national), est réunie à partir de 1853. Cette assemblée comprenant 80 membres (20 désignés par le roi, 30 par les assemblées des duchés et le parlement, 30 par les corporations) ne parviendra jamais à des conclusions satisfaisantes tant les antagonismes y sont puissants. Son mérite essentiel est d'avoir fourni une tribune « nationale » aux représentants des duchés qui, en fait, ne souhaitent qu'une autonomie plus large.

Parmi les autres mesures libérales adoptées sous Frederik VII, il faut noter la suppression des sentinelles militaires dans les ports, ce qui permet une circulation plus fluide des biens et des personnes, ainsi que l'abolition des droits d'octroi aux portes de Copenhague qui, à partir de 1850, ne sont plus fermées la nuit (les clefs en étaient jusqu'à 1848 remises chaque soir au roi).

Ces réformes, pour intéressantes qu'elles soient, ne touchent guère aux structures sociales, et, en 1852, les libéraux estiment que leur programme n'a guère de chances de se voir appliqué. Ils se retirent du gouvernement pour y revenir en 1860. Alors, le blocage de la situation dans les duchés rend les rapports entre cette région et Copenhague encore plus explosifs. Pour sortir de l'impasse dans laquelle se trouve le pays, les libéraux ne voient qu'une solution : unir plus étroitement les duchés au royaume, généraliser l'application de la constitution. Ils s'estiment alors plus forts qu'en 1851 et capables de satisfaire aussi bien les aspirations sociales libérales que les demandes des duchés, dans les domaines économiques et sociaux. Ils oublient deux choses essentielles. Tout d'abord, leur implantation nationale est encore faible. Certes, quelques-unes de leurs demandes ont abouti. En 1855, les paysans ont obtenu de désigner leurs pasteurs et les propriétaires perdu le droit de soumettre leurs employés aux châtiments corporels ; les corporations — et du même coup les monopoles de fait — ont été abolies en 1857 ; les femmes ont, en 1857 aussi, obtenu l'égalité juridique dans les questions d'héritage (mais il faut attendre 1861 pour voir une femme enseigner dans une école supérieure) et l'obligation du baptême a été supprimée. La situation monétaire a été assainie par le développement du commerce et accessoirement la vente de terres lointaines et improductives — pour le Danemark — à la Grande-Bretagne (en 1845, possession des Indes, en 1850, établissements de Guinée ; plus tard, en 1917, le Danemark vendra ses derniers territoires des Indes, les îles Virgin, aux Etats-Unis pour 25 millions de dollars). Toutefois, ces transformations sont encore marginales et satisfont plus l'esprit des libéraux que les besoins réels de l'ensemble de la population.

Il y a aussi que les demandes des duchés sont plus nationales que sociales. Quand elles sont économiques, ces demandes rejoignent aisément les questions nationales et le retour des libéraux au gouvernement ne peut apporter aucune amélioration dans les rapports entre le gouvernement central et les duchés. Bien au contraire, la crise se précipite quand les libéraux de Copenhague demandent l'intégration des duchés au royaume. Alors les représentants des duchés, déjà bien préparés par Bismarck, font appel à la Prusse. En quelques semaines, le Danemark est complètement écrasé par les troupes prussiennes et autrichiennes. Plus : le Danemark perd alors l'illusion d'une Union scandinave qui aurait pu faire contrepoids à l'alliance austro-prussienne mais qui en cette occasion ne s'est pas manifestée en dépit des promesses réitérées du roi de Suède.

A l'issue des brèves opérations militaires où les Danois perdent environ quatre fois plus d'hommes que leurs assaillants, le Danemark est amputé de la totalité des duchés bien que les habitants du nord Schleswig aient demandé à demeurer Danois. La superficie du royaume tombe de 58 000 à 39 000 km² et sa population passe de 2 millions et demi à 1 700 000 personnes. Cette défaite, qui est fortement ressentie, n'est cependant pas totalement négative. Tout d'abord, l'épine des duchés qui empoisonnait la vie publique danoise depuis le début du siècle est extirpée. Mais aussi cette « catastrophe », loin de plonger le royaume dans le désepoir ou la léthargie, lui est l'occasion d'un sérieux examen qui est une mise en cause de la situation sociale et politique. On a coutume d'appeler la période 1864-1914 « l'ère de la grande réorganisation », ce que les libéraux traduisent en déclarant : « Ce qui est perdu à l'extérieur doit être regagné à l'intérieur. »

Le premier signe visible de cette réorganisation touche au commerce extérieur qui est entièrement réorienté vers la Grande-Bretagne. Mais ce qui est plus caractéristique et plus durable est la refonte profonde des structures. En quelques années, le Danemark passe d'une économie retardataire à une économie avancée. C'est la période de l'implantation et du développement des universités populaires et des coopératives. C'est aussi à ce moment qu'on voit se multiplier les journaux libéraux tout d'abord avec le *Morgenbladet* (quotidien) et le *Punch* (hebdomadaire) dont la parution régulière date de 1873. En 1874, les socialistes font paraître le *Socialdemokraten*, puis l'hebdomadaire satirique *Raven* en 1876. Il y aura ensuite le *Nationaltidende* (en 1876), le *Det Litterære Venstre*, journal littéraire de gauche (en 1877). En 1884, le *Politiken* est lancé et obtient bientôt une audience mondiale. Période de remous intellectuels, de discussions, ce sont aussi des années quand domine la droite composée des grands propriétaires terriens et de l'aristocratie urbaine. Mais à partir de 1874 la lutte constitutionnelle est très vive : la majorité de la chambre des députés se situe à gauche et le nouveau roi, Christian IX, se refuse à gouverner avec elle. Cependant, la poussée de la gauche contenue pendant près d'un demi-siècle n'est pas également combattue par le gouvernement qui ne peut empêcher l'élection de deux députés socialistes en 1884, puis de quatre en 1890. Mais c'est tout d'abord dans les domaines « marginaux », religion et enseignement, que la droite cède. En 1892, les universités populaires sont reconnues et subventionnées. Il est vrai qu'alors ces universités populaires rejoignent la droite dans les questions de défense et de politique militaire.

Alors que les positions politiques se sont redistribuées avant l'apparition des socialistes (une partie des libéraux rejoint les conservateurs par peur du socialisme), le programme des libéraux entre véritablement en application avec le début du siècle. Les tenures disparaissent complètement. En 1903, le système fiscal est totalement modifié par la création de l'impôt sur les revenus. C'est aussi en ce début de siècle que le roi accepte le principe d'un gouvernement représentatif désigné en fait par l'assemblée et non plus par le souverain. Le premier gouvernement issu du parti majoritaire est mis en place en 1901. C'est aussi la première fois qu'un représentant des petits paysans et paysan lui-même (Ole Hansen) participe au gouvernement. La chambre (Folketinget) est à cette date à forte majorité libérale : pour 114 députés élus, 76 sont libéraux, 14 social-démocrates et 8 conservateurs.

A la veille de la première guerre mondiale, différentes lois d'aide et de sécurité (aux vieillards, etc.) sont bien « rodées » et paraissent alors toutes naturelles. Le système scolaire est amélioré avec la création des écoles « moyennes » (en 1903) qui sont bien implantées jusque dans les campagnes, et un nouveau système d'impôts fonciers moins favorables aux grands propriétaires fonciers est mis en place.

A ce moment-là, les salaires ont doublé depuis 1870. La « grande époque » de la misère rurale semble révolue et la gauche qui depuis 1903 détient avec Jens Jensen la mairie de Copenhague et depuis 1913 la majorité à la chambre des députés (elle obtient la majorité au Sénat en 1914) pense pouvoir réussir dans ses entreprises qui alors sont révolutionnaires, entre autres une législation plus favorable aux femmes. Mais dans ses débuts, la guerre arrête tout développement. Certes, le Danemark se déclare neutre et en principe devrait ignorer la guerre. Mais tout commerce se trouve bloqué. Sans être douloureuse comme elle a pu l'être pour d'autres pays d'Europe, la guerre n'en est pas moins une période de restrictions sévères, de repliement, d'austérité, d'autant qu'aux frontières de l'Allemagne le Danemark, économiquement proche de la Grande-Bretagne, sentimentalement lié à la France, se sent obligé de mobiliser et de miner tous ses détroits. Alors il lui faut abandonner l'étalon-or et de nouveau la couronne qui était stable depuis 1873 connaît des difficultés, comme dans les autres pays du Nord auxquels la monnaie danoise était unie depuis quarante et un ans. Et bien sûr tous les espoirs sont suspendus, comme les projets de réformes. On ne peut dire qu'il en soit de même pour les autres pays nordiques qui sont touchés par la guerre, mais de façon toute différente.

SITUATION POLITIQUE EN NORVÈGE

Le XIXe siècle politique norvégien est dominé, comme au Danemark, par le fait économique mais, à la différence du Danemark, il l'est aussi et surtout par son « alliance » avec la Suède. Comme pour le Danemark, et en raison même de ce pays, 1864 est l'année d'un tournant : le renoncement, au moins provisoire, au « scandinavisme ». Mais cet aspect est encore secondaire : le « scandinavisme » ne revêt pas le même intérêt de part et d'autre du Skagerrat. Le fait le plus marquant de la vie politique norvégienne se situe par rapport à la Suède et à la couronne, et le XIXe siècle norvégien s'achève en 1905 quand les deux royaumes se séparent.

A la différence aussi des Danois, les Norvégiens ont un sentiment non pas de défaite mais d'absence de victoire à quoi s'ajoute une unité nationale, territoriale et ethnique plus grande qu'au Danemark. De 1814 à 1884, la situation politique évolue peu. On assiste à une lente mise en place, à un prudent rodage d'une constitution trop rapidement votée et qui a besoin de prendre vie. Après 1884, la vie politique se déplace : la Norvège éprouve le besoin de se libérer de la tutelle suédoise et les vingt années qui suivent sont une lutte incessante contre le grand voisin. Cette première période 1814-1884 peut se diviser en plusieurs parties qui ont cependant toutes un caractère commun : la volonté d'unité nationale. Toutefois, deux versants sont immédiatement perceptibles qui ne tiennent pas à la situation politique proprement dite. Jusqu'en 1842, la monnaie connaît de grandes difficultés et ce n'est qu'entre 1842 et 1850 qu'elle parvient à trouver son équilibre. Celui-ci sera maintenu jusqu'en 1914 avec une légère réévaluation en 1875 quand l'ancien *daller* fait place à la *krone* (couronne), unité monétaire de l'ensemble de la Scandinavie. Après 1850, quand la Norvège est totalement libérée de sa dette extérieure, la vie politique prend une allure de lutte de classe plus marquée. Avant, il y a certes luttes, mais elles sont de moindre ampleur et il semble alors que l'essentiel soit, d'une part, la stabilité économique, d'autre part, l'unité nationale.

Il ne faut pas oublier qu'aux premières années de son rattachement à la Suède la Norvège vit en circuit fermé, repliée sur elle-même, et que l'attention de la bourgeoisie est fixée tout en même temps sur ces questions économiques et sur la préservation de son indépendance vis-à-vis de Stockholm. Après une brève alerte en 1818 quand les paysans du Nord se soulèvent contre le Storting et demandent que tous les pouvoirs soient confiés au roi, mais sont finalement réduits par les forces de police norvégienne, la lutte politique se situe autour du Storting qui est le centre de toute action. C'est ce qui explique qu'au moins dans ses débuts, à l'intérieur, la politique norvégienne apparaisse comme essentiellement conservatrice des situations acquises par les grands propriétaires et les fonctionnaires. Mais c'est aussi dans ces débuts que les petits paysans prennent conscience de l'importance que peut revêtir le Storting qui, entre autres, vote les impôts. En 1833, il y a au Storting 45 représentants de la paysannerie pour 38 fonctionnaires et 17 commerçants. Mais les paysans sont eux-mêmes divisés selon les régions et leurs revenus. Il leur faut apprendre à se concerter à l'échelle nationale et à s'organiser sur le plan communal. C'est ce à quoi s'emploie en particulier O. G. Ueland qui, bien que conservateur, a une action très positive dans l'organisation de la petite paysannerie. A partir de 1837, les conseils communaux sont entièrement régis par les électeurs. Ces conseils communaux qui renouent avec la vieille tradition viking des *thing*, débouchent tout naturellement sur les conseils de district qui se réunissent une fois l'an. Cependant, les représentants des conseils communaux aux conseils de district sont au début au moins des « non-paysans » (2 paysans sur 5 en 1833 ; en 1862, 3 sur 4 seront des paysans, alors que les neuf dixièmes des membres des conseils communaux sont des paysans), car les conseils délèguent leurs pouvoirs aux personnes les « plus instruites » des villages.

La grande modification dans la vie parlementaire et politique intervient en 1859. Alors les trois quarts des représentants paysans s'unissent à un groupe radical, le Venstre, dont le dirigeant est Johan Sverdrup. Le programme que se fixe Sverdrup est tout d'abord d'union entre les zones urbaines et rurales. Mais c'est aussi un programme de progrès social à l'intérieur et l'indépendance à l'égard de la Suède à l'extérieur. C'est sous son impulsion que des lois sur l'organisation de la santé (1860), l'aide aux pauvres, aux orphelins, aux malades (1863), aux chômeurs (1873) sont votées et appliquées. C'est aussi grâce à ses interventions que le système scolaire est implanté jusque dans les campagnes et développé. A dater de 1860, la loi prévoit que pour chaque groupe de 30 enfants scolarisables il doit y avoir une école primaire. Le système est encore amélioré en 1869 quand des écoles « moyennes » (type CES) sont ouvertes dans les campagnes.

En 1869, Sverdrup obtient un succès législatif important : le Storting qui jusque-là était réuni tous les trois ans l'est désormais chaque année. Cette décision, en apparence secondaire, revêt une grande signification : elle permet d'assurer la prééminence du Storting sur toute forme de pouvoir extérieur et la première conséquence visible est la suppression du poste de gouverneur général du roi en Norvège, en 1872. Autre changement important qu'obtient Sverdrup : les ministres « peuvent » (ce qui est immédiatement compris comme « doivent ») assister et prendre part aux débats du Storting. C'est toute la responsabilité ministérielle qui est en cause. Tout d'abord, le roi oppose son veto à une telle mesure qui, en fait, le dépouille de tout pouvoir réel. Mais après trois veto suspensifs, il doit s'incliner. En 1880, les ministres sont officiellement responsables devant le parlement et le roi contraint d'accepter cette situation nouvelle en Europe. Depuis 1860, J. Sverdrup avait cherché à regrouper ses partisans en un même parti. Mais il lui avait fallu compter avec le soutien des « paysans » pour faire aboutir certaines réformes, et le Parti libéral n'est pas réellement structuré avant 1880. A l'opposé, les conservateurs s'appuyant sur le pouvoir royal n'avaient pas jusqu'en 1880 ressenti le besoin de s'organiser. Lorsque le roi s'incline devant le Storting, le dirigeant Fr. Stang démissionne de son poste ministériel pour s'attacher à l'organisation d'un Parti conservateur.

En 1884, l'éventail des partis est provisoirement fixé. Le

programme conservateur se cantonne pour l'essentiel dans une saine gestion du pays. Le programme libéral est tout d'abord d'opposition au pouvoir royal et à la Suède. Il reprend à son compte, en particulier, l'exigence de la création d'une administration norvégienne autonome des affaires étrangères. Au fil des années, cette question de l'administration des affaires étrangères prend une place prépondérante dans les relations entre Norvège et Suède. En 1815, il était dit que la question des affaires étrangères était le domaine réservé du souverain. Mais les intérêts commerciaux des deux royaumes étaient divergents. Par son commerce extérieur, la Norvège est tout entière orientée vers la Grande-Bretagne, la Suède partagée entre Grande-Bretagne et Allemagne, avec de plus en plus nettement un penchant marqué pour cette dernière. La constitution du capital bancaire n'est pas étrangère à cette préférence marquée. Il existe sans doute un accord financier liant le Danemark, la Norvège et la Suède à partir de 1870-1873. Mais la Banque de Suède est orientée vers Hambourg, celle de Norvège vers Londres. D'autre part, la volonté de Stockholm de diriger la politique étrangère jusque dans ses détails heurte les Norvégiens, surtout à partir de 1829 quand la troupe disperse une manifestation d'étudiants. De 1829 à 1882, le Storting se fait l'écho des revendications d'autonomie en matière extérieure, mais de façon encore fort timide. La situation est « radicalisée » lorsque le roi, faisant fi des décisions du Storting, nomme Ch. Selmer premier ministre. Cette nomination se révèle être une grande maladresse : elle soude la « gauche » et pour un temps semble déconsidérer la « droite ». Très vite Ch. Selmer est mis en accusation par le Storting et se trouve contraint à la démission malgré l'appui que lui prête le roi. Traduit en justice à la demande du parlement, Selmer est condamné et doit payer les frais de justice. Désormais être ministre sans l'accord du Storting est assimilé à un crime contre la représentation nationale.

Le roi, indirectement mis en cause avec la condamnation de Selmer, cède sous la pression du Parti libéral et de la menace d'une alliance de ce parti avec le Parti paysan suédois. Sverdrup, dirigeant du « Venstre » (Parti libéral), est alors nommé premier ministre, responsable devant le Storting — ce qui est une victoire remarquable pour la gauche libérale et pour l'ensemble des nationalistes norvégiens. Immédiatement, le cens électoral est abaissé et des mesures d'ordre social adoptées (interdiction du travail des enfants de moins de 12 ans, limitation du travail des enfants de 12 à 14 ans à six heures quotidiennes et à dix heures pour ceux de 14 à 18 ans ; lois sur l'inspection du travail, sur le travail féminin, sur les accidents du travail, sur la prostitution, etc.). Parallèlement, mais hors du Storting, les associations de défense de la condition féminine se multiplient, ainsi que les sociétés savantes et médicales (action particulièrement importante pour combattre la lèpre). C'est aussi l'époque des grandes découvertes, des grandes explorations, en particulier avec Nansen qui devient le Norvégien mondialement connu entre 1888 et 1896. Or, Nansen est membre du Venstre et va bientôt être le représentant attitré de ce parti à l'étranger.

Dès son installation au pouvoir, J. Sverdrup est mis en question par une nouvelle génération qui se veut moins réformiste et plus révolutionnaire. Alors le rôle des « intellectuels » paraît primordial. Pratiquement, ce mouvement inorganisé ne débouche sur aucune réalisation concrète. Il a toutefois le mérite de préparer le terrain à la génération suivante, tandis que les « anciens » font l'expérience du pouvoir. La scène « idéologique » est pour un temps dominée par des hommes tels Bj. Bjørnson (conservateur mais qui « ouvre » la Norvège à une meilleure compréhension mondiale) et par K. Hamsun qui s'intéresse plus particulièrement au monde paysan. Le domaine des affaires étrangères demeure le lieu privilégié où se heurtent les intérêts nationaux de la Norvège et de la Suède. Officiellement, les tarifs douaniers des deux royaumes sont unifiés depuis 1825. En 1895 et 1897, la Suède renforce son système protectionniste et veut l'appliquer intégralement à la Norvège qui, tout au contraire, désire s'ouvrir davantage au commerce international. Dès lors, il y a rupture entre les deux royaumes et l'union se trouve abolie de fait.

C'est la « faille » la plus importante dans cette union. Ce n'est cependant ni la première ni la seule qui dresse les Norvégiens contre la Suède et les amène à considérer toute idée de « scandinavisme » comme un simple « suédisme ». D'autre part, la succession des renonciations royales, y compris celle portant Sverdrup au pouvoir, n'est pas sans influence sur la situation intérieure suédoise.

Pour les Norvégiens, il apparaît en 1884 que la lutte nationale est « payante ». Pour les Suédois, il semble que le roi n'est plus en état d'assumer seul les responsabilités dans le domaine des affaires étrangères et le Riksdag demande que les relations avec la Norvège comme avec les autres pays soient de son ressort.

Au cours des dix années qui suivent, le Storting demande très régulièrement qu'un service consulaire norvégien soit créé dans le cadre des affaires étrangères de Suède-Norvège, tandis que le Riksdag réclame des pouvoirs élargis. La situation semble d'autant plus bloquée que le Venstre mène campagne pour l'armement du peuple en vue d'un affrontement contre la Suède (et des fortifications sont édifiées à l'entrée des principaux ports comme le long de la frontière), et qu'à Stockholm le roi s'appuie sur la noblesse (et tout particulièrement le comte Douglas) qui refuse toute concession. Les tentatives de rapprochement qu'esquissent les dirigeants social-démocrates (en particulier Hj. Branting, C. Jeppesen et Ch. Knudsen) ne peuvent guère avoir d'effets. Les partis ouvriers sont encore très faibles et sont rejetés loin des centres de décision. S'ils influent sur ces centres, c'est négativement, car la noblesse au pouvoir en Suède aurait plutôt tendance à prendre le contre-pied des demandes social-démocrates d'autant qu'à l'extérieur le Kaiser Guillaume II, cousin du roi Oscar II, déclare qu'il est prêt à soutenir toute action suédoise en Norvège. En 1896, une crise nouvelle éclate : le Storting décide d'effacer dans l'immédiat toute marque suédoise du drapeau de la flotte de commerce norvégienne. Toutefois, le nouveau ministre suédois A. Lagerheim et les armateurs norvégiens parviennent à calmer, provisoirement, les esprits : le Venstre renonce officiellement à sa politique militaire (mais les travaux de construction de fortification sont poursuivis), le ministre suédois recrute un grand nombre de fonctionnaires norvégiens pour les services consulaires. En quelques mois, il y a au moins un Norvégien dans chaque consulat suédois et en Espagne, au Portugal et en Belgique les services consulaires sont dirigés par un Norvégien.

Les rapports, un moment détendus, sont à nouveau en crise quand, pour des raisons diverses (dont des raisons personnelles de santé), A. Lagerheim est contraint à la démission. Son successeur entend « préserver l'honneur et le prestige de la Suède ». Pour cela, il agit hors du Riksdag et compte sur l'armée qui est entièrement réorganisée et dotée d'unités mobiles et d'artillerie légère, tandis que la marine est renforcée. Le rapport de force est alors, au début du siècle, de deux à un en faveur de la Suède en ce qui concerne la marine, de quatre à un toujours en faveur de la Suède, pour ce qui est de l'armée de terre.

Au début de 1905, il semble au gouvernement suédois que la situation soit propice pour un règlement de la question norvégienne. La Russie vient d'être battue en Extrême-Orient et l'équilibre en Baltique peut se modifier rapidement. La Suède veut avoir les mains libres pour une telle éventualité qui, dans l'esprit de quelques-uns, pourrait aboutir au recouvrement de la Finlande. En Norvège aussi, le Storting a le sentiment que l'équilibre en Baltique peut se modifier très rapidement. Mais il pense que cela risque de se faire au détriment de la Suède, la Russie souhaitant vraisemblablement « redorer » son blason en se tournant vers l'ouest. Décidé à précipiter le mouvement, le Venstre développe son action aussi bien en Norvège qu'à l'étranger. Fr. Nansen devient alors un véritable ambassadeur itinérant du mouvement indépendantiste norvégien.

La question la plus délicate demeure en cet instant celle de la défense. 25 000 Norvégiens et 85 000 Suédois se trouvent alors sous les armes. Mais, estime le Storting, le moral des Norvégiens est nettement supérieur, si bien qu'il y a en fait supériorité des armes norvégiennes. Ce sentiment est conforté par les déclarations du général suédois A. Rappe qui estime que son armée ne pourra intervenir qu'au cas où la Norvège attaquerait la Suède (ce que les Norvégiens n'envisagent pas), ou encore en cas de mauvais traitements infligés par les Norvégiens au roi ou au prince héritier.

Au printemps, le Comité norvégien en faveur de l'indépendance, dirigé de Christiania par le Dr Hans Reusch secondé par Fr. Nansen, W. C. Brøgger (géologue), A. C. Drobsum (bibliothécaire), B. Vogt (juriste, conservateur), A. Hammar (journaliste à Paris), H. T. R. Diesen (journaliste à Helsinki), A. Urbye (journaliste à Berlin), développe son action par des conférences et des articles. A Stockholm, un nouveau ministère est formé qui est très divisé sur l'attitude à adopter face à la Norvège. Deux de ses ministres se prononcent ouvertement pour une action armée immédiate contre la Norvège. Mais le roi s'oppose à toute solution armée tandis que le prince héritier espère encore sauver la double couronne en s'engageant dans la voie des concessions. C'est aussi à ce moment que, pour la première fois, les partis social-démocrates se prononcent nettement sur cette question. Le Parti social-démocrate suédois en particulier prône l'Union, mais sur un nouveau plan qui sera d'union des travailleurs et qui exclut toute action armée comme toute solution autoritaire. La volonté pacifiste et antimilitariste est clairement exprimée. Pour la première fois aussi les Norvégiens multiplient les contacts personnels avec les Suédois (social-démocrates avec social-démocrates, libéraux avec libéraux, etc.), manifestant à cette occasion une grande unité dans leurs actions et leurs initiatives qui sont aussitôt portées à la connaissance de l'étranger.

C'est alors que le ministère norvégien démissionne en remettant ses pouvoirs au Storting et en affirmant que le roi de Suède ne peut plus régner sur la Norvège. Constitutionnellement, cet acte est illégal : le ministère n'est pas habilité à déposer le roi. Et Stockholm s'estime « insultée ». Aussitôt les armées, de part et d'autre de la frontière, sont mises sur pied de guerre — ce qui est un bien grand mot au moins pour l'armée norvégienne qui ne dispose que de 28 000 fusils avec 350 cartouches pour chacun d'eux. Mais la Suède se sent diplomatiquement isolée. Les promesses anciennes du kaiser n'ont pas été renouvelées et partout ailleurs l'état des esprits semble plus favorable à la Norvège qui bénéficie ainsi d'un très fort appui moral.

Le 20 juin, le Riksdag s'échauffe. Les représentants suédois déclarent vouloir « laver l'insulte », « punir » les Norvégiens, etc. Mais le gouvernement hésite : la Grande-Bretagne et les autres puissances se montrent favorables à la Norvège et le général en chef suédois, s'il ne doute pas de la victoire de ses armes, estime que la guerre, si guerre il y a, sera longue et difficile. Finalement, le Riksdag se calme et, le 22 juillet, envisage à son tour la dissolution de l'Acte d'Union sous certaines conditions. Celles-ci sont au nombre de six :

— protestation du gouvernement suédois ;
— signature d'un accord de commerce avec la Norvège ;
— libre circulation des Lapons reconnue ;

— en Norvège : plébiscite sur la question de l'Indépendance ;
— destruction des fortifications norvégiennes sur la frontière suédoise ;
— traité entre Suède et Norvège pour un règlement négocié de toutes les questions intéressant les deux parties.

Le Storting accepte immédiatement la reconnaissance du droit de libre circulation pour les Lapons qui ont leurs villages d'hiver en Suède et leurs pâturages en Norvège ou en Finlande. De même, l'idée d'un plébiscite est reçue favorablement. Sur les autres questions le Storting ne se prononce pas sauf en ce qui concerne les fortifications qu'il estime devoir conserver. De nouveau le ton monte, d'autant que le gouvernement suédois fonde de grands espoirs sur la visite que le kaiser fait en Suède, les 12 et 13 juillet.

S'il est cousin germain du roi de Suède, Guillaume II est aussi cousin germain du roi de Danemark (et le Storting propose la couronne de Norvège à un fils du roi de Danemark), et tous ces rois ou empereur sont neveux ou petits-fils de la reine Victoria qui vient de disparaître, mais dont le gouvernement se prononce, officieusement sans doute, mais assez clairement, en faveur de la Norvège et de l'accession d'un prince danois sur le nouveau trône. De leur côté, la France et la Russie déclarent qu'une solution pacifique doit être trouvée. La Suède se sent très isolée et se voit contrainte à des exigences moins nettes. Une nouvelle commission mixte est réunie à l'initiative du Storting cette fois. La question la plus délicate est en fin de compte celle d'une zone démilitarisée entre les deux royaumes. Tout d'abord, les Norvégiens ne veulent pas en entendre parler (au plus, ils accepteraient une zone d'un kilomètre de part et d'autre de la frontière). Le 23 septembre, l'accord se fait : les Suédois obtiennent que la zone démilitarisée s'étende sur 10 km de profondeur sur chaque territoire (zone démilitarisée de 20 km), la Laponie constituant une « zone franche ». Le 29 septembre, le Storting ratifie cet accord (par 101 voix contre 16) puis, le 16 octobre, le Riksdag. Les 12 et 13 novembre, la Norvège plébiscite cet accord par 250 563 voix en faveur de la dissolution de l'Union et l'élection d'un prince danois, et 69 264 voix en faveur de la dissolution et la proclamation de la République. Le prince danois sera couronné roi de Norvège en juin 1906, à Trondheim, sous le nom de

Haakon VII. L'Union est cette fois complètement terminée.

La question de l'Union a dominé la scène politique norvégienne de 1884 à 1905. Plusieurs fois, les deux royaumes ont été près de s'affronter militairement et bien souvent dans l'incertitude de l'issue de cette situation les questions intérieures sont passées au second plan. Mais il est aussi apparu que, par son système relativement démocratique et par sa volonté d'unité nationale, la Norvège pouvait surmonter bien des difficultés plus facilement que la Suède.

1905 marque la fin du XIXe siècle pour la Norvège. Alors les problèmes auxquels elle va se trouver confrontée vont paraître très nouveaux. Il en va de même pour la Suède. 1905 est l'année du grand traumatisme. Elle se retrouve seule, isolée, entourée d'ennemis potentiels. Alors elle se « retire de l'Europe ». Pour elle, ce n'est pas seulement la fin du XIXe siècle, c'est aussi la fin du système aristocratique et nobiliaire. La dissolution de l'Union est une défaite pour les conservateurs qui ont été régulièrement au pouvoir depuis un siècle. Cela est d'autant plus sensible qu'en 1905 le Parti social-démocrate « débouche » sur la scène politique. Mais, pendant deux années, la Suède va être comme frappée de stupeur et sera plongée dans la grisaille de l'immobilisme. Puis la vie politique reprendra, mais dans deux directions entièrement nouvelles : à l'extérieur, il y aura recherche d'accords nordiques ; à l'intérieur, les actions seront nombreuses et rapides en faveur de l'unité nationale comme aussi en faveur de la démocratie et de la justice sociale. Alors la Suède change totalement de visage. Ce qui ne signifie pas que le XIXe siècle ait été tout d'immobilisme.

SITUATION POLITIQUE EN SUÈDE

La « conquête » de la Norvège avait permis aux élites politiques de Suède de surmonter le sentiment de défaite face à la Russie en 1808 et à la perte consécutive de la Finlande. Le nouveau prince héritier, Charles-Jean, ex-Bernadotte, rapproche la Suède de la Russie afin de réinsérer sa nouvelle patrie dans le « concert mondial ». Mais le jeu diplomatique est difficile. Il faut au souverain désigné se faire accepter en Suède, en Norvège, et auprès des puissances victorieuses alors qu'il appartient, par ses origines, à l'Europe révolutionnaire, à l'armée napoléonienne, vaincues en 1815.

A l'intérieur, Charles-Jean va se concilier la cour, la noblesse et les fonctionnaires en préservant ce qui existe, en renforçant les pouvoirs en place, c'est-à-dire en « conservant » la Suède telle qu'il l'a reçue. Il est vrai que la question dominante après le rétablissement de la Suède dans « sa » grandeur est l'aspect financier et monétaire. Il est caractéristique que l'ancien maréchal d'Empire, né de la Révolution, ait déclaré à cette époque, et c'est aussi une bonne part de son programme de gouvernement, que « opposition, c'est conspiration ». Or, et l'élément n'est pas négligeable, Charles-Jean méconnaît les langues de ses royaumes et, à ce titre, est amené à se méfier *a priori* de toute conversation, de toute proposition qui se forme en dehors de sa présence ou de son entendement. Autoritarisme de Charles-Jean, intrigues de son entourage immédiat, immobilisme quant au reste de la vie publique et politique sont certainement les trois dominantes du règne du nouveau souverain.

Cette attitude est particulièrement grave en une époque où la Suède commence à être confrontée aux problèmes de l'industrialisation, et alors que sa population passe en moins d'un demi-siècle (de 1810 à 1850) de 2 millions et demi d'habitants à 3 millions et demi. Il faut attendre la mort de Charles-Jean, en 1844, pour que se dessine une évolution très lente vers une participation plus large des diverses couches de la population aux activités politiques. Sans doute, quelques réformes mineures permettent à de rares groupes d'obtenir une représentation au Riksdag, mais les pouvoirs du Riksdag sont eux-mêmes de peu de poids en regard de ceux du palais. L'essentiel est justement dans cet immobilisme politique face aux débuts d'évolution économique. A la mort de Charles-Jean, la monnaie est stabilisée après trois dévaluations. Un début de modernisation de l'industrie se manifeste alors. Mais il est le fait de ceux qui bien souvent, maîtres de forges ou autres, n'ont pas la possibilité de se faire entendre dans les Etats (le Riksdag).

Quand le fils de Charles-Jean, Oscar Iᵉʳ, parvient au pouvoir, il a 45 ans, et vit en Suède depuis plus de trente-cinq ans. Il est ressenti comme Suédois beaucoup plus que son père. D'autre part, il a longtemps fréquenté la Norvège et ses notables. Enfin, la Suède de son temps n'échappe pas aux mouvement européens de 1848. Dès son accession au trône, le prince se montre plus libéral que son père — cette notion étant bien sûre toute relative. Ce libéralisme se manifeste tout d'abord dans le domaine de la presse dont le contrôle est moins pointilleux. Mais aussi très vite une aide aux indigents urbains est instaurée et l'égalité des sexes est établie en matière successorale. Toutefois, dans le même temps, les pouvoirs du Conseil royal, véritable cabinet ministériel, sont renforcés et leurs compétences étendues. Avec Oscar Ier nous avons, comme se plaît à le dire l'académicien Ingvar Andersson, une « autocratie libérale » — ce qui, en définitive, n'est guère plus que le « despotisme » éclairé du siècle des lumières.

Paradoxalement, ce n'est pas sous Oscar Ier, mais avec son fils Charles XV, « conservateur » mais secondé bien malgré lui par un ministre, Louis de Geer, juriste éminent et réformiste en matière politique, que s'amorce la véritable réforme des structures. A partir de 1860, on voit progressivement les châtiments corporels (droits des patrons), comme l'exposition au pilori, être supprimés, la liberté de conscience en matière religieuse instituée, l'administration locale renforcée par la création de conseils généraux. C'est aussi le début du libre-échangisme qui se manifeste tout d'abord par la suppression des octrois intérieurs. Toutes ces mesures, sociales ou économiques, favorisent en fait les couches moyennes et répandent l'esprit de réforme, ce qui se concrétise dans le domaine plus exactement politique par la disparition, en 1865, des anciens états généraux au bénéfice d'une nouvelle assemblée à deux chambres élues selon un système censitaire n'élargissant qu'à peine la base parlementaire, mais se substituant aux ordres anciens et ouvrant la voie à de nouvelles réformes qui pourraient faire déboucher le système aristocratique sur un système approchant la démocratie. En 1866, comme le note sans ironie Ingvar Andersson, « il régnait un optimisme prononcé dans les classes sociales qui avaient obtenu le droit de se faire entendre », ce qui, en 1870, ne représente encore que 5,6 % de l'ensemble de la population adulte. (Pour être électeur, il faut disposer de 800 couronnes de revenus annuels — soit environ 800 francs or — ou posséder des biens immeubles d'une valeur d'au moins 1 000 cou-

ronnes ; de plus il faut être « instruit » et « honorable ».)
Ce système demeure en place jusqu'en 1907. Alors encore
seuls 8 % de la population peuvent participer à la vie publique.
La scène politique est donc dominée par un très petit nombre
dont, en tout premier lieu, les propriétaires terriens.

La fin du règne de Charles XV (jusqu'en 1872) et les années
du début du règne d'Oscar II forment une période de grande
misère physique pour le prolétariat tant urbain que rural. Ce
sont aussi les années de grande migration vers l'Amérique du
Nord (près d'un demi-million d'émigrants de 1867 à 1886, près
de 350 000 de 1880 à 1889). Alors la Suède est contrainte d'im-
porter des céréales panifiables de Russie et des Etats-Unis.

Deux modifications importantes se produisent entre 1888
et 1892, qui ont des conséquences à long terme. La première est
le retour au protectionnisme, qui n'est qu'une manifestation de la
nécessité qu'éprouvent les industriels suédois de protéger leurs
productions. On assiste alors à une transformation réelle de la
société dans ses structures économiques : en 1870, A. Müntzig
avait inventé le procédé au sulfate pour la fabrication de la pâte
à papier kraft. En même temps, Carl Daniel Ekman expéri-
mentait le procédé au bisulfite pour la fabrication du papier blanc.
En 1885, la production de pâte à papier atteint 62 100 t ; en 1901,
430 400 t, dont 45 % par les procédés chimiques. Dans l'industrie
métallurgique, l'application des procédés Thomas et Martin
aboutit aux premières exportations du fer de Gällivare en 1892,
de Kiruna en 1902. En 1913, 6 440 000 t de fer sont exportées.
Les sociétés industrielles sont obligées de se restructurer. En 1896,
24 % des entreprises sont des sociétés anonymes. En 1905, il y
en a 35 %. Alors on assiste au développement des organisations
syndicales et politiques ouvrières. Tout d'abord, c'est la paysannerie moyenne qui s'organise. Arvid Posse, Emil Keyer et Carl
Ifvarsson créent le Parti agrarien qui demande en particulier la
suppression de l'impôt foncier. Ce parti (Lantmannaparti) est
rapidement majoritaire dans les deux assemblées où il s'oppose
aux grands propriétaires fonciers ainsi qu'aux fonctionnaires et à
la bourgeoisie urbaine. On ne peut dire que son action soit favorable
à la démocratie ou au progrès mais il prend la défense des petits
paysans (en 1870, il y a 2 690 000 agriculteurs dont 1 290 000 « indi-

gents » : ouvriers agricoles, etc., exclus de cette question et 1 400 000 propriétaires plus ou moins concernés par l'action du Lantmannaparti) et fait connaître leurs problèmes. A court terme, le Lantmannaparti obtient en 1885 que les impôts fonciers soient réduits de 30 %.

A partir de 1886, les organisations culturelles et d'entraide ouvrières sont, à Stockholm, dominées par les social-démocrates. C'est aussi en 1886 que Hjalmar Branting et Axel Danielsson fondent le journal *Social Demokraten*. A l'époque, la journée de travail est supérieure à onze heures (six jours par semaine); 0,6 % des travailleurs ont moins de 12 ans, 4,9 % entre 12 et 14 ans et 14,8 % entre 14 et 18 ans (20,3 % de moins de 18 ans). Il faut cependant attendre 1889 pour qu'existe légalement le Parti social-démocrate, et 1897 pour qu'un social-démocrate soit élu à la chambre basse (le premier député étant Hjalmar Branting), et 1891 pour qu'apparaisse la Landsorganisation (LO) qui est la grande centrale syndicale suédoise.

Alors que le monde urbain et ouvrier grandit rapidement (1865 : 12 % d'habitants urbains; 1899 : 22 %; 1900 : 55 % des travailleurs sont ruraux et 28 % industriels; 1910 : 49 % des travailleurs sont ruraux et 32 % industriels), diverses mesures favorables à la classe ouvrière sont adoptées. Il s'agit essentiellement des lois contre les accidents du travail et sur l'inspection du travail (1889), sur les caisses « maladie » (1891), sur l'indemnisation pour les accidents du travail (1901), ou la réduction des horaires de travail (1890) qui font que les journées passent à onze heures et même neuf heures selon les emplois. Mais toutes les décisions ne vont pas dans le même sens. C'est ainsi que les activités syndicales et politiques sont limitées en 1889 (loi dite « la muselière ») ou encore que le droit de grève est combattu par une loi sur la « protection » des briseurs de grève (loi « Åkarp » de 1899).

En s'industrialisant, la Suède ne peut pas demeurer dans l'état politique archaïque où elle se trouve : elle est contrainte à l'évolution. Et c'est pris par cette nécessité que les partis politiques se constituent. Pendant quelque temps ils vont chercher leur voie, quitte à se décomposer et se réorienter. Cela est sensible avec les libéraux comme les agrariens qui oscillent du protectionnisme au libre-échangisme tout au long des quinze dernières années du siècle. Il arrive que certains partis, comme le Parti du Peuple, le Parti social-démocrate ou le Parti d'Union libérale, demandent le suffrage universel. Mais cette demande est encore prématurée et ne peut pas aboutir sans une transformation profonde préalable de la société. L'ensemble des partis est aussi très sensible à l'action nationaliste qui se développe en Norvège et permet au gouvernement de faire passer au premier plan les questions de Défense nationale.

Dès 1885, la période de formation des recrues est portée de trente à quarante-deux jours. En 1892, cette période est encore augmentée et passe à quatre-vingt-dix jours, la marine est réformée et des travaux de fortification sont entrepris dans le Norrland. Enfin, en 1901, le service militaire devient obligatoire et sa durée est alors fixée à douze mois. Cette question de l'obligation du sercice militaire relance celle du pouvoir de vote. Il semble moralement inadmissible à de nombreux Suédois d'être astreints au service armé, c'est-à-dire d'être investis d'un secteur important de la vie publique en tant qu'exécutants sans avoir le moyen, même infime, d'influer sur les options de politique générale, sur le pouvoir de décision, qui fatalement touchent à la Défense nationale. Il y a aussi sous-jacente l'idée que seul un citoyen de plein droit peut être un défenseur efficace de la cité. Bien sûr l'accord n'est pas immédiat. Encore, en 1904, les conservateurs et les libéraux s'opposent à une transformation réelle de la représentation législative. Mais à ce moment aussi les événements de Norvège bousculent le conservatisme gouvernemental suédois. Les dirigeants des différents partis influents sont si « surpris » par la décision norvégienne de renonciation à l'Union qu'ils forment, pour la première fois, un gouvernement d'union se fondant sur une représentation parlementaire. Le programme de ce gouvernement — qui comprend un agrarien et un libéral — est élaboré par les assemblées et non plus fixé par le roi. C'est ce gouvernement qui « négocie » (en fait il accepte ses conditions) avec la Norvège et aboutit à la nécessaire séparation des deux royaumes pour les trois motifs suivants : volonté norvégienne victorieuse, crainte d'un affrontement intérieur, illusion de la puissance suédoise renaissante en Baltique. A l'intérieur, le droit de vote est élargi, permettant à 19 % de la population de participer aux élections suivantes, au lieu des 8-9 % d'avant.

Au total, cette société suédoise qui commence à connaître un remarquable essor industriel, qui « perce » sur les marchés mondiaux aussi bien dans les domaines du papier que de la métallurgie, des produits bruts que finis, semble très lente à franchir les étapes qui séparent la fin des structures médiévales de la mise en place des organes et organismes politiques modernes. Mais la noblesse qui tient les rênes du pouvoir ne les abandonne pas aisément à l'intérieur. A l'extérieur, bousculée par la Norvège, la Suède se raccroche par moments au vieux rêve d'Union nordique — sous sa direction plus ou moins avouée.

L'idée n'est pas nouvelle. On la trouve déjà en contrepoint de la puissance hanséate. Le Danemark l'avait reprise à son compte au XVIIIe siècle. Alors Frederik, prince de Danemark, avait espéré réunir les trois couronnes (Danemark, Norvège, Suède-Finlande) sur sa tête. L'espoir ne s'était pas réalisé mais demeurait dans les esprits. L'idée reprend corps à partir de 1830. Elle prend alors deux formes : l'une est « intellectuelle », l'autre politique. L'une est ancrée dans une certaine réalité, l'autre est illusoire. Nous reviendrons plus loin sur la forme « intellectuelle ».

La question des duchés danois ne laisse pas la Suède indifférente. Charles-Jean qui avait eu du mal à s'imposer auprès de ses alliés de la Sainte-Alliance, et plus encore Oscar Ier qui veut se faire un nom cherchent à constituer une unité territoriale qui, entre Baltique et Atlantique, soit homogène et participe à la vie européenne. Balançant entre Russie et Grande-Bretagne, la Suède cherche à jouer un rôle d'arbitre dans ce secteur européen. Elle y parvient momentanément en promettant au Danemark un appui militaire protégeant les duchés contre la Prusse. Cependant, la première crise des duchés se conclut non sous la pression suédoise mais britannique et russe. Cette pression russe est en Suède plus sensible que celle de la Grande-Bretagne : la perte de la Finlande n'est toujours pas oubliée quand, en 1822, des rennes (norvégiens) s'aventurent aux approches immédiates du cloître de Boris-Glebb dans le territoire arctique de Petsamo. En 1826, Stockholm signe avec Saint-Pétersbourg un accord délimitant la frontière en cette région. En 1852, la Russie « ferme » la frontière et de ce fait interdit la pêche et le nomadisme dans cette région. Cette petite guerre du bornage des rives arctiques est sans grande importance en elle-même. Mais elle est une épine supplémentaire qui alimente le ressentiment suédois à l'encontre de la Russie. Ainsi, que ce soit dans l'extrême Sud, avec les duchés danois, ou dans l'extrême Nord, avec la région de Kirkenes-Boris-Glebb, la Suède se heurte à la Russie.

La guerre de Crimée permet à la Suède de se rapprocher de la Grande-Bretagne. Oscar Iᵉʳ cherche alors, mais en vain, à faire de la Suède une puissance mondiale. Pour cela, il voudrait intervenir militairement aux côtés de la Grande-Bretagne. La rapidité, toute relative, de la conclusion de la paix entre Grande-Bretagne et France d'une part, et Russie d'autre part, l'indifférence de la Finlande à l'égard des avances suédoises empêchent Oscar Iᵉʳ d'agir. Il gagne cependant dans cette guerre la « garantie » de la Grande-Bretagne et de la France dans les questions qui pourraient opposer la Suède à la Russie. Il est vrai aussi que cette guerre avait surpris le roi et que l'opinion publique suédoise n'avait pas encore eu le temps d'apprendre que la Russie était son ennemie héréditaire. Cette guerre est cependant une excellente occasion pour Oscar Iᵉʳ, puis son successeur Charles XV, de reprendre l'idée d'une alliance scandinave où la Suède aurait la première place. Toutefois, la position du roi de Suède est affaiblie par les résistances de la Norvège. Il y a aussi que le Danemark se refuse à une union dynastique qui de fait soumettrait Copenhague à Stockholm. Voulant manifester son intérêt et donner des gages de sa bonne volonté, Charles XV s'engage auprès de Copenhague à l'aider en cas d'une nouvelle crise des duchés. Et l'idée d'une alliance scandinave basée sur le modèle de l'Acte d'Union des royaumes de Suède et de Norvège prend corps au Danemark. Le baron Blixen-Pinecke est le plus favorable à ce type d'Union. Sa prise de position n'est pas indifférente : il est allié à la famille régnante. Bientôt, il semble au gouvernement danois que la Prusse est isolée, tandis que le Danemark a l'appui total de la Suède qui est elle-même confortée par la Grande-Bretagne et la France depuis la guerre de Crimée.

À cette situation diplomatique, il faut ajouter l'état des relations entre les souverains. Il ne fait pas de doute qu'une amitié certaine unit les deux rois scandinaves, Frederik VII de Danemark et Charles XV de Suède. En 1863, Charles XV va jusqu'à promettre l'envoi de 20 000 hommes pour défendre le Schleswig si l'occasion s'en présente. Cette promesse, Frederik VII la considère comme fondée. Elle va conduire en partie sa détermination dans la question des duchés. En Suède, peu de gens sont au courant de la promesse royale. Les quelques rares ministres qui la connaissent ne partagent pas l'enthousiasme royal. A la mort de Frederik VII, Charles XV renouvelle sa promesse et l'augmente : il annonce que la Suède est prête à envoyer 22 000 hommes pour la défense des duchés. Charles XV est immédiatement désavoué par ses ministres. Mais l'équivoque demeure au Danemark où les partisans de la réunion des duchés au Danemark sous une même constitution préfèrent croire le souverain suédois que ses ministres. C'est en bonne part avec la ferme conviction que la Suède est un rempart solide que le gouvernement danois « négocie » dans la question des duchés. Mais au moment décisif, quand la Prusse se lance dans la guerre, l'armée danoise est seule pour supporter le choc prussien, et elle est bousculée. Le corps expéditionnaire suédois attendu ne vient pas. Au lieu des 22 000 hommes organisés, seuls quelques centaines de volontaires participent à cette guerre. Ils ne suffisent ni à contenir la pression prussienne ni à maintenir « l'esprit scandinave ».

Après la défaite danoise, l'idée d'Union scandinave est rejetée dans un avenir lointain, presque mythique. C'est du moins le sentiment général en 1864-1865. Pour la monarchie suédoise, la déroute qui s'amorce avec la perte des duchés pour le Danemark sera complète en 1905 lorsque la Norvège se séparera totalement de la Suède. En fait ce qui est en question n'est pas tellement l'Union scandinave que le type d'union proposée par le roi de Suède qui souhaite une union dynastique. La cause perdue au XIXᵉ siècle n'est pas celle de l'Union, mais de la Monarchie. Deux faits le prouvent : tout d'abord, la vigueur de l'unité artistique qui relie les créateurs de ces divers pays; ensuite, la reprise au XXᵉ siècle, cette fois avec un certain succès, de cette Union, mais dans les domaines pratiques de l'économie et des personnes, et non des maisons royales, non plus avec une dominante suédoise ou danoise, non plus en assurant l'hégémonie d'un des membres sur les autres, mais dans un esprit égalitaire et conciliateur plus manifeste. Nous y reviendrons.

Bien sûr, il semble et c'est encore un point particulier au XIXe siècle qui s'estompera avec le XXe siècle, que la Finlande soit totalement absente de cette Union scandinave ou nordique. Il est vrai que grand-duché du tzar, la Finlande connaît un développement politique particulier.

SITUATION POLITIQUE EN FINLANDE

S'il ne peut faire de doute que le XIXe siècle commence pour la Finlande en 1809 quand le royaume de Suède-Finlande disparaît pour laisser place à l'est au grand-duché de Finlande, il est plus délicat de fixer la dernière année de ce « siècle ». La date qui semble évidente est tout naturellement 1917, quand le grand-duché disparaît à son tour pour être remplacé par la République indépendante de Finlande. Toutefois, il ne fait pas de doute que l'année 1905 est un « tournant » important qui marque la fin d'un état ancien pour faire place à des institutions et des situations entièrement nouvelles.

D'un seul coup, entre 1905 et 1907, la Finlande passe, politiquement, d'un Etat médiéval ou presque, sinon féodal tout au moins très aristocratique, à un Etat moderne où la démocratie trouve sa place et son expression. On pourrait presque dire que le XIXe siècle s'achève en 1905-1907 et que le XXe siècle commence en 1917, la période allant de la première à la seconde de ces dates étant un sas — comme on en voit sur les canaux de dérivation — ou un corridor qui est tout en même temps le lieu où expire ce XIXe siècle et où naît ce XXe siècle. Ce n'est pas pour autant un *no man's land*, bien au contraire ! Car c'est un lieu où s'entrechoquent les idées et les hommes, où les êtres se nouent et se dénouent, où la vie vibre, où soudainement la parole sourd et s'amplifie pour exploser en 1917 avec la chute du tzar grand-duc.

Aussi, l'évolution politique de la Finlande au XIXe siècle peut-elle être divisée pour plus de clarté en trois grandes périodes. La première irait de 1809 à 1898 et pourrait s'intituler période d'autonomie, la seconde serait celle allant de 1899 à 1905 et serait celle de la russification. Enfin, les années 1905/1907-1917 seraient celles du flottement, des mouvements contradictoires préparant l'indépendance.

La première période est celle qui voit la naissance de l'industrie et aussi celle des nationalismes finnois et suédois et de la guerre des langues. Cependant, la situation finlandaise ne se réduit pas qu'à ces deux pôles. La réunion des Etats généraux tient elle aussi une place importante. Ces Etats généraux, directement hérités du Moyen Age, se composent de quatre chambres séparées représentant moins de 5 % de ce qui aurait pu être le corps électoral s'il y avait eu suffrage universel. Pratiquement, ces Etats généraux sont entièrement dépendants de la chambre de la noblesse qui est la plus nombreuse et qui peut décider de la modification des lois et de la levée des impôts. La première réunion des Etats généraux a lieu en 1863. Officiellement, ils sont convoqués pour modifier la loi sur la distillation des alcools, droit dont bénéficiaient tous les paysans mais qui était considéré comme préjudiciable à l'ensemble du pays. En fait, c'est au cours de ces Etats généraux que la question des langues se révèle cruciale. Elle n'est cependant jamais abordée de front, ni traitée, mais laisse les délégués insatisfaits, car il se révèle qu'il y a rupture profonde entre la « représentation » nationale et la nation. Le point le plus positif de cette session, outre le vote de quelque 52 projets de lois, vient de la réunion même des Etats généraux. Sans doute le grand-duc a-t-il réaffirmé que, si la Finlande est autonome, elle n'en fait pas moins partie de l'Empire. Mais le simple fait que l'assemblée ait été réunie rassure les esprits qui, après les répressions en Pologne — autre terre d'Empire —, avaient pu craindre qu'un sort identique à celui de la Pologne ne soit réservé à la Finlande.

Les Etats généraux sont de nouveau réunis en 1867. Mais cette année demeure dans l'histoire de Finlande non tant en raison de cette réunion que de la famine qui s'abattit alors sur le pays. De 1860 à 1870 les récoltes, dans toutes les provinces y compris celles de l'Ouest, furent catastrophiques. 1867 fut l'année la plus dure de cette décennie particulièrement sombre. Encore au mois de juin tout le pays, y compris le Sud, était recouvert par les glaces et les premières gelées arrivèrent avant l'automne. Les quelques rares récoltes ne purent assurer en moyenne que 2 hl de céréales par habitant. Les premiers à être touchés par la disette furent les habitants du Nord du pays qui se mirent en marche au long des chemins dans l'espoir de trouver de quoi se nourrir dans le Sud. La mortalité qui était en période normale de 4 000 personnes par mois s'éleva rapidement à 8 000 pour atteindre 25 000 au printemps 1868. En trois années, près de 370 000 personnes moururent, pour une population de 1 750 000 personnes. Avant la récolte de 1868, le taux de mortalité s'éleva à 77 °/oo Ce n'est qu'après la récolte de l'été 1869 que la vie reprit un cours à peu près normal.

Cette secousse provoquée par la famine, qui avait jeté sur les routes quantité de malheureux et avait fait craindre le pire aux pouvoirs publics comme aux propriétaires terriens et aux nobles, devait provoquer des changements psychologiques et sociaux notables. La carence des pouvoirs publics est alors mise en cause et de nombreux fennomanes s'alarment de l'état de détresse et de misère générale dans lequel vit le menu peuple. C'est tout d'abord dans le cadre de l'action libérale du mouvement fennomane que se créent des organisations socioprofessionnelles. Elles ont, tout au moins dans leurs débuts, la double orientation de la promotion de la langue finnoise et de l'entraide sociale. Mais ce mouvement est essentiellement issu des milieux suédois ralliés à la cause du finnois. Il appartient à la bourgeoisie libérale, qui est légaliste et fait d'autant plus confiance au tzar, que le souverain vient d'accepter que les Etats généraux soient réunis régulièrement tous les cinq ans. De 1867 à 1882, ces Etats généraux qui sont de plus en plus souvent appelés « diète de Finlande », puis tout simplement « diète », discutent essentiellement de la loi sur la presse, de la réforme de l'Eglise, de la reconstitution d'une armée finlandaise et de la création d'une monnaie finlandaise.

La réforme de l'Eglise est en fait à l'ordre du jour depuis la naissance du grand-duché. Cette Eglise, d'Etat, est luthérienne. Aussi longtemps que le chef de l'Etat fut le roi de Suède, les relations entre le souverain et son Eglise furent toutes naturelles : le roi était lui-même luthérien. Mais le grand-duc, tzar en Russie, est de religion orthodoxe. Des aménagements à la loi religieuse de 1686 sont donc nécessaires. La réforme consiste en la création d'un Consistoire, véritable assemblée des représentants de l'Eglise, mais aussi lieu de contestation contre toute slavisation et lieu d'affrontement entre fennomanes et svédophiles. Le grand-duc demeure formellement à la tête de l'Eglise de Finlande; en fait, la création du Consistoire éloigne l'Eglise du pouvoir, la Finlande de la Russie.

De même que la question religieuse, la question monétaire resta longtemps attachée aux coutumes suédoises. Ce n'est qu'en 1860 que la monnaie suédoise est retirée de la circulation en Finlande, et remplacée par un rouble finlandais dont la valeur nominale est égale au franc germinal. Après diverses dévaluations entre 1870 et 1877, une nouvelle monnaie est créée : le *markka* ou « mark finlandais » qui, contrairement au rouble, est rattaché à l'étalon-or. Autonome dans les domaines religieux et linguistique, la décision de 1877 garantit l'autonomie financière de la Finlande.

Depuis sa séparation d'avec la Suède, la Finlande n'avait plus d'armée. Le tzar comme la noblesse finlandaise souhaitaient la renaissance de cette armée pour des raisons différentes, mais qui trouvèrent un lieu de convergence après la guerre franco-prussienne de 1870. Le tzar souhaite alors la protection du flanc nord-ouest de la Russie et les Finlandais se refusent à entretenir une armée russe sur leur territoire. Après de délicates négociations entre Helsinki et Saint-Pétersbourg, une armée finlandaise de 5 000 hommes est formée et une école de cadets ouverte. La loi « pour la défense de l'Etat et de la Patrie » soulève bien quelque inquiétude parmi les paysans, mais satisfait assez largement la noblesse et la haute bourgeoisie dont les fils ne sont plus contraints d'intégrer l'armée russe s'ils désirent se vouer au métier des armes.

Au total, et jusqu'à la mort — violente — d'Alexandre II en 1881, l'union de la Finlande à la couronne russe semble bénéfique à l'Etat finlandais qui, dans son autonomie, se structure et s'organise. L'atmosphère va changer après 1881. En Russie, les vingt dernières années du siècle voient grandir le mouvement panslaviste qui, en ce qui concerne la Finlande, se manifeste avec éclat en 1889 quand un historien russe, Ordine, publie l'histoire de *La conquête de la Finlande*. La conclusion qui peut être tirée de cet ouvrage porte sur la légitimité absolue du pouvoir tzariste en Finlande depuis 1809. Pour Ordine, cette légitimité est incontestable et l'autonomie irréaliste. Ceci serait de peu d'importance si, parallèlement, l'entourage du tzar ne faisait pression pour l'assimilation de la Finlande à la Russie.

Le premier heurt sérieux entre le tzar et la diète se produit en 1890. Après une longue procédure, le grand-duc décide de la réorganisation des postes finlandaises et de leur alignement sur les postes de l'Empire. La réaction finlandaise est si brutale à cette violation des lois d'autonomie que le gouvernement central recule : il accepte qu'au cours des dix années à venir les deux systèmes fonctionnent parallèlement. Mais immédiatement après, le gouvernement russe décide l'assimilation des douanes et du système monétaire finlandais au système russe. De plus, la connaissance de la langue russe est exigée pour tous les fonctionnaires des douanes, des postes et des chemins de fer. Chaque fois, les Finlandais protestent avec une telle vigueur que le tzar recule et suspend l'application des décisions nouvelles. Du moins jusqu'en 1898. Alors un nouveau gouverneur général russe est nommé. N. Bobrikov est intimement persuadé qu'une refonte des relations finno-russes est nécessaire. Officiellement chargé de « protéger » le grand-duché, toute son action va en fait conduire à l'incorporation du grand-duché dans l'Empire. En 1899, N. Bobrikov publie le *Manifeste impérial* par lequel la Finlande est déclarée partie intégrante de l'Empire, la diète simple assemblée provinciale, l'armée finlandaise fondue dans l'armée russe, etc.

En quelques jours, la protestation s'organise en Finlande et en moins d'une semaine une « adresse au tzar » est signée par plus de 500 000 personnes sans que N. Bobrikov n'en ait connaissance. A l'étranger, les Finlandais parviennent à émouvoir de nombreuses personnalités qui interviennent à leur tour pour demander au tzar de revenir sur sa décision (voir p. 142, la première page de la pétition française au tzar).

Le tzar peut ignorer les pétitionnaires. Mais il doit constater, en 1901, le boycott général que les conscrits finlandais appliquent à l'armée, refusant de se laisser incorporer ou désertant. Aussi, pour « punir » les Finlandais, le gouverneur général décide de la suppression pure et simple de toute armée en Finlande. Et les Finlandais, unanimes dans leur protestation, ne sont plus entièrement d'accord sur les moyens pratiques à mettre en œuvre pour protéger l'autonomie. Deux courants se dessinent. Le premier

À Sa Majesté Impériale le Tsar,

Autocrate de toutes les Russies, Grand-Duc de Finlande, etc.

Sire,

Les soussignés prient Votre Majesté de leur permettre de Lui exposer respectueusement le sentiment de tristesse et d'étonnement qu'ils ont éprouvé en lisant la Pétition du 5 mars (21 février) 1899 où plus d'un demi-million de Finlandais sollicitent de Votre Majesté qu'Elle veuille bien maintenir dans leur intégrité les droits et privilèges garantis à leur pays par l'Empereur Alexandre Ier en 1809 à la Diète de Borgo, ensuite au traité de Fredrikshamn, et confirmés par tous les Empereurs de Russie à leur avènement au trône.

Notre qualité même de citoyens d'une nation amie et alliée de la Russie nous fait un devoir de prier avec instance Votre Majesté d'entendre la supplique de Ses sujets finlandais, et d'accroître ainsi dans le monde l'admiration qu'inspirent les sentiments humains si élevés qu'Elle a manifestés dans le rescrit d'où est issue la Conférence siégeant présentement à La Haye.

Les soussignés, espérant que Votre Majesté comprendra et excusera la démarche qu'ils se permettent de faire auprès d'Elle, La prient d'agréer l'hommage de leur très profond respect.

Ernest Lavisse
de l'Académie française

Anatole Leroy-Beaulieu
membre de l'Institut

Gaston Paris
de l'Académie française

Frédéric Passy
membre de l'Institut de France

Victor Sardou
de l'Académie Française

Breytie
de l'académie B.

Rolly

Par. Dagnan-Bouveret

Jean Psichari
Directeur d'études à l'École des Hautes Études

Jean Dampt

A. Vallery-Radot

Puvis de Chavannes

Émile Zola

Anatole France

s'oriente vers la recherche d'un compromis. Il est composé d'un grand nombre de fennomanes qui ont le sentiment que le tzar a été mal conseillé et que par des contacts fréquents, des conversations suivies, il est possible de regagner le terrain perdu. Ces partisans du compromis sont appelés « conciliateurs » ou « Vieux Finnois », car ils sont fennomanes de longue date. Face à ce parti, et prenant le contre-pied, il y a les « Jeunes Finnois », dits encore « Constitutionnalistes » car ils veulent, sans autre forme, le retour immédiat et entier des lois d'autonomie. Si les premiers sont tout aussi opposés à Saint-Pétersbourg que Stockholm, les seconds sont prêts à rechercher tout appui étranger qui favoriserait leur cause, à commencer par Stockholm mais aussi Berlin (Paris se trouvant exclu, du fait du rapprochement franco-russe ainsi que Londres, dans une moindre mesure, étant donné le rapprochement franco-britannique).

C'est avec l'action de ces deux partis « bourgeois » et celle du Parti social-démocrate à gauche que la Finlande s'éveille réellement à la vie politique. En général, ces partis — tout comme le Parti suédois qui regroupe et représente les intérêts de la minorité ethnique suédoise de Finlande — agissent dans un cadre légal. Mais la pression de l'administration russe est telle qu'elle invite aussi à d'autres actions, directes et souvent clandestines. C'est de cette période que datent un certain nombre de sociétés secrètes, dont la plus célèbre est le Kagal, et des actes terroristes individuels.

Les années 1904 et 1905 sont jalonnées d'attentats contre la police et les fonctionnaires russes en Finlande. Certains échouent, quelques-uns réussissent, comme celui entrepris par E. Schaumann qui tue le gouverneur général N. Bobrikov en juin 1904. La fièvre qui tout au long de ces années agite la Finlande n'est pas seulement nationaliste. Elle est aussi sociale. Dans ses débuts, le mouvement Jeunes Finnois avait tenté d'entraîner avec lui le

---

← FIG. 10. — Première page de la pétition française au tzar Nicolas Ier

Lettre à Sa Majesté Impériale, 1899 (signée par E. Lavisse, A. Leroy-Beaulieu, Emile Zola, Anatole France, etc.).

jeune prolétariat industriel et avait alors aidé à la création « d'amicales ouvrières ». Très vite ces amicales se transforment et donnent naissance, en 1899, au Parti social-démocrate qui, en 1903, adhère à la IIe Internationale. Faible dans les débuts, ce mouvement se renforce rapidement en intégrant à ses revendications celles des paysans pauvres et des « tenanciers », ouvriers agricoles logés qui sont encore en ce début de siècle corvéables à merci. Mais du coup l'opposition est très vive entre le mouvement syndical et social-démocrate et les propriétaires urbains ou ruraux qui sont le plus souvent membres des Partis Vieux ou Jeunes Finnois, et pour certains du Parti suédois.

Avec les événements extérieurs russo-japonais cette opposition revêt des formes violentes. Lorsque la révolution éclate à Saint-Pétersbourg, l'ensemble des dirigeants nationalistes et des responsables politiques ou syndicaux finlandais ont le sentiment que c'est pour eux l'occasion ou jamais d'obtenir un certain nombre d'améliorations. Pour les dirigeants Vieux et Jeunes Finnois — et surtout pour ces derniers — il s'agit essentiellement de retrouver l'autonomie perdue. Les dirigeants social-démocrates ajoutent à cette revendication un certain nombre de demandes sociales (journée de huit heures, suffrage universel, réforme de la diète, modification du système d'impôts, etc.). Pour appuyer leurs demandes, les social-démocrates décrètent la grève générale. Au début, l'ensemble des Finlandais, de quelque parti qu'ils relèvent, participe à cette grève qui est générale et nationale. La police elle-même manifeste aux côtés des autres corps de métier. Devant l'ampleur de ces manifestations qui rejoignent celles des révolutionnaires russes, le Parti Jeunes Finnois se retire de la grève et constitue des gardes armées chargées de faire « respecter l'ordre ». Cette Garde, dite civique, mais plus communément appelée « blanche », cherche à briser tout en même temps la grève (en particulier en remettant les tramways en marche) et le début d'union qui se fait entre révolutionnaires russes et finlandais. C'est aussi de ces journées que la Garde blanche gagne le nom de Garde des Bouchers, tant ses réactions sont brutales et sanglantes. Répondant à l'existence de cette garde, et pour s'en protéger, les syndicats arment des grévistes qui forment alors une Garde rouge qui n'a guère le temps de se manifester : le pouvoir pétersbourgeois capitule devant l'ampleur des manifestations finlandaises. Il annonce l'abrogation de toutes les mesures de russification, le retour intégral aux lois d'autonomie (mais l'armée finlandaise n'est pas reconstituée), la suppression de l'ancienne diète, la création d'une assemblée nationale élue au suffrage universel direct, secret et proportionnel. Sont électeurs et éligibles tous les hommes et toutes les femmes de plus de 24 ans. De 125 000, le collège électoral passe à 1 125 000 électeurs. L'assemblée, élue pour quatre ans, désigne son président, ses deux vice-présidents, ses commissions et décide de son ordre du jour.

Le Parti social-démocrate se rallie alors à l'idée du réformisme parlementaire. Il estime que cette voie doit être expérimentée avant toute autre pour faire aboutir ses revendications sur la réduction des horaires de travail quotidien, la réduction du nombre de journées de travail, le contrôle du travail, les assurances et les retraites, l'égalité des salaires, l'aide aux tenanciers et aux petits paysans, et sur la prohibition des boissons alcoolisées.

Les premières élections ont lieu en mars 1907. Six partis briguent les suffrages des électeurs. A la surprise générale, y compris des intéressés, le Parti social-démocrate obtint 80 des 200 sièges. Le Parti Vieux Finnois en obtenait 59, le Parti Jeunes Finnois 26, le Parti suédois 24, le Parti agrarien — né au cours des événements de 1905-1906, issu pour ses cadres du Parti Jeunes Finnois mais ayant un programme nettement orienté en faveur des petits paysans — en obtenait 9 et le Parti des Travailleurs chrétiens (proche du Parti Vieux Finnois) 2. Cette victoire social-démocrate, résultat de la vigueur du mouvement dans la grève, surprit l'ensemble des observateurs, bien qu'ils aient pu suivre sa campagne électorale qui avait bénéficié des lois sur la liberté d'expression, de réunion et d'association. Les grands perdants paraissent être les Jeunes Finnois qui avaient espéré distancer aussi bien le Parti social-démocrate que le Parti Vieux Finnois. Toutefois, le Parti Jeunes Finnois parvient à faire élire à la présidence de l'Assemblée l'un de ses principaux représentants : P. E. Svinhufvud qui avait été avocat de nationalistes fennomanes et s'était fait connaître pour sa verdeur de langage et son intransigeance chaque fois que l'autonomie était en question.

La victoire de la démocratie est cependant de courte durée.

Très vite le tzar et son gouvernement se ressaississent et les mesures de russification reprennent. L'Assemblée nationale refusant de plier devant les injonctions de Saint-Pétersbourg, elle est régulièrement dissoute (5 fois de 1907 à 1914). Mais chaque fois le nombre des députés des Partis social-démocrate et Jeunes Finnois augmente, passant de 80 et 26 en 1907 à 90 et 29 en 1913, tandis que celui du Parti Vieux Finnois ne cesse de diminuer (de 59 à 38; le Parti agrarien double le nombre de ses députés au cours de la même période). Les mesures de russification ne sont pas annoncées de façon aussi spectaculaire qu'à la fin du siècle précédent. Mais elles sont mises en place de manière plus systématique, en particulier dans le domaine des impôts et surtout dans la fusion des administrations : des fonctionnaires russes sont nommés dans tous les secteurs publics et la langue russe est imposée comme troisième langue, tandis que de nombreux Finlandais sont emprisonnés ou déportés en Sibérie.

La déclaration de la guerre en 1914 apporte tout à la fois un accroissement et un allégement de la présence russe en Finlande : accroissement, car des troupes russes viennent « en couverture » occuper certains forts et ports finlandais, allégement car la Finlande, grand-duché autonome, ne participe pas directement à cette guerre et l'administration tzariste est sollicitée en d'autres lieux. Et les premières années de la guerre semblent bénéfiques à la Finlande. L'état-major russe, craignant un débarquement allemand en Finlande, décide la construction de fortifications, de routes, de voies ferrées, etc., en Finlande et entre Saint-Pétersbourg et Mourmansk. La Russie, engagée dans la guerre, manque de main-d'œuvre pour ces constructions comme pour ses usines d'armement et les Finlandais trouvent à s'embaucher à des tarifs très avantageux. Le chômage disparaît tandis qu'industrie et économie se développent rapidement. C'est de ces années que datent les grandes entreprises d'industrie lourde, de raffinerie, etc. Les établissements bancaires, eux aussi, connaissent une prospérité certaine par rapport aux banques russes. Mais la contrepartie se fait rapidement sentir : la Baltique est fermée à la navigation, la Russie ne peut plus subvenir aux besoins alimentaires de la Finlande. Dès 1914, les prix commencent à augmenter dans des proportions dangereuses. En 1916 cette situation, jointe à la raréfaction des produits de première nécessité, donne naissance à une disette qui se répartit encore fort inégalement selon les revenus mais qui, très rapidement, va toucher la presque totalité de la population. Très vite les rapports finno-russes, mais aussi entre les partis et les couches sociales de Finlande, redeviennent explosifs d'autant qu'aux élections de 1916 le Parti social-démocrate emporte la majorité des sièges à l'Assemblée tandis que dans le pays la monnaie perd de sa valeur, que le chômage réapparaît (avec la fin des travaux de fortification ou leur arrêt par manque de moyens financiers) et que la disette commence à se faire sentir. Quand la Révolution éclate en février 1917 à Saint-Pétersbourg, la Finlande est prête à se soulever. Mais l'Union nationale qui s'était manifestée en 1905-1906 n'est plus. L'affrontement peut avoir lieu aussi bien contre les Russes qu'entre Finlandais, sans que les perspectives soient très claires.

La guerre mondiale, extérieure, est pour de nombreux Jeunes Finnois l'occasion de rechercher des appuis étrangers actifs contre l'autocratie russe. Ces appuis sont essentiellement quêtés du côté des adversaires de la Russie, quoique quelques rares personnes se tournent vers la Grande-Bretagne ou la France, et que les représentants du Parti social-démocrate s'adressent de préférence aux Etats-Unis. L'Allemagne saisit l'occasion de ces démarches pour attirer les jeunes nationalistes et leur donner une formation militaire. L'état-major allemand en particulier voit dans ce mouvement une possibilité d'affaiblir le front nord de la Russie et d'atteindre plus aisément Saint-Pétersbourg. Un bataillon de « chasseurs prussiens » finlandais est formé, instruit, engagé en Courlande à partir de 1915. Ce « lien » germanique va lourdement peser sur l'avenir de la Finlande. Le bataillon qui atteint 2 000 hommes au début de 1917 est fortement entraîné et ses membres soigneusement recrutés. La presque totalité des « chasseurs » est composée de jeunes nationalistes fennomanes mais suédophones issus de la bourgeoisie. Certains, les plus âgés, ont appartenu à la Garde blanche de 1905. Tous sont antisocialistes et très influencés par les théories raciales de Gobineau, transposées pour les besoins et adaptées aux nécessités de ce qui rapidement prendra le nom de « Grande Finlande ». Le programme politique de ce mouvement activiste est en gros présenté par H. Stenberg qui publie en 1916 à Stockholm un ouvrage intitulé *Ostkarelien im Verhältnis zu Russland*. C'est avec la notion d'espace vital la revendication territoriale du rattachement de la Carélie orientale à la Finlande qui passerait elle-même de la tutelle russe à la tutelle suédoise ou mieux allemande.

Ce mouvement de « chasseurs » parfaitement soumis à l'état-major allemand introduit un élément nouveau en Finlande. Au moment de la Révolution de février 1917, alors que le Parti social-démocrate est majoritaire dans l'assemblée et que du fait de la guerre qui se prolonge le pays connaît disette et chômage, l'intérêt allemand pour la Finlande est évident. Cet intérêt rencontre la bonne volonté du Parti Jeunes Finnois en particulier. L'idée d'indépendance ne se manifeste guère que chez les social-démocrates qui par la voix de leur dirigeant, qui est aussi Premier Ministre, O. Tokoi, l'envisagent officiellement au printemps 1917. Alors l'ensemble des partis bourgeois est encore sceptique. Kérenski leur paraît un homme assez fort pour offrir une protection certaine contre les désordres et contre la révolution. En Russie, il se maintient au pouvoir malgré les bolcheviks et Kornilov. En Finlande, il dissout l'assemblée à majorité social-démocrate — et envoie ses cosaques pour garder les locaux selon la bonne tradition tsariste. Son appui n'est pas négligeable contre le mouvement révolutionnaire qui agite aussi bien les troupes russes cantonnées dans le grand-duché que les ouvriers finlandais.

Tout l'été 1917 est agité de nombreuses manifestations ouvrières y compris dans les campagnes où les ouvriers agricoles et les tenanciers se mettent en grève. C'est alors que se reconstitue la Garde civique — blanche — qui tente de ramener « l'ordre ». En fait cette garde, qui se restructure avec l'apport des « chasseurs » rentrant clandestinement d'Allemagne, avive les ressentiments de la classe ouvrière contre les « bourgeois » et pousse l'aile — encore très minoritaire — la plus révolutionnaire du Parti social-démocrate à reconstituer la Garde rouge. Dès lors les dangers d'affrontement sont quotidiens et la lutte se transpose : le pouvoir russe n'est qu'apparent; en dépit de toutes ses déclarations, Kérenski est parfaitement impuissant; les troupes russes cantonnées en Finlande fondent à vue d'œil et se débandent totalement. Le pouvoir réel réside dans la masse social-démocrate, d'une part, dans la force armée blanche soutenue, organisée et approvisionnée par l'Allemagne, d'autre part.

Les dernières élections qui se déroulent formellement dans le cadre du grand-duché donnent à l'automne une majorité aux partis bourgeois. Le Parti social-démocrate décrète peu après la grève générale pour faire aboutir ses revendications. Cédant devant l'unanimité, le gouvernement semble reculer. En fait, il ne cède rien et se prépare à l'affrontement qui semble inévitable. Il remporte un premier succès en détachant juridiquement la Finlande de la Russie : le 6 décembre 1917, l'Indépendance de la Finlande est proclamée. Pratiquement, le pouvoir russe ayant disparu dans le courant de l'été, la Finlande se trouvait indépendante depuis l'automne. Mais cette indépendance n'est que formelle. Tout d'abord, il reste encore des troupes russes en Finlande. Cela est un argument de poids pour ceux (la majorité des députés) qui veulent la création d'une police et d'une armée blanche. Mais c'est peu en regard de la situation économique qui fait que toute vie est désorganisée, que tout approvisionnement est impossible. Enfin, il y a le poids peu visible mais important dans les sphères gouvernementales de l'Allemagne.

En janvier 1918, l'affrontement armé devient général. Les social-démocrates (les « Rouges ») pensent que la masse de la population les soutient et qu'il est grandement temps d'arrêter la montée des violences « blanches ». De leur côté, les partis bourgeois (les « Blancs ») estiment qu'il faut ramener l'ordre, remettre la machine économique en route, faire cesser les grèves, se débarrasser des dernières influences russes. La guerre civile — que la propagande nommera d'Indépendance ou de Libération durant quelques années — va durer jusqu'au 16 mai. Elle s'achève sur une victoire blanche complète. Près de 8 000 hommes sont tués dans les combats (autant de Blancs que de Rouges) et quelque 80 000 prisonniers rouges sont enfermés dans des prisons ou des camps où un très grand nombre mourra de faim, de maladie, ou par diverses mesures de représailles dont les exécutions sommaires sont l'aspect le plus humain.

Outre le fossé que cette guerre civile creuse entre les différentes couches sociales, la victoire blanche installe au pouvoir le « Parti allemand » qui jusqu'au 11 novembre 1918 va s'employer à imposer un souverain allemand au peuple finlandais. Seule, la défaite allemande à l'ouest permet à la Finlande d'échapper à l'emprise de l'état-major allemand et à la famille du kaiser. Du même coup, l'équipe dirigeante germanophile doit se retirer — mais elle reviendra avec le fascisme une dizaine d'années plus tard — et laisser la place non pas à la gauche, mais à un autre secteur de la bourgeoisie, lié aux puissances de l'Entente et recherchant tout particulièrement l'appui de l'ancien pouvoir russe. Si le gouvernement qui, avec P. Svinhufvud, détient le pouvoir de mai à novembre 1918 est civil et soumis à l'Allemagne, celui qui le remplace est dirigé par C. G. E. Mannerheim, ancien général du tzar, baron suédois et organisateur de l'armée finlandaise blanche. Ni l'un ni l'autre n'ont finalement d'assise large et cohérente dans le pays. Tous deux sont monarchistes alors que tous les observateurs de l'époque s'accordent pour reconnaître que le pays est républicain. De plus, Svinhufvud — qui se définit lui-même comme « le politicien du suicide » — ainsi que Mannerheim ont une conception aristocratique sinon autocratique du pouvoir. Or, Mannerheim vient au pouvoir avec la caution de la Grande-Bretagne mais la méfiance des Etats-Unis et les réticences de la France — et les vivres attendus pour sauver la Finlande de la famine (vivres qui avaient été achetés par le gouvernement social-démocrate en 1917) ne peuvent venir que des Etats-Unis et avec l'aide des grandes puissances participant à la Conférence de la Paix de Paris. Il faut donc à Mannerheim favoriser le retour de la démocratie — qu'il a combattue en Finlande par les armes au cours de la guerre civile —, et renoncer à Helsinki à la monarchie dont il souhaite le retour à Pétrograd. Enfin, et c'est un point important des six mois de pouvoirs presque absolus de Mannerheim, toutes les tentatives de reconquête de la Russie, de renversement du pouvoir bolchevique échouent, à l'exception de l'entreprise finno-estonienne. Les alliances recherchées n'aboutissent pas et la Finlande exsangue élit en juillet 1919 un président de la République, qui n'est pas Mannerheim. Ce président est certes un « bourgeois », mais c'est aussi un juriste de renom dont la volonté de paix est connue de tous. Avec Ståhlberg commence réellement le xxe siècle finlandais. Débarrassée des alliances trop voyantes et trop pesantes des états-majors allemand ou russes blancs, la Finlande n'échappe pas totalement à son passé récent dont la violence retentira encore souvent dans le quart de siècle qui suit, d'autant que les hommes qui ont quelques semaines ou quelques mois détenu le pouvoir tenteront parfois avec succès de le regagner. Mais elle est en paix et va s'employer à panser ses plaies.

Quand se termine le XIXe siècle, que ce soit en 1905, en 1914 ou en 1917-1919 pour les différents pays nordiques, il ne fait pas de doute qu'un monde nouveau apparaît, bien différent de ce qu'était l'Europe septentrionale au début du XIXe siècle. Bien des aspects ont séparé ces pays qui, cependant, ont connu un développement souvent similaire comme cela s'est manifesté dans les domaines économiques. Mais c'est sans doute dans le domaine des arts — et surtout des lettres — que ce mouvement a été le plus commun et où s'est le mieux montrée l'unité de pensée et de vie de ces pays.

NOTES INDICATIVES CONCERNANT LE DÉVELOPPEMENT ARTISTIQUE AU XIXe SIÈCLE

Nous avons déjà parlé des mouvements nationalistes et marqué la part importante que les intellectuels prennent dans le renouveau national. Il est sans doute bien des aspects de cette véritable renaissance que nous ne pouvons marquer ici car cette vie culturelle prend chaque année, en chaque lieu, un ton et une allure différents. Mais il y a des caractères généraux, déjà cités sans doute, sur lesquels nous nous devons d'insister. Ce qui frappe tout d'abord, c'est la volonté manifeste d'une culture qui soit compréhensible à tous, qui vienne de tous et aille à tous; ce qui, selon un journaliste britannique que rapporte Erica Simon (1), fait des pays nordiques de véritables « démocraties culturelles » dès le XIXe siècle. Et la lutte des langues est un élément important de ces démocraties culturelles, car elle se fait toujours conjointement par

(1) Erica Simon, *Réveil national et culture populaire en Scandinavie — genèse de la højskole nordique — 1844-1878*, puf, 1960.

des intellectuels avertis des données linguistiques, des chercheurs qui assurent la renommée de cette science nouvelle, et des praticiens du niveau le plus banal. Les utilisateurs de la langue forment en fin de compte ce qu'en France on nomme l'Académie. Et ce qu'ils articulent se retrouve dans la littérature. Ce qui ne signifie pas que la littérature ne soit que le reflet des matériaux utilisés communément. Mais elle est aussi et d'abord cela. Ce qui explique le grand nombre d'auteurs qu'ailleurs on dirait prolétariens ou encore autodidactes. Le « chapeau rouge » rêvé par Victor Hugo se retrouve sans doute plus aisément dans le Nord qu'ailleurs.

Nous pouvons certes distinguer des courants différents selon les périodes. Il y a le long temps du romantisme qui renoue avec le Moyen Age. Il y a la période plus brève du lyrisme qui est recherche et cisèlement de la langue. Mais toujours il y a cette volonté de populisme, ce refus de l'élitisme qui n'est pas médiocrité mais développement de l'esprit populaire inventif. Il suffirait pour s'en convaincre de penser au rôle et à l'action, en Norvège mais aussi dans la littérature mondiale, d'Ibsen par exemple, ou pour le Danemark de Hans Chr. Andersen, ou pour la Suède de Selma Lägerlof, ou pour la Finlande de Runeberg (suédophone) ou Aleksis Kivi (fennophone).

Les préoccupations que l'on voit surgir dans un lieu, la Finlande par exemple — plus coupée des autres pays qu'aucun autre tant par les situations politiques que linguistiques —, font vibrer sans coup férir une corde sensible dans les autres pays, comme ce fut le cas lors de la publication du *Kalevala* par Lönrott ou des *Récits de l'enseigne Stål* par Runeberg.

L'esprit qu'on pourrait dire « missionnaire » des intellectuels nordiques qui est tout d'abord exprimé par N. F. S. Grundtvig au début du xixe siècle et qui remet la culture islandaise ou carélienne (selon les lieux, mais dans tous les cas, médiévale) à l'honneur est bientôt frappé de ce qu'on pourrait appeler le réalisme ou le vérisme et qui apparaît dès le romantisme — et fait de celui-ci une véritable culture nationale. Ce qui sans doute est tout aussi remarquable est que né du plus profond de la vague, alors que le Nord connaît des situations économiques proches du désespoir et en tout cas hors d'espoir, des hommes (et des femmes bien sûr, car nous l'avons déjà dit l'égalité des sexes se réalise ici plus vite et plus réellement que partout ailleurs) aient su ne pas s'enfermer dans le passé, aient eu le courage de connaître ce passé pour comprendre le présent et préparer l'avenir, aient eu le courage de refuser l'esprit « ancien combattant ». Certes, il faudrait introduire une gradation dans cette notion de vie culturelle. Chaque pays l'a connue avec une intensité inégale. Moins nette en Suède où elle demeure plus longtemps académique, aristocratique et superficielle, plus précise en Norvège, scindée en Finlande, plus générale au Danemark. Mais ce sont là des aspects que l'on peut aisément déduire en observant les paysages naturels et humains. Ils vont de soi.

Cette littérature — et encore une fois la littérature est ici l'aspect le plus révélé, le plus sensible et le plus facilement accessible de tous les arts — n'est pas qu'ancrée dans les sols. Elle n'est pas qu'héritage et reflet. Elle est aussi réflexion et perception quand ce n'est pas rêverie et fantasmagorie. Faut-il oublier que Kierkegaard fut Danois de ce temps et Wegerland Norvégien en cette époque, qu'avant eux Swedenborg tout comme Linné, mais aussi Tegnér furent Suédois ? Si, dans le domaine du rêve ou de la philosophie — qui bien sûr sont distincts mais peuvent se rejoindre —, la Finlande paraît un peu absente, on la verra déboucher dans ces domaines avec un temps de retard. Mais elle est riche déjà alors de ses romans paysans, écrits par des gens de « peu » sur des gens de rien, tout comme en Norvège Knut Hamsun se manifeste à la fin du XIXe siècle et décrit aussi bien la faim que le vagabondage ou encore le mystère d'un homme et d'une société que ne renierait pas Poliansky.

Un autre aspect, commun au Nord, et qu'il faut sans cesse rappeler est le féminisme qui se distingue très nettement des mouvements anglo-saxons. Ce n'est pas un mouvement de suffragettes et dans ce féminisme les hommes, aux côtés des femmes, jouent un rôle non négligeable — les femmes n'étant pas concurrentes des hommes mais les uns et les autres complémentaires. Et l'on retrouve pêle-mêle dans ce mouvement aux titres divers, mais qui n'agit pas indépendamment des mouvements sociaux, ouvriers et paysans, des écrivains qui très fréquemment utilisent la scène et/ou la poésie, le lyrisme et le réalisme. La Finlande, moins connue en France que les autres pays nordiques, est cependant l'une des plus riches en personnalités « féministes », que ce soit Minna Canth ou Maila Talvio, mais aussi Johannès Linnankoski (dont on ne connaît guère en français que son *Chant de la Fleur rouge — Tulipunaisesta kukasta laulu*) et bien d'autres dont l'humoriste parfois grinçant que fut Maiju Lassila.

Le « génie » du Nord ne se manifeste pas uniquement dans ces domaines, et son empreinte est plus profonde que trop souvent il n'y paraît, de Balzac (avec *Séraphita*) à Tchékhov (tout son théâtre), dont il est difficile de dire s'il fut plus russe que finnois. Il faudrait encore parler du poids de la religion et des phénomènes d'angoisse, de ce qu'en d'autres lieux on nomme *spleen* ou « mal ». Quoi qu'il en soit, quels que soient les genres abordés, la littérature toujours présente dans la vie quotidienne est très liée aux autres genres artistiques. Jamais Grieg ni Sibelius ne sont très loin de la poésie, ni de l'action politique, de même que la peinture, la sculpture ou la mise en scène qui, elle, demeure dominée par Ibsen. Et Ibsen est sans doute exemplaire — mais on en pourrait dire tout autant de Strindberg et de bien d'autres —, pour qui chaque mot peut être une flèche, chaque pièce « une torpille ». Car très volontairement et quelquefois inconsciemment, par la langue tout d'abord, mais aussi par toutes les techniques ainsi que par la volonté des auteurs, littérateurs ou autres, qui recomposent ou composent un monde, l'art est engagé dans tous les actes de la société, dans toutes les luttes nationales et sociales, immédiates et idéales, car toujours c'est de l'Homme dont il est question.

Et le xxe siècle, héritier d'un passé économique et politique, est tout entier dominé par cette démocratie culturelle qui va aider à la transformation de ces régions encore sous-industrialisées sinon sous-développées.

CHAPITRE IV

LES PAYS NORDIQUES
DANS LE MONDE CONTEMPORAIN
LA PREMIÈRE GUERRE MONDIALE

Le XXe siècle commence, selon les pays nordiques, entre 1905 et 1917. Pour tous ces pays, la seconde guerre mondiale est une date de rupture importante. Comme au cours du XIXe siècle on peut de ce début de siècle à la seconde guerre mondiale distinguer plusieurs attitudes et diverses périodes.

Il y a tout d'abord la période qui va de l'indépendance de la Norvège à la fin de la première guerre mondiale. Alors la Finlande n'a pas encore réintégré le monde nordique et l'Islande n'apparaît que comme dépendance du Danemark. Les trois Etats : Danemark, Norvège et Suède échappent à la guerre, mais en sont plus ou moins directement affectés. Plus que les autres le Danemark se trouve « sollicité » par les belligérants et intéressé par l'issue des combats. Il a une frontière commune avec l'Allemagne ; le territoire du Schleswig, qui lui a été ravi en 1866, demeure une question importante de sa politique extérieure et intérieure, enfin — et ce n'est pas le moins important — les détroits du Sund et du Kattegat qui commandent l'entrée de la Baltique dépendent du Danemark. L'Allemagne dispose il est vrai du canal de Kiel mais les détroits conservent une importance primordiale pour l'Allemagne et surtout pour les flottes de l'Entente (Russie et Grande-Bretagne essentiellement). Dès le début de la guerre, le Danemark est contraint de miner ces détroits sous la pression de l'Allemagne qui ainsi a les mains libres en Baltique alors que de toute évidence le gouvernement danois penche en faveur des puissances de l'Entente. Très vite son commerce et son économie sont bouleversés par les hostilités et le gouvernement danois doit imposer un contrôle sur les prix et les marchandises.

On pourrait dire que l'économie du Danemark se trouve au cours de cette première guerre mondiale mise en sommeil : le royaume est bloqué entre les diverses puissances adverses et ne se maintient hors des hostilités qu'au prix de lourds sacrifices. Ces sacrifices sont sans doute moins lourds que ceux connus par la Finlande et, à plus forte raison, par les pays directement impliqués dans la guerre. Ils n'en sont pas moins réels et cependant moins visibles que ceux consentis par la Norvège qui, plus éloignée, profite plus largement de cette guerre extérieure comme elle en subit davantage les conséquences.

LA NORVÈGE DE 1905 A LA PREMIÈRE GUERRE MONDIALE

Débarrassée de l'hypothèque suédoise, la Norvège connaît de 1905 à 1914 un développement constitutionnel et économique nouveau.

En ces quelques années, la représentation nationale qui jusque-là était censitaire passe au système universel d'abord par l'abaissement du cens (en 1906 et 1907), puis au suffrage universel proprement dit en 1910. Les femmes elles-mêmes obtiennent le droit de vote tout d'abord en 1907 (pour l'assemblée nationale selon le système censitaire), puis en 1912 tous les emplois étant alors déclarés ouverts aussi bien aux femmes qu'aux hommes — à l'exception des postes ministériels qui ne seront accessibles aux femmes qu'à partir de 1916.

Il est bien évident que l'unité — l'unanimité même — qui avait été réalisée face à la Suède avant 1905 ne peut longtemps se maintenir : cette unanimité était essentiellement d'opposition. En 1906, lors du renouvellement du Storting, les partis dits « bourgeois » se divisent très nettement en radicaux et conservateurs. La question des langues n'est pas entièrement étrangère à ce clivage, les « radicaux » trouvant un large appui parmi les petits paysans utilisateurs du *landsmål*. A cela s'ajoute la question des ligues de tempérance largement soutenues par les « radicaux » (et le Parti social-démocrate) après que la France ait, en 1905, bloqué les avoirs norvégiens, ce qui détermine un certain nombre des armateurs — force importante en Norvège — à rallier les positions « radicales ». Le gouvernement mis en place en 1908 sans être un gouvernement « ouvrier » est très favorable aux réformes sociales qui dans le nouveau contexte peuvent recréer l'unité nationale qui se trouve un peu désorientée, car « vacante ». La victoire remportée sur la Suède étonne quelque peu et oblige à de nouvelles orientations.

En 1908 et 1911, les assurances accidents sont étendues aux 90 000 marins et pêcheurs. Elles sont bientôt accompagnées d'assurances maladies et de création de fonds pour combattre la pauvreté. La législation du travail est modifiée par la limitation du travail des enfants, puis en 1915 lors de l'interdiction complète du travail des enfants et la protection des droits des enfants des couples divorcés.

Dans le domaine extérieur, la Norvège veut, dès 1905, appliquer le programme de Bj. Björnson : « Ne pas avoir de politique extérieure », ce qu'aussi bien nous appellerions « avoir une diplomatie tous azimuths ». Il semble au jeune service des Affaires étrangères que l'intérêt de la Norvège est d'entretenir des relations « privilégiées » avec le maximum de partenaires possibles. Cette position est d'autant plus importante — et nécessaire — qu'une bonne part des activités norvégiennes dépend de son commerce extérieur et de sa flotte qui, après celle de la Grande-Bretagne et celle des Etats-Unis, est la plus importante au monde.

En 1907, la Norvège signe un traité avec la Grande-Bretagne, la France, l'Allemagne et la Russie. Ce traité n'apporte rien d'autre qu'une garantie des grandes puissances quant aux frontières norvégiennes. Mais la Suède qui ne participe pas à cet accord a l'impression qu'il est dirigé contre elle. En 1908, la Suède obtient toutefois une compensation morale avec la signature d'un accord de *statu quo* sur la situation en mer du Nord et sur la non-remilitarisation des îles d'Åland. Ces nouveaux accords qui n'innovent en rien et sont la simple reprise des traités signés par les grandes puissances en 1855 (après la guerre de Crimée) mis à jour après la naissance du nouvel Etat norvégien clarifient cependant les positions dans la mesure où Norvège et Suède se retrouvent pour la première fois dans des conversations internationales sans être adversaires. C'est le point de départ d'un renouveau pour le « scandinavisme ». Ce renouveau se manifeste concrètement lors de l'accord suédo-norvégien de 1908 sur les migrations saisonnières des Lapons. Cet accord a, certes, une faible portée : les personnes et les espaces concernés sont de peu d'importance. Mais le fait que cet accord existe manifeste une volonté d'entente qui n'était pas auparavant. La même année le Prix Nobel de la Paix — fondé en 1901 — décerné par Oslo est pour la première fois attribué à des dirigeants suédois et danois partisans de l'Union scandinave. C'est donc à un véritable renversement de la politique extérieure auquel on assiste : on passe de l'antisuédisme à la volonté de rapprochement et d'entente. Et quand, en 1912, éclate la première guerre des Balkans, les trois pays nordiques se trouvent réunis dans une commune déclaration de neutralité.

On assiste donc dans la période qui précède la guerre à l'insertion de la Norvège parmi les puissances et, à cette occasion, à la renaissance de la notion de scandinavisme disparue pratiquement depuis un demi-siècle. Dans le domaine économique, la Norvège parvient aussi à une stabilité, à un mieux-être qui est le signe tout autant d'un certain équilibre social et d'une aisance acquise par le développement industriel. C'est au cours de la première décennie de l'indépendance que le système des coopératives parvient à son plein épanouissement. En 1914, les coopératives contrôlent les trois quarts de la production laitière. Avec l'aide de l'Etat elles mettent en place une chaîne d'écoles agricoles qui vont former aux méthodes nouvelles l'ensemble des fermiers maintenant réunis en une Union forte de 50 000 membres et qui constitue un groupe de pression social et culturel important. Ce groupe de pression n'est cependant pas aussi efficace qu'il peut paraître : bien que fort nombreux et bien organisés, ces paysans sont aussi pêcheurs et les structures de leurs organisations agricoles ne recouvrent qu'une partie de leur réalité et ne répondent que partiellement à leurs besoins : sur les 125 000 petits propriétaires norvégiens, moins du quart se considèrent comme uniquement paysans, et parmi les grands propriétaires — beaucoup moins nombreux —, un sur trois vit uniquement du produit de ses terres. Ce manque de cohésion interne du monde paysan explique son inefficacité dans le domaine politique.

Le groupe de pression essentiel est tourné vers l'extérieur. Il est constitué par la population vivant de la mer : marins, mais aussi ouvriers et familles tirant leurs revenus des compagnies de navigation, des conserveries de poisson et des chantiers navals dont les racines se prolongent loin vers l'intérieur par l'exploitation des forêts bien qu'en 1914 la majeure partie de la flotte norvégienne soit constituée de navires à vapeur (1 300 000 tonneaux pour à peine 160 000 tonneaux de flotte marchande à voile). De plus, une dizaine de milliers de Norvégiens sont alors marins au long cours sous des pavillons étrangers.

A côté de ce groupe, un autre secteur important de la vie économique est constitué dès le début du siècle par les industries nées de l'électricité et de l'électrochimie. Défavorisée par bien des côtés, la Norvège bénéficie de nombreux cours d'eau aménageables pour les centrales hydro-électriques. Le handicap norvégien ne provient dans ce domaine ni des possibilités naturelles ni de l'esprit inventif mais du manque de capitaux. Les investissements étrangers sont nombreux, importants et d'origines fort diverses. Les capitaux britanniques côtoient les capitaux allemands, français, suédois, etc., et les chutes d'eau sont au moment de l'accession à l'indépendance pour l'essentiel la propriété des banques ou de sociétés étrangères. En 1906 le ministère, en accord avec le Storting, décide que les compagnies étrangères devront désormais avoir leur siège en Norvège pour pouvoir exploiter les chutes d'eau, les forêts et les mines. Peu à peu le capital lui-même devient norvégien, soit par « naturalisation », soit par prise de participation. En 1909 encore, le tiers du capital investi en Norvège est étranger et 13,6 % des ouvriers industriels travaillent pour des sociétés étrangères. Mais cette participation étrangère à l'économie norvégienne ne cessera de décroître surtout lors du repli du capital suédois à la veille de la guerre. Cependant au cours des premières années du siècle ces investissements sont importants pour le démarrage de l'industrie, chimique en particulier, et du même coup pour le renforcement du mouvement ouvrier qui se groupe autour des nouveaux centres industriels. Ce mouvement prend véritablement de l'extension à partir de 1906. Alors, la représentation ouvrière au Storting n'est que de 10 députés. En 1912, avec plus du quart des voix le Parti social-démocrate a 23 députés. Pour la première fois, les députés conservateurs prennent conscience de la nécessité des réformes sociales et du même coup parlent de la « menace socialiste » qui pèse sur le royaume. Cette « menace » se manifeste très concrètement en 1912 lors des grèves des ouvriers de la métallurgie et des papeteries qui demandent le règlement de leur situation par des conventions collectives. La lutte entre patronat et prolétariat se poursuit jusqu'en 1914 avec une certaine violence quand au printemps les organisations ouvrières décident la grève générale. Mais à ce moment de l'action le mouvement ouvrier syndical et politique, sans se scinder formellement, connaît une double orientation : une aile radicale, révolutionnaire et favorable à des actions ponctuelles violentes, se manifeste avec Martin Tranmael qui refuse l'idée d'accords salariaux à long terme et de conventions collectives aménagées à l'avance. Seule l'approche de la guerre mondiale, liée à la position antimilitariste générale dans le mouvement ouvrier, empêche cette aile révolutionnaire de se développer pleinement et maintient l'unité dans un sens « réformiste ».

Pour la Norvège, la neutralité est une nécessité impérative : elle est trop faible et désarmée pour participer à un affrontement. D'autre part, les liens financiers et commerciaux avec l'Allemagne sont nombreux alors que ceux avec le monde anglo-saxon sont déterminants pour tout ce qui concerne les questions maritimes. Mais cette neutralité est difficile étant donné l'importance stratégique des côtes norvégiennes offrant de nombreux abris naturels à des navires de tous tonnages qui de là peuvent aisément surveiller le trafic maritime en mer du Nord et le long des côtes britanniques. Dès les premiers jours de la guerre, la Norvège est contrainte à la mobilisation de toutes ses forces armées pour la protection de ses ports en particulier. A cet effort militaire tout nouveau pour la Norvège (elle a alors et pour quatre années près de 200 000 hommes sous les armes) s'ajoute un développement diplomatique inattendu : l'entente scandinave est renforcée. Le 8 août, un traité d'amitié et d'entraide est signé avec la Suède. En novembre 1914, une conférence réunit les représentants du Danemark, de la Norvège et de la Suède (ainsi que de la Hollande, au début) afin de trouver les moyens de protéger le trafic commercial maritime des neutres en période de guerre. En décembre 1914 enfin les souverains des trois royaumes scandinaves se retrouvent à Malmö. Cette dernière réunion n'aboutit à aucun résultat concret immédiat mais est importante dans la mesure où elle manifeste la communauté de vues des dirigeants des trois royaumes qui veulent rester hors de la guerre et sont prêts pour cela à coopérer activement entre eux malgré toutes les difficultés (et à cause d'elles) nées de la guerre mondiale qui se déroule aux portes de la Scandinavie.

Très rapidement cependant la Norvège a le sentiment que la neutralité est aussi une bonne affaire : les approvisionnements extérieurs se poursuivent malgré les hostilités et ne sont possibles que grâce à un très large déploiement de la flotte norvégienne qui, dès lors, remplace la marine de commerce britannique. Jusqu'à la fin de 1915, la marine norvégienne est relativement épargnée par la guerre navale — mais, malgré tout, près de 60 navires norvégiens sont coulés par les mines, lors d'attaques allemandes sur les ports britanniques, etc. Les gains aussi sont importants. Le tonnage transporté par les navires norvégiens est, en 1915, trois fois plus important que celui d'avant guerre — et, en 1918, le transport par la marine norvégienne atteindra en certains secteurs 20 fois celui d'avant guerre. A côté des transports proprement dits, les industries norvégiennes en particulier du bois et du papier mais aussi les industries extractives de la pyrite et du cuivre, tout comme celles des conserveries de poissons, connaissent un grand développement tant la demande est forte en Allemagne comme en Grande-Bretagne (pour l'Allemagne seulement le tonnage mensuel moyen des exportations minières passe de 3 000 à 25 000 t). La Grande-Bretagne essaie bien de réduire les possibilités norvégiennes d'exportation en direction de l'Allemagne, mais la marine norvégienne et certaines matières premières (y compris les matières premières « stratégiques ») lui sont trop nécessaires pour qu'elle puisse imposer un véritable blocus ou même un contrôle efficace sur les exportations norvégiennes.

Les trois premières années de la guerre se présentent comme une période de plein emploi, d'augmentation des salaires (+ 29 %) et des profits. C'est aussi une période d'augmentation des prix. Dès la première semaine des hostilités, les prix courants avaient connu une forte augmentation. En 1917, les majorations atteignent le plus souvent 50 % pour les denrées ordinaires et le gouvernement est contraint de prendre des mesures de contrôle des prix afin d'éviter qu'une agitation sociale croissante ne tourne à la catastrophe. C'est aussi à ce moment-là que la guerre sous-marine se développe et que la Grande-Bretagne parvient à un certain contrôle des exportations norvégiennes. A la fin de la guerre, la Norvège aura perdu près de 900 navires représentant 49,3 % de son tonnage d'avant guerre — ce qui fait que ce pays neutre aura subi sur mer plus de pertes qu'aucun des belligérants (et plus de 2 000 marins norvégiens auront péri du fait des attaques allemandes sur les navires neutres).

L'aide que la Norvège neutre a apportée aux puissances de l'Entente avec sa marine et ses exportations lui permet de participer à la Conférence de la Paix de Paris où elle peut présenter ses revendications sur le Spitzberg. Mais la Norvège est aussi des trois Etats scandinaves celui qui reste le plus à l'écart du scandinavisme et demeure le plus marqué par cette guerre qui lui a apporté une certaine prospérité — fragile — et des pertes — sensibles.

LA SUÈDE DE 1905 A LA PREMIÈRE GUERRE MONDIALE

Repliée sur elle-même après la perte de la Norvège, la Suède va de 1905 à la fin de la guerre connaître un remarquable développement qui se manifeste tout d'abord par un renversement du flux des émigrants. Les deux faits ne sont pas liés dans leurs origines. Mais ils se produisent au même moment et il est sinon significatif du moins intéressant de voir qu'au moment où la Suède se trouve confrontée avec les problèmes intérieurs le nombre des émigrants, stable depuis 1890, se met à décroître. Parallèlement on voit au cours des mêmes années des entreprises industrielles suédoises telles ASEA, L. M. Ericsson, Separator, AGA, etc., déboucher sur le marché international. Par rapport à la période 1880-1889, la valeur des exportations suédoises triple en 1905-1914. Ces exportations concernent tout d'abord les produits du bois puis, immédiatement après, ceux de la métallurgie suivis par le papier. Les produits agricoles et les minerais arrivent en quatrième et cinquième position. (Pour 1911-1913, valeur totale des exportations : 723 millions de couronnes, dont bois : 195,5 millions de couronnes; métallurgie : 151,6; papier : 134.) Désormais, les importations concernent essentiellement le charbon, le fourrage et les engrais. L'effort principal porte alors, tant au moyen de fonds publics que privés, à la fourniture d'électricité par la construction de nombreux barrages et l'utilisation de la houille blanche. Fait secondaire mais qui mérite d'être noté dans sa nouveauté : à partir de 1910, les déchets industriels sont systématiquement récupérés et réutilisés.

Mais c'est surtout dans le domaine politique que la Suède connaît une forte évolution. Tout d'abord, les partis fortement secoués par la crise de 1905 se réorganisent, en particulier la droite qui avait conduit la politique avec le roi dans les années passées et, de ce fait, avait le plus sensiblement ressenti le revers norvégien. C'est en 1909 que la réforme fondamentale est adoptée : le droit de vote est accordé à près de 20 % de la population (au lieu des 9 % précédents). Cet élargissement du corps électoral amène une transformation complète de la physionomie des deux assemblées (en sièges) :

	Conservateurs		Libéraux		Social-démocrates	
	Avant	1909	Avant	1909	Avant	1909
Chambre haute	128	86	15	52	2	12
Chambre basse	91	64	105	102	34	64
Total	219	150	120	154	36	76

Le système électoral (certains électeurs — conservateurs en général — disposant de plusieurs mandats) favorise toujours la droite qui, grâce à sa représentation dans la chambre haute, continue de gouverner. Mais sa domination est ébranlée : les libéraux lui disputent la première place et les social-démocrates font plus que doubler leur représentation.

Mais l'année 1909 est aussi marquée par un très violent conflit du travail. A la suite de diverses grèves, le patronat décide du lock-out des ouvriers. Il s'ensuit une grève générale qui s'étend à plus de 300 000 ouvriers (alors qu'il y a à peine plus de 200 000 syndiqués). Succès dans l'action, la grève se solde par un échec sur le plan de la conclusion pratique. Mais cette grève a une double conséquence. Le mouvement ouvrier décide d'agir plus fermement sur le plan parlementaire qui lui a été ouvert lors des élections législatives et qui n'a pas encore été complètement exploité. Contrepartie de cette volonté légaliste de la gauche, la droite aussi s'organise. Et alors que la gauche (syndicats et Parti social-démocrate) fait référence à l'internationalisme et à la légalité parlementaire, la droite met l'accent sur les problèmes de défense nationale. Cette volonté de renforcement du potentiel militaire s'appuie largement sur le palais royal et sur la paysannerie moyenne qui est très effrayée par la poussée socialiste et la contre-propagande conservatrice. Bien encadré, le mouvement conservateur parvient en février 1914 à organiser une vaste manifestation « paysanne » : 30 000 paysans défilent devant le palais royal de Stockholm et « demandent » le renforcement de la défense nationale. Le roi « répond » à cette manifestation par un discours qui satisfait entièrement la droite, mais cette intervention royale se produit dans une forme telle que les libéraux eux-mêmes y voient une violation de l'esprit constitutionnel. Alors survient une grave crise politique opposant conservateurs et libéraux, ministres même et palais royal, qui finalement est recouverte par la crise mondiale d'août 1914. Cette manifestation paysanne qui n'a pas de suites concrètes évidentes est cependant intéressante. On verra dans d'autres pays de telles manifestations être suscitées pour de mêmes motifs et de la même façon, à travers toute l'Europe et chaque fois, que ce soit en Italie ou en Finlande, les paysans moyens seront manipulés pour des fins qui leur échappent, pour des politiques qu'ils ne peuvent concevoir et qui très souvent déboucheront sur le fascisme. Mais la situation n'est pas la même en Suède. Les mouvements vite nés ne sont pas assez structurés, les perspectives qui sont proposées sont trop étroites et les cadres qui aménagent ces manifestations paysannes ne sont pas suffisamment unis dans les buts poursuivis. D'autre part, la démocratie et le système démocratique n'ont pas été vraiment explorés, leurs ressources n'ont pas été exploitées et n'ont pas pu être dévoyées de quelque façon que ce soit : la démocratie reste un espoir fondamental qui ne peut pas être attaquée comme elle le sera par la suite, ailleurs.

En dépit de « l'accroc » paysan, cette période est celle de la percée des masses moyennes sur la scène politique. C'est aussi celle qui voit les plus déshérités socialement connaître l'espoir de la démocratie et, avec elle, l'espoir du pouvoir politique. Cette démocratie politique qui veut devenir sociale pénètre la société suédoise en particulier par le biais des organisations parallèles, marginales, telles l'Union nationale des Coopératives (Kooperativa Förbundet) qui se lance dans la production industrielle à partir de 1908, ou les associations sportives et féministes.

De 1914 à 1920

La guerre mondiale va isoler la Suède plus que le Danemark ou la Norvège. Cet isolement qui atteint la Suède au moment où elle apparaît sur les marchés mondiaux et où les problèmes intérieurs semblent pouvoir trouver une solution pousse le roi de Suède, Gustav V, à s'entendre plus étroitement avec les souverains voisins. C'est à son initiative que les trois rois se réunissent en décembre 1914, à Malmö — qui n'est pas une capitale justement pour marquer qu'aucun des trois dirigeants ne cherche à prendre le pas sur les deux autres ni à imposer une politique. Cette réunion efface en partie le souvenir d'une Suède qui se voulait le centre du scandinavisme. L'entente, encore imparfaite, inachevée, entre les trois souverains est cependant le premier pas qui doit mener à un accord de politique extérieure commune et d'entraide internationale. On peut trouver plusieurs explications à la renonciation du roi de Suède à la suprématie dans le monde scandinave. Deux de ces explications sont évidentes et complémentaires : l'Union suédo-norvégienne avait été un échec et la Suède n'en était encore que partiellement remise; l'éveil populaire en Suède bousculait les traditions et aboutissait à la naissance d'une société nouvelle où rien ne pouvait ressembler exactement à ce qui avait été — dans les rapports intérieurs comme extérieurs. De plus, en une dizaine d'années, la situation économique et sociale s'est bien modifiée et la guerre est une menace directe sur cette évolution. En 1914, la Suède importe et exporte des quantités croissantes de produits industriels et agricoles. Sa prospérité dépend pour une bonne part de son commerce extérieur. Jusqu'en 1917, le poids de la guerre n'est pas angoissant. Certes, les événements étrangers obligent à certains contingentements mais ils ne remettent pas en cause les progrès enregistrés. La guerre sous-marine à outrance lancée par l'Allemagne, la réquisition des navires suédois se trouvant sur l'Atlantique par les puissances de l'Entente, les restrictions dues aussi bien à la faiblesse normale des importations qu'aux récoltes réduites par le manque d'engrais ou de fourrage, ainsi qu'au contingentement imposé par les puissances de l'Entente qui ne veulent pas voir croître les livraisons de minerai, etc., à l'Allemagne, l'agitation révolutionnaire qui saisit aussi bien les puissances engagées dans la guerre que la voisine immédiate de la Suède : la Finlande, tout cela introduit un climat d'incertitude, un malaise grandissant.

A cette situation malsaine, née de la guerre, s'ajoute l'insatisfaction de la gauche suédoise qui avait espéré une rapide démocratisation et des améliorations sociales et qui voit que tout est bloqué, aussi bien du fait de cette guerre que de la volonté de la droite de « récupérer » ce qui avait été accordé.

Un fait entièrement extérieur va précipiter la remise en cause des positions acquises. Un chargé d'affaires allemand en Argentine avait utilisé la valise diplomatique suédoise pour transmettre à Berlin des renseignements militaires. La droite qui souhaitait un rapprochement avec l'Allemagne et qui profitait des échanges commerciaux avec Berlin est la première victime du scandale diplomatique. Aux élections à la chambre basse, les conservateurs obtiennent 60 sièges (dont 3 pour les grands propriétaires paysans), les libéraux 71 (dont 9 paysans) et la gauche 97 (86 social-démocrates et 11 socialistes de gauche). Un gouvernement libéral-social-démocrate est alors formé qui a pour tâche de tenir la Suède hors de la guerre, de trouver les approvisionnements nécessaires, mais aussi de démocratiser réellement le système électoral qui faisait qu'encore en 1917 un propriétaire pouvait cumuler plusieurs voix.

Les conservateurs majoritaires dans la chambre haute cèdent en 1918 et acceptent que le suffrage universel égal devienne la règle et que l'âge de la majorité électorale soit abaissé à 23 ans. Le corps électoral passe alors de 19 à 54 % de la

population et en 1919 la représentation à la chambre haute est
bouleversée :

Les conservateurs obtiennent 38 sièges au lieu de 86
Les libéraux   —   41   —   43
La gauche   —   52   —   19

De plus, un nouveau parti apparaît qui jusqu'en 1970 portera
le titre de Parti agrarien. Il obtient alors 19 sièges. Enfin, la politique étrangère se trouve officiellement contrôlée par l'assemblée
grâce à la création d'une Commission des Affaires étrangères. Les
élections à la chambre basse ont lieu pour la première fois après
la réforme électorale en 1921. Les conservateurs se maintiennent
avec 62 sièges, mais les libéraux tombent à 41, tandis que le
nouveau Parti agrarien obtient 11 sièges et la gauche 106 (93 social-
démocrates, 6 socialistes de gauche, 7 communistes).

Mais alors la Suède connaît encore les conséquences de la
première guerre mondiale. La crise économique est très sensible :
au plus fort de cette crise, début 1922, il y a 160 000 chômeurs — et
les conflits du travail sont très nombreux. Les problèmes extérieurs
sont recouverts par le fait intérieur qui aboutit, grâce à la force
du mouvement ouvrier syndical et politique, à une certaine
amélioration de la condition ouvrière par la mise en place du
fond de chômage, l'application de la loi de huit heures, mais aussi
l'extension des commissions de conciliation pour régler les conflits
et en particulier la généralisation du recours au système du conciliateur : l'ombudsman, qui existait en fait depuis 1905.

Dans le domaine extérieur la volonté affirmée par Gustav V
en 1914 de renforcement de la coopération nordique se trouve
pour un court temps entravée par la question des îles d'Åland.

Ces îles, entre Stockholm et Turku (Åbo) en Finlande, avaient
appartenu à la Suède jusqu'aux guerres napoléoniennes. En
cédant la Finlande à Alexandre Ier, la Suède avait aussi cédé les
Åland. Le traité portant cession de ces territoires notait « la Finlande et les Åland ». Prenant prétexte de cette conjonction mais
aussi du fait très réel que les habitants des Åland sont d'origine
et de langue suédoises, que, de plus, au moment de l'accession de la
Finlande à l'indépendance, un mouvement autonomiste largement
majoritaire s'est manifesté dans les Åland en faveur du ratta-

chement de ces îles à la Suède, la cour de Stockholm suivie pendant la guerre par quelques ministres puis après la guerre par la majorité du ministère demande que ce territoire soit rattaché à la Suède. Mais la Finlande elle aussi revendique ces îles qui relèvent de son autorité depuis plus d'un siècle. Finalement, la question est en 1920 portée devant la Société des Nations qui est influencée défavorablement en ce qui concerne la Suède par le fait qu'en 1917-1918 la marine suédoise avait militairement occupé les îles et qu'elle les avait abandonnées seulement pour les remettre à la marine de guerre allemande. De plus, si en 1920 la Suède porte la question devant la Société des Nations, elle avait auparavant tenté de prendre possession des îles avec l'appui diplomatique de l'Allemagne. Comme d'autre part la Finlande a satisfait aux demandes des puissances de l'Entente en 1918-1919, c'est en fin de compte en faveur de cette dernière que se prononce la Société des Nations.

Rapidement réglée par la décision de la Société des Nations, la question des Åland marque pour la Suède la fin de la guerre. Alors les oppositions entre les différents Etats nordiques disparaissent. C'est une nouvelle période qui commence et qui est véritablement le xxe siècle.

Chapitre V

L'ENTRE-DEUX-GUERRES MONDIALES

La période qui s'étend de la première à la seconde guerre mondiale connaît tout naturellement la « coupure » de 1929-1932, c'est-à-dire de la crise mondiale.

On pourrait, à la limite, dire que ces vingt années voient dans l'ensemble des pays nordiques une stabilisation des situations économiques puis, à partir de cette stabilisation, une extension du système démocratique dans les domaines politique et social. Alors survient le krach de Wall Street. L'économie des pays nordiques encore très fragile et toujours très dépendante des marchés extérieurs accuse sensiblement les répercussions de la crise. Aussitôt les mouvements d'extrême-droite, déjà existants, se développent et secouent les pays de leurs « marches ». Mais partout, plus ou moins vite, ces mouvements échouent. L'activisme de droite retombe. La démocratie soutenue très fortement par les partis social-démocrates prend le dessus. Et c'est alors véritablement que la « démocratie à la scandinave » prend forme. La deuxième guerre mondiale vient interrompre cette marche.

Il serait aussi possible d'envisager cette période d'un point de vue « extérieur » : la vie des pays nordiques dépend pour une bonne part de la Baltique. En 1917-1919, la Russie et l'Allemagne disparaissent, en tant que puissances, et laissent une place vide qui n'est occupée par aucun des pays riverains de la Baltique. Ni la Pologne ni la Suède n'ont la force suffisante pour remplacer les « vieux » Etats. La Grande-Bretagne apparaît alors comme la puissance NATURELLEMENT protectrice de la Baltique et des Etats riverains. Mais, en fait, mer fermée, la Baltique est tenue à l'écart des grands courants économiques et politiques jusqu'en 1933. Cela est d'autant plus sensible qu'en politique internationale l'espoir des pays nordiques s'oriente vers la Société des Nations. Mais la prise de pouvoir par Hitler va modifier radicalement l'équilibre existant. La nomination d'Hitler à la chancellerie est très vite ressentie comme un danger pour le Danemark, avant-poste du Nord. L'accord maritime accordé en 1935 par la Grande-Bretagne à l'Allemagne fait de la Baltique une mer allemande et rend la protection britannique dérisoire. La suite logique de la démission des grandes puissances occidentales face à Hitler est le développement de la crainte d'un affrontement armé. Les pays nordiques peuvent affirmer leur volonté de paix et de neutralité : la Finlande va se trouver en guerre dès décembre 1939, le Danemark et la Norvège seront envahis par l'armée allemande en avril 1940, et l'Islande, elle-même prolongement marginal des pays nordiques, sera occupée par l'armée britannique. Alors l'histoire se déroule sur un rythme autre. Là encore nous trouvons deux points de rupture : l'après-crise mondiale et la seconde guerre mondiale. Dans les deux situations, économique et politique, la Norvège et la Finlande sont les deux pays les plus visiblement « secoués » par les crises.

LA NORVÈGE

De 1920 à 1940, trois problèmes dominent la vie norvégienne :

— les questions touchant à la prohibition;
— les questions financières et la crise économique;
— les mouvements sociaux qui portent aux extrêmes.

La prohibition est un ancien problème qui, parallèlement à la question nationale, a dominé la vie sociale durant toute la seconde moitié du XIXe siècle. Problème « moral », la prohibition est considérée comme une nécessité sociale aussi bien par les églises que par les syndicats. En octobre 1919, par une majorité de 62,5 %, les Norvégiens décident l'interdiction permanente de la vente des alcools et des boissons alcoolisées. Réglé législativement, le problème en réalité ne fait que naître : la contrebande devient une véritable industrie. Il y a tout d'abord ce qu'on pourrait appeler la contrebande « légale ». Elle est le fait des officines pharmaceutiques et du corps médical. A la fin de la guerre mondiale, l'épidémie de grippe espagnole est combattue — en Norvège — par divers moyens dont l'emploi systématique de « reconstituants » à base de vin ou d'alcool. C'est en 1923 seulement que le corps médical accepte un contrôle légal sur les médicaments et leur prescription. Alors se développe la contre bande vraiment clandestine. La configuration des côtes norvégiennes est particulièrement favorable à une telle activité. Le fjord d'Oslo devient le plus grand des centres de contrebande — mais il n'a pas l'exclusivité de ce type d'activité. Ce « commerce » se fait surtout avec l'ensemble des pays de la Baltique et la Grande-Bretagne. En 1923, plus de 600 000 l d'alcool (genre whisky et alcool à 90° servant à la fabrication d'autres alcools) sont saisis par les services de douane qui font passer en justice plus d'un millier de contrebandiers. En 1926, 2 298 distillateurs locaux clandestins sont condamnés. Cela donne une idée de l'ampleur de cette activité sans que l'on puisse chiffrer avec certitude l'importance de ce qui échappe à la police ou aux douanes. Il apparaît alors que la prohibition favorise la consommation d'alcool qui, selon les évaluations gouvernementales d'alors, excède de loin celle d'avant la loi de prohibition. Outre les méfaits physiques et médicaux de l'alcool, cette prohibition, estiment les dirigeants norvégiens, a un gros défaut : elle est un encouragement indirect mais efficace à la tentation de détourner la loi. Ce qui, rétorquent aussi bien certains dirigeants que nombre de simples citoyens, est tout à fait naturel : la loi de prohibition touche à la vie privée de chacun et veut imposer un mode de vie qui dans son principe est le début de la négation des libertés individuelles. Un sentiment se fait jour qui est, sous une autre forme, la même protestation que celle qui s'était élevée contre le pouvoir de Stockholm avant 1905. C'est celui de la désobéissance individuelle nécessaire pour la sauvegarde des libertés fondamentales. Le Parti conservateur au pouvoir, loin de répondre à ce genre d'arguments, déclare que la loi de prohibition est nécessaire, car le contrôle de la vente limitée des alcools et surtout les amendes et les saisies aident à équilibrer le budget. Alors la gauche s'empare de la loi de prohibition pour la combattre et en même temps combattre le gouvernement qui « tombe » sur cette question en voulant, devant le Storting, n'en défendre que les aspects pratiques et financiers alors que la gauche évoque les aspects moraux. Une fois au pouvoir, la gauche décide d'organiser un référendum sur la question du maintien ou de l'abolition de la loi de prohibition. En avril 1927, une large majorité se prononce contre la loi qui est immédiatement abolie.

Le sujet peut paraître mince. Il est cependant important. Il touche au moins deux domaines : celui des idéologies et de la venue au pouvoir de la gauche, et celui des finances publiques.

Nous l'avons noté, la guerre avait été favorable à la Norvège. De débiteur (dette publique extérieure avant 1914 : 850 millions de couronnes) le pays était devenu créditeur (crédit de 1 360 millions de couronnes en 1919). Mais cette situation est fallacieuse : la marine a été durement éprouvée par la guerre et il faut la reconstituer. De plus, la crise extérieure et la dépréciation de la monnaie incitent à la spéculation. Les banqueroutes, y compris bancaires, se multiplient de 1919 à 1921. Les cours agricoles s'effondrent et l'endettement paysan est important. En 1927, 3 000 des 40 000 fermes sont hypothéquées et les trois quarts des fermiers sont endettés. Cet endettement provient, pour une part, de la nécessité dans laquelle se trouve l'Etat de « récupérer » les impôts non perçus pendant la guerre quand les contrôles avaient été allégés et que les « rentrées » extérieures étaient assez importantes pour faire oublier la nécessité d'un équilibre financier intérieur. Les employeurs qui ont peu à perdre, se trouvant bien souvent à la limite de la faillite, pratiquent alors une politique générale de baisse des salaires aussi bien dans l'industrie que dans l'agriculture. Les ouvriers les plus atteints sont en premier lieu les ouvriers agricoles et surtout les ouvriers forestiers. La réaction première est, en 1927, la création d'un syndicat des ouvriers agricoles et forestiers qui devient très vite le principal syndicat du pays par son nombre d'adhérents (mais encore en 1933 le salaire du travailleur forestier ne dépassera pas le tiers de celui du travailleur industriel).

Dans le secteur industriel, à la même époque, 1 syndicaliste sur 4 se trouve au chômage — et la proportion des chômeurs est encore plus forte parmi les non-syndiqués. Au cours de la guerre, le mouvement syndical s'était transformé sous l'influence d'abord de la Conférence de Zimmerwald, puis de la révolution bolchevique. Des conseils ouvriers et des conseils de soldats sont formés qui demandent un contrôle étroit sur les prix et la production. Le retour de la paix apaise un temps le mouvement révolutionnaire, d'autant qu'en 1918 et 1919 les salaires s'élèvent rapidement et que les syndicats obtiennent un congé payé annuel de douze jours pour tous les travailleurs. Mais dès 1920, lors de la remise en ordre de la situation financière, les affrontements renaissent. Les manifestations et les grèves reprennent. La première des

1921-1939 : grèves et situation des travailleurs industriels

Année	Nombre de grèves	Nombre de grévistes (en milliers)	Journées perdues (en milliers)	Nombre de syndiqués	% de syndiqués en chômage	Salaires réels dans l'industrie (1900 = 100)
1921	89	154	3 584	95 965	17,6	176
1922	26	2	91	83 640	17,1	171
1923	57	25	796	85 599	10,6	158
1924	61	63	5 152	92 764	8,5	155
1925	84	14	667	95 931	13,2	165
1926	113	51	2 204	93 134	24,3	172
1927	96	22	1 374	94 154	25,4	167
1928	63	8	364	106 182	19,1	169
1929	73	5	197	127 017	15,4	178
1930	94	5	240	139 591	16,6	184
1931	82	60	7 586	144 595	22,3	185
1932	91	6	394	153 374	30,8	193
1933	93	6	364	157 524	33,4	193
1934	85	6	235	172 513	30,7	193
1935	103	4	168	224 340	25,3	189
1936	175	15	396	276 992	18,8	190
1937	195	29	1 014	323 156	20,0	190
1938	248	24	567	344 795	22,0	203
1939	81	16	860	356 796	18,3	203

grandes grèves est celle des cheminots en décembre 1920. Pour la première fois dans l'histoire norvégienne, des employés d'Etat font grève. De 1919 à 1939, ces grèves provoqueront en moyenne une perte d'un million de journées de travail chaque année.

A partir de 1921, une longue lutte politique s'engage à l'intérieur de la gauche pour le contrôle du Parti socialiste et des syndicats. Un moment, juste au lendemain de la guerre, le mouvement socialiste se rapproche du Parti bolchevique russe, tandis que certains syndicats dont celui des gens de mer voient leurs effectifs fondre à la suite des « menées réformistes » de leurs directions. Il est vrai que la direction du syndicat des gens de mer, après une grève très dure, signe un accord avec le patronat. Par cet accord, alors que les grévistes se sont durement heurtés aux « jaunes » importés d'autres régions, les salaires sont réduits d'un sixième au lieu du tiers qui avait été prévu par le patronat et qui avait été la cause de la grève.

La caractéristique de cette décennie va être, dans les milieux ouvriers, la division qui s'installe dans le mouvement politique scindé en divers groupes partisans de la révolution mondiale, du réformisme démocratique, etc., ainsi que dans le mouvement syndical où les directions sont souvent « conciliatrices » quand les bases se révèlent inégalement « radicales ».

Bien souvent aussi, les grèves provoquées par les baisses de salaires et les lock-out opposent avec violence les ouvriers aux briseurs de grève et aux forces de l'ordre. Le paroxysme de la violence est atteint en 1925 et en 1927 quand l'armée est utilisée pour la protection des briseurs de grève — les dirigeants grévistes sont mis en prison, tandis que les briseurs de grève sont protégés légalement. Une loi est alors adoptée qui prévoit la mise sous séquestre des fonds de grève, la publication des noms et l'emprisonnement pour trois ans des personnes faisant pression sur les briseurs de grève afin de les contraindre à changer de camp. Ces décisions législatives ont pu être obtenues par la faible représentation ouvrière au Storting : la division de la gauche avait provoqué le morcellement et les oppositions internes interdisaient toute action commune.

En 1927, un regroupement politique s'opère qui est un retour au parlementarisme. Cela aboutit à l'isolement des éléments les plus révolutionnaires qui se retrouvent dans le Parti communiste. La crise interne au mouvement ouvrier se trouve surmontée par ces regroupements. Mais la crise tout court se poursuit, entraînant la modification des rapports sociaux.

1918-1940. Représentation des partis au Storting
(nombre de députés)

Année	Communiste	Travailliste	Social-démocrate	Travail. chrétien	Agrarien	Libéral	Conservateur	Nazi
1918		18			3	54	50	
1921		29	8		17	39	57	
1924	6	24	8		22	36	54	
1927	3	59			26	31	31	
1930		47			25	34	44	
1933		69		1	23	25	31	1
1936		70		2	18	23	36	1
1940	les élections ne peuvent pas avoir lieu en raison de l'occupation allemande.							

Le premier signe en est le succès électoral du Parti travailliste qui obtient le soutien non seulement de la grande masse ouvrière mais aussi des petits paysans. Et avec 59 sièges, il devient le premier parti au Storting — position qu'il conservera jusqu'en 1972. Cette « percée » travailliste provoque aussitôt des regroupements à droite, en même temps que la fuite des capitaux. Le gouvernement est obligé de réagir rapidement, ce à quoi il parvient dans le domaine monétaire avec l'aide de la Grande-Bretagne. En même temps une réforme agraire est entreprise, toujours avec l'aide de l'Etat, afin de favoriser la transformation des ouvriers agricoles en petits propriétaires. Mais la crise locale qui semble se résorber assez rapidement est vite recouverte par la crise mondiale.

La Norvège, qui dépend largement du commerce extérieur, ressent très vite cette crise tout d'abord dans le domaine maritime. Il faut se souvenir que, fortement frappée par la guerre, la marine norvégienne avait tendu tous ses efforts afin de reconstituer son tonnage. En 1922, la Norvège dispose de 144 000 t de pétroliers. En 1927, ce tonnage passe à 400 000 et 800 000 en 1929. Il atteint 1 250 000 en 1932 et 2 117 000 en 1939. Cette flotte assure alors le cinquième des transports maritimes mondiaux tandis que les baleiniers norvégiens sont en tête du transport et de la production mondiale de l'huile de baleine. Et de 1920 à 1939, le tonnage des navires de ligne fait plus que tripler. A la veille de la seconde guerre mondiale, le tonnage total de la Norvège atteint 4 800 000 tonneaux, si on ne compte pas les petites embarcations familiales ou particulières.

La crise de 1929-1932 renforce le chômage et multiplie les affrontements sociaux. En décembre 1932, 42 % des syndiqués sont au chômage (il y en aura encore plus de 33 % pour l'ensemble de l'année suivante). Le gouvernement mis en place est minoritaire et pour une part composé de « techniciens ». Les travaillistes n'y participent pas. Les membres de ce gouvernement seront assez rapidement oubliés à l'exception du ministre de la Défense, Vidkun Quisling, dont nous reparlerons plus loin. La « raideur » de ce ministère qui se refuse à toute action publique — si ce n'est par le biais de la répression armée prônée par V. Quisling — le contraint rapidement à la démission. Il est alors remplacé par un gouvernement travailliste qui, soutenu par les agrariens, cherche à relancer l'économie et résorber le chômage. Son action très lente — par manque de moyens financiers comme par hésitations sur les choix économiques — lui fait finalement proposer un plan de trois ans sur le type des plans soviétiques pour la remise en marche de l'économie. C'est avec ce plan que la crise sera surmontée et que le Parti travailliste obtiendra le soutien de plus de 40 % des électeurs. Il n'a pas la majorité, mais en est proche et son action attire un nombre croissant d'électeurs.

Au cours de la période 1933-1939, les salaires augmentent de 15 % mais encore en 1939 il y a 18 % de syndiqués au chômage. Les grandes améliorations apportées par le gouvernement travailliste se mesurent surtout dans l'obtention des conventions collectives qui réduisent les occasions d'affrontement avec le patronat; dans l'extension du pouvoir de contrôle et d'action des coopératives de consommateurs, mais aussi le renforcement du pouvoir des coopératives de producteurs (en particulier dans le domaine de l'agriculture et de la pêche). Les avantages sociaux sont étendus à de nombreuses catégories (pêcheurs, marins au long cours, économiquement faibles, etc.). Parmi ces avantages sociaux, il faut noter la création d'un fonds de chômage garantissant durant quinze semaines, annuellement, un salaire normal aux chômeurs. Entre 1934 et 1939, le budget social double tandis que la loi sur la journée de huit heures est étendue à tous les travailleurs, y compris agricoles.

Si le chômage a été réduit dès la fin de 1933 et surtout à partir de 1934, c'est surtout par la mise en place d'un réseau de communications entièrement moderne et certaines nationalisations (comme celles de la radiodiffusion, de certaines pêcheries et industries du poisson, etc.). Le redressement qui s'opère à partir de 1933-1934 sous la direction du Parti travailliste est dû pour une bonne part à une large entente des producteurs y compris paysans — qui tous refusent l'aventure que V. Quisling proposait en 1932.

Le mouvement nazi norvégien est connu par son chef et fondateur V. Quisling. Officier de carrière qui se proclame l'héritier spirituel de Fr. Nansen (pour avoir travaillé sous ses ordres dans l'organisation de secours aux réfugiés), Quisling s'affiche comme violemment anticommuniste depuis qu'en 1925 le Parti communiste norvégien a refusé ses offres de service. En 1931, il crée la « Renaissance du Peuple nordique en Norvège » *(Den Nordiske Folkereisning i Norge)*. Ce mouvement, qui recrute parmi quelques cercles d'officiers de carrière et parmi les industriels, ainsi que les anciennes fonctions qu'il occupa à l'état-major et à l'étranger, permettent à Quisling de se faire nommer ministre de la Défense dans le Cabinet de 1931. C'est alors qu'il crée une milice *(Leidanger)* chargée de combattre ce que Quisling appelle d'un vocable qui fera fortune : « l'ennemi intérieur ».

Des batailles rangées ont lieu lors de diverses grèves. A Menstad (centrale hydro-électrique du Télémark) la police chargée de la protection des « jaunes » est mise en fuite par les grévistes. V. Quisling décide de faire intervenir directement l'armée (terre et mer) et remporte un succès certain en isolant les divers lieux de grève les uns des autres (opération de « quadrillage » de la Norvège !).

Quand Hitler parvient au pouvoir en Allemagne, Quisling propose au Parti agrarien son alliance afin de prendre le pouvoir et d'établir en Norvège un régime semblable à celui qui est mis en place en Allemagne. Mais la formation de Quisling ne regroupe pas 12 000 adhérents. Le Parti agrarien refuse : Quisling est trop ouvertement raciste pour pouvoir se concilier les paysans qu'il avait espéré séduire et qui sont « ignorants » des questions de race, ne voyant pas la différence entre un Norvégien aryen et un Norvégien israélite. Quisling fonde alors le Parti d'Union nationale *(Naojonal Samling)*, propose Hitler et Mussolini pour Prix Nobel de la Paix, et « oublie » de préparer les élections législatives d'octobre. Il obtient 2,2 % des voix et son parti un seul siège, renouvelé en 1936 — mais cet unique partisan désertera rapidement le mouvement de Quisling. L'un des facteurs non négligeables de l'échec de Quisling tient à son admiration ouverte pour Mussolini à un moment où l'ensemble des Norvégiens condamne l'agression italienne contre l'Ethiopie. Dès lors, la carrière politique de Quisling est terminée. Certes, il s'affiche entouré de sa Hird de 100 hommes et tonne contre « Oslo qui a choisi Marx et Mammon ». Mais il ne parvient pas à rassembler plus de 1 500 personnes dans la Norvège entière. En 1938, il en est réduit à se faire ouvertement subventionner par l'Allemagne et en 1939 il quitte la Norvège pour l'Allemagne.

Le danger intérieur nazi, pour être bruyant, n'est qu'éphémère. La Norvège parvient alors à réduire certains déséquilibres sociaux mais le programme de gouvernement est retardé par la nécessité où se trouve la Norvège de se réarmer pour faire face au danger extérieur : l'Allemagne nazie.

Neutre pendant le premier conflit mondial, la Norvège participe activement aux actions de la Société des Nations dans la première décennie d'après guerre. L'homme qui domine la scène est Fr. Nansen déjà connu pour ses explorations arctiques et pour son action en faveur de l'indépendance de la Norvège en 1905. Pendant dix années, il va se dépenser sans compter — et entraîner à sa suite les gouvernements norvégiens d'ailleurs consentants — en faveur des réfugiés, qu'ils soient Russes, Grecs, Turcs ou autres (et les apatrides bénéficieront du « passeport Nansen »). C'est aussi sous son impulsion que va se développer l'Association nordique *(Foreningen Norden)* créée en 1919 en Norvège — mais en 1905 au Danemark. L'Islande et la Finlande y adhéreront en 1922 et 1924. Cette Association, au début « société savante » rassemblant des intellectuels et informant ses membres sur la situation, l'histoire, etc., des différents pays nordiques, va peu à peu se transformer pour aboutir après la seconde guerre mondiale à l'Union nordique interparlementaire.

Toute l'action norvégienne pèse alors en faveur d'un désarmement général — opinion partagée très fermement par le Danemark et la Suède — le Danemark lui-même ne conservant à partir de 1925 qu'une force de 800 hommes.

Cet accord en ce qui concerne la question générale du désarmement ne signifie pas que la Norvège soit d'accord en tout avec ses voisins nordiques. C'est surtout avec le Danemark que la Norvège s'oppose à propos, en particulier, du Groenland. Cette terre, autrefois découverte puis occupée — partiellement bien sûr — par les Vikings norvégiens, fut attribuée au Danemark par le traité de Kiel de 1815. En 1917, le Danemark avait fait reconnaître « ses » droits sur le Groenland par les Etats-Unis. Contestant ce droit en 1921, la Norvège fait remarquer que dès l'origine elle a refusé le traité de Kiel et que de plus il se trouve sans objet depuis la séparation de la Norvège et de la Suède. Le ton monte entre les deux Etats. Toutefois, un accord provisoire est réalisé en 1924 : la côte Est est ouverte pour vingt-cinq ans aussi bien aux chasseurs et pêcheurs norvégiens que danois. Aplanie diplomatiquement la question s'envenime physiquement, les expéditions se heurtant. La solution à cette question est trouvée en 1933 quand la cour de justice de La Haye tranche en faveur du Danemark. La décision passe à peu près inaperçue, tout comme la prise de possession des îles Jan-Mayen (dans l'Arctique), Pierre-Ier et Bouvet (dans l'Antarctique) en 1927 et 1929, de la Terre-de-la-Reine-Maude (dans l'Antarctique) en 1939. Les situations économique intérieure et générale sont autrement importantes et inquiétantes. L'attribution du Spitzberg et de l'île de l'Ours par la Société des Nations à la Norvège, en 1925, marque davantage l'opinion publique et ne provoque aucune opposition des autres pays nordiques.

En fait, jusqu'en 1930 (mort de Fr. Nansen) - 1933 (prise de pouvoir par Hitler), les gouvernements norvégiens tendent vers le désarmement dans le cadre de la SDN et vers le rapprochement avec les autres pays nordiques. L'espoir d'une paix définitive est si fort que les défenses et les moyens de protection sont relégués tout à fait au second plan. Devant la montée de la violence, dès 1930, le ministère réaffirme sa volonté de neutralité et de coopération économique avec les autres Etats. A la Norvège se joignent la Suède, le Danemark, les Pays-Bas, la Belgique et le Luxembourg et, en 1933, la Finlande. Cette volonté de neutralité est cependant très limitée dans ses actions pratiques. La Norvège connaît vite deux exemples à cette limitation de la neutralité qu'elle voudrait exemplaire : en 1935, L. Trotsky exilé d'URSS trouve refuge — et asile — en Norvège. Mais bientôt, afin de ne pas avoir à subir les pressions de l'URSS, la Norvège demande à L. Trostky de s'éloigner. En 1936, le Comité norvégien attribue son prix Nobel de la Paix à l'écrivain pacifiste allemand C. von Ossietzky. Devant le mécontentement manifesté par Hitler, et les menaces voilées, le prix est retiré. Ces deux exemples suffisent à beaucoup pour se persuader que la neutralité désarmée est une situation difficile sinon intenable. Alors l'état des esprits évolue vers le désir de protéger activement la neutralité norvégienne. Les premiers crédits militaires importants depuis avant l'Indépendance sont votés en 1937, et des manœuvres générales sont organisées. C'est cependant en 1939 seulement que des crédits militaires de conséquence sont votés. Il est alors très tard pour armer le pays qui, de l'action de Fr. Nansen en faveur de l'entente internationale, retient surtout son adresse du 3 novembre 1926 aux étudiants de l'Université de Saint-Andrews :

> « La première des grandes choses est de vous connaître et pour cela vous avez besoin de la solitude et de la contemplation — tout au moins de temps à autre. J'affirme que la liberté... viendra de la solitude ! Dans l'histoire, les grands réformateurs viennent du désert. »

Mais la Norvège ne pourra se retirer du monde. Elle ne pourra jouer ce rôle de prophète ou de réformateur. Très vite, elle va se trouver impliquée, bien malgré elle, dans la seconde guerre mondiale, tout comme le Danemark.

LE DANEMARK

Nous pouvons dire que dans cet entre-deux-guerres mondiales l'histoire du Danemark est parallèle à celle de la Norvège. Elle connaît les mêmes ruptures, au même moment. On voit, en 1924, le Parti social-démocrate être le plus nombreux et être au centre de toute l'activité politique, comme le Parti travailliste norvégien à partir de 1927.

1920-1939. Représentation des partis au Folketing
(nombre de députés)

Année	Communiste	Social-démocrate	Radical	Schleswig	Libéral	Géorgiste (1)	Conservateur	Nazi	Autres
1920		42	17		48		28		4
1920		48	18	1	51		27		3
1924		55	20	1	44		28		
1926		53	16	1	46		30		
1929		61	16	1	43		24		
1932	2	62	14	1	38	2	27		2
1935	2	68	14	1	28	2	26		2
1939	3	64	14	1	30	3	26	3	3

N. B. — En 1920, il y eut trois séries d'élections législatives. Celles notées ici sont des mois d'avril et de septembre.

(1) Ce parti portant le nom de *Dannmarks Retsforbund*, mais plus connu sous celui de « géorgiste » — du nom de Henry George — est favorable à une taxe unique sur la plus-value foncière, tandis que les monopoles, les droits particuliers et le protectionnisme seraient abolis.

Après une forte dévaluation en 1923 la couronne danoise est stabilisée et rattachée à l'étalon-or en 1927 (la couronne norvégienne est rattachée à l'étalon-or en 1928). La période 1930-1933 est tout en même temps celle de la crise et de la menace allemande naissante. Enfin, le Danemark est envahi tout comme la Norvège en avril 1940.

Un certain nombre de points différencient cependant le Danemark de la Norvège. C'est tout d'abord la brusque démocratisation du régime danois, en 1920, après les modifications constitutionnelles de 1915. Alors, il y a 25 % des ouvriers au chômage. De violentes manifestations se déroulent à Amalienborg, qui se transforment vite en grève générale. Alors, la législation sociale est modifiée dans un sens libéral et la loi fixe la journée de travail à huit heures. Mais cela réduit peu le nombre de chômeurs et l'économie danoise demeure fragile. Cela sera très sensible en 1932-1933 quand plus de 200 000 ouvriers (soit plus de 40 % de la masse ouvrière) seront de nouveau au chômage et la couronne une fois de plus dévaluée.

La situation économique danoise diffère assez peu de celle de la Norvège. Elle est faite de graves difficultés surmontées grâce à un grand développement des coopératives y compris dans le domaine bancaire, d'un accroissement très net des exportations ainsi que d'un changement de nature du commerce extérieur (1), d'un essor du mouvement ouvrier, du renforcement de tous les garde-fous sociaux, non d'une façon autoritaire mais par un

(1) Principales importations et exportations en 1912 et 1928 (% en valeur).

Importations			Exportations		
Denrées	*1912*	*1938*	*Denrées*	*1912*	*1938*
Grains/céréales	25,4	10,9	Porcins	24	26
Fourrages	16	10,9	Bovins	10	4
Engrais	3,1	6,2	Beurre	32	25
Combustibles	14,4	23,4	Fromages		1
Métaux	9,4	14	Œufs	5	9
Matières premières			Conserves alim.		2
chimiques	4,7	4,7	Produits chim.	1	1
Machines	1,6	7,8	Textiles	1	1
Tissus	20,7	17,1	Produits métallurg.	1	2
Café/thé/cacao	4,7	3,1	Machines	2	7
Véhicules		1,6	Navires neufs	1	4

Les importations notées ici sont les principales, mais ne représentent que 63 % (en 1912) et 64 % (en 1938) de l'ensemble des importations.

consensus général qui aboutit, en 1933, aux « Accords de Kanslergode » établissant un véritable code social du travail avec ses commissions paritaires et ses prévisions de conciliations. C'est surtout dans le domaine extérieur que le Danemark se différencie de la Norvège.

Ce domaine extérieur a bien sûr des racines intérieures comme il a aussi des conséquences intérieures importantes. On pourrait classer ces situations danoises en deux catégories. Les unes seront conjoncturelles, les autres « permanentes ». Les premières tiennent bien sûr à la situation économique et politique. Elles donnent naissance à une activité politique intérieure liée aux situations extérieures. Il s'agit essentiellement de la naissance du nazisme. Certes, ce fait n'affecte pas que le Danemark. Mais ce royaume est tout proche de l'Allemagne et le danger allemand est connu de longue date. On constate un raidissement certain du Danemark désarmé (ses « forces » sont de 800 hommes) dès 1933. Si le danger nazi paraît évident il demeure extérieur — bien qu'aux portes — car les nazis danois n'ont pas de figure marquante. Au sommet de sa « popularité », en 1939, le Parti nazi danois obtient 31 032 voix pour 1 799 889 électeurs. Cela est sans doute un beau progrès : il avait obtenu 757 voix en 1932. Mais il demeure inconsistant. Cependant, la pression de l'Allemagne est si forte que seul de tous les pays nordiques le Danemark se voit contraint en 1939 — après qu'il se soit senti abandonné par la Grande-Bretagne en particulier par les accords germano-britanniques de 1935 — de signer un pacte de non-agression avec l'Allemagne. Ce pacte isole le Danemark et, mais il ne l'apprendra que plus tard, n'est d'aucune garantie contre une attaque allemande.

Ainsi à la veille de la seconde guerre mondiale, de nouveau le Danemark se trouve confronté au problème allemand. Mais cette fois c'est le pays tout entier et non plus le seul Schleswig qui est concerné, comme cela avait été le cas au XIXᵉ siècle, puis encore en 1920. A l'issue de la guerre, la minorité danoise du Schleswig, saisissant l'occasion des déclarations de principe du président Wilson, puis de la Conférence de la Paix, demande qu'un référendum soit organisé dans le duché annexé par la Prusse en 1865. Ce référendum a lieu en février (pour le Nord Schleswig) et en mars (pour le Sud Schleswig) 1920. Comme l'avait pensé le gouvernement de Copenhague, le Nord Schleswig se prononce à une forte majorité (75 %) en faveur du rattachement au Danemark, tandis que le Sud demande largement (80 %) son maintien dans les frontières allemandes (voir carte p. 54). Le retour du Nord Schleswig au Danemark marque la fin d'une longue tension entre les deux Etats. Pour le Danemark, cela signifie aussi une augmentation sensible des terres arables et des coopératives laitières (+ 10 %).

L'autre facteur extérieur — permanent — qui distingue fortement le Danemark de la Norvège est la question islandaise.

L'ISLANDE

Dès 1849, puis en 1866, l'Islande refuse de reconnaître la Constitution danoise. En 1874, le Danemark accorde l'autonomie interne à l'Islande.

Cette île dont les quatre cinquièmes sont inhabitables regroupe à peine à 80 000 habitants en 1900. La presque totalité de ces habitants sont des descendants de Vikings norvégiens et danois. De la fin du XIXe siècle à la première guerre mondiale, de nombreux Islandais émigrent en Amérique du Nord (essentiellement au Canada). Plus de 80 % de cette population est rurale en 1900 et près de 90 % vit soit de l'agriculture, soit de la pêche.

Terre de vieille culture — elle est la « mémoire » des Vikings — l'Islande a des liens tout en même temps assez lâches et nombreux avec l'Europe. Longtemps elle a « appartenu » à la Norvège. Les guerres napoléoniennes et le traité de Kiel ont fait de l'Islande une terre danoise.

C'est en 1830 que commence véritablement le renouveau national islandais. Il peut paraître étonnant que la petite communauté islandaise éloignée et plus que toute autre « en marge de l'Europe » ait ressenti fortement le besoin d'autonomie et de restructuration, alors que l'Europe est plongée dans la question des nationalités.

L'Althing est le lieu d'élection de cette lutte en faveur de l'autonomie et de la renaissance de la démocratie. S'il fallait définir brièvement l'Althing, nous pourrions dire que cette institution très vivante du VIIe au XIe siècle est une Assemblée de démocratie directe comme Jean-Jacques Rousseau a pu en rêver au XVIIIe siècle. A l'origine, tous les hommes libres pouvaient y participer — ainsi que les femmes bien sûr — puis il y eut délégation de pouvoir et l'Althing devint une Assemblée nationale représentative, avant de disparaître à la fin du Moyen Age. En Islande, il reprend vie en 1843 et tout le XIXe siècle est une longue lutte entre cet Althing et le gouvernement royal de Copenhague. Un pas important est franchi par le roi de Danemark, en 1874, à l'occasion du millénaire de la colonisation de l'Islande. Christian X accepte lors de sa visite à Reykjavik que le pouvoir législatif soit partagé entre la couronne (Copenhague) et l'Althing. Ceci n'est cependant que formel. L'application pratique de ce texte ne se réalise vraiment qu'en 1903, moment où à Copenhague est créé un ministère des Affaires islandaises. A dater de ce moment, l'Althing a un interlocuteur « valable ». Mais les lenteurs administratives du gouvernement central mécontentent largement les Islandais qui se partagent en deux grands courants à l'aube de la première guerre mondiale : les partisans de l'Indépendance complète et ceux qui accepteraient une « union personnelle » avec le Danemark par l'intermédiaire de la seule couronne royale. La guerre mondiale isole totalement l'Islande de sa métropole et favorise les courants indépendantistes.

Quand les habitants du Schleswig demandent qu'un référendum soit organisé leur permettant de choisir entre Danemark et Allemagne, l'Islande demande son indépendance. Psychologiquement, les demandes de l'Islande se trouvent équilibrées par celles du Schleswig, encore que l'Islande soit un relais sur la route du Groenland. Mais l'accord entre Islandais et Danois se réalise assez rapidement : il est décidé — dès 1918 — que l'Islande sera totalement indépendante en 1943 après une période de vingt-cinq années de large autonomie. Revu en 1940, cet accord entre Danois et Islandais ne peut entrer en vigueur du fait de la guerre; l'Islande ne parvient à l'indépendance complète que le 17 juin 1944, après un plébiscite sans problème.

Ce qui caractérise cet entre-deux-guerres est l'accord réalisé qui est « l'antichambre » de l'indépendance. En fait, dès 1920, l'Islande conduit en toute liberté ses affaires intérieures, tandis que le Danemark « couvre » les affaires extérieures, dont le contrôle et la protection des eaux territoriales islandaises. L'accord réalisé entre Islande et Danemark permet à l'île éloignée de ne plus consacrer ses forces politiques à la lutte pour l'indépendance. Dès lors, on va retrouver en Islande les mêmes partis politiques et le même mouvement général économique et social que dans les autres pays nordiques.

Toutefois, à la différence de la Norvège ou du Danemark, les dix premières années d'après guerre sont assez calmes et « heureuses ». La première crise de 1920 ne fait qu'effleurer l'Islande. Il en va différemment de la crise de 1930 qui provoque endettement chez les paysans (près de 40 % de la population) et banqueroutes chez les commerçants et banquiers. Mais toujours le chômage est un problème secondaire par rapport à ce qu'il est ailleurs : l'Islandais est aisément pêcheur à côté de sa profession ordinaire. Il existe aussi des pêcheurs professionnels. En 1930, près du quart de la population active vit directement de la pêche et de ses industries. Ce monde de la pêche est assez particulier — et important dans l'économie islandaise — pour que toutes les lois sociales prennent en Islande un « tour » particulariste en fonction de ce monde de la mer. C'est ainsi que les lois sur la protection sociale, sur les horaires de travail, sont fonction de la vie sur les bateaux de pêche. Et si l'Islande surmonte avec moins de difficultés que la plupart des pays la période de crise de 1930, cela est dû pour une bonne part à la mer qui permet plusieurs bonnes campagnes aux moments les plus difficiles.

Ce pays, pauvre par excellence, aussi bien par sa « terre » que sa situation septentrionale, parvient à un certain équilibre social entre les deux guerres. Cet équilibre est bien sûr précaire : il dépend pour beaucoup des échanges internationaux et de « l'invention » de ses habitants. L'un des avantages de l'Islande tient à sa possibilité de production d'énergie et à une savante utilisation de la chaleur projetée par les geisers (1 500 l/s, à 75 °C sont « emmagasinés » — de plus, 1 000 t de vapeur à plus de 200 °C sont « endigués » et permettent le chauffage des maisons individuelles et collectives). Mais les ressources produites par la terre sont maigres : les minerais sont rares et moins de 20 % des terres sont arables. Il faudra attendre la seconde guerre mondiale pour que la production agricole s'épanouisse : les premiers engrais chimiques, par exemple, ne sont utilisés qu'à partir de 1930 et en faibles quantités, et l'usage du tracteur n'apparaît qu'en 1945. Le rôle des serres est aussi important pour la production agricole, mais impose des contraintes aux travailleurs agricoles tout à fait différentes de celles connues ailleurs. La modernisation des moyens de production et l'industrialisation transforment tout naturellement les structures sociales et modifient les équilibres. De 1860 à 1940, la population islandaise se répartit comme suit (en %) :

Années	1860	1880	1890	1910	1920	1930	1940
Secteur primaire :							
agriculture	79,5	73,9	65,5	51,0	42,9	35,8	30,6
pêche	9,4	12,4	18,1	18,7	18,9	16,7	15,9
Secteur secondaire :							
industrie	1,1	2,2	2,9	8,3	11,3	18,9	21,3
Secteur tertiaire :							
services	5,5	5,8	7,1	18,3	22,6	24,7	27,0
retraités, etc.	4,5	5,7	6,4	3,7	4,3	3,9	5,2
Total	100,0	100,0	100,0	100,0	100,0	100,0	100,0

L'industrie islandaise est aussi bien manufacturière qu'alimentaire et touche tout autant à l'extraction de la lignite qu'à la construction des routes, à l'industrie de la pêche qu'aux constructions mécaniques ou au bâtiment.

La construction d'habitations particulières montre assez bien l'évolution de l'Islande, non seulement par l'accroissement continu

Années	1910	1920	1930	1940	Total
Constructions en pierre	371	1 061	3 294	6 146	10 872
Constructions en bois	4 488	5 196	6 595	7 570	23 849
Constructions en tourbe	5 354	5 007	3 665	1 744	15 770
Total	10 213	11 264	13 554	15 460	

du nombre de constructions nouvelles, mais par le type même des matériaux utilisés.

L'Islande dépend, cela est évident, pour une part importante de son commerce extérieur. Celui-ci est, jusqu'en 1920, dans les mains des maisons de commerce danoises pour une part notable. A partir de 1930, toutes les maisons de commerce sont islandaises. Le rôle de la première guerre mondiale a été déterminant dans les changements de structure : coupées des maisons mères, essentiellement danoises, les maisons de commerce étrangères sont obligées de laisser la place aux coopératives de producteurs et de consommateurs qui s'assurent un véritable monopole en certains domaines (commercialisation des harengs, par exemple). Les accords dano-islandais de 1920 accélèrent le processus de « désengagement » des maisons de commerce danoises. Longtemps après 1920, les échanges commerciaux islandais passent surtout par le Danemark, encore que la Grande-Bretagne, plus proche, joue un rôle important sur le marché islandais. Cette tendance est arrêtée avec la seconde guerre mondiale comme le montre le tableau ci-dessous (% du commerce extérieur islandais; I = Importations; E = Exportations).

	1913		*1920*		*1930*		*1938*		*1944*	
	I	E	I	E	I	E	I	E	I	E
Danemark	38,0	38,7	31,9	13,7	28,1	4,6	14,9	9,8	0,0	0,2
Norvège	6,1	11,6	2,7	10,8	10,8	8,2	8,7	8,5	0,0	0,1
Suède	3,5	3,2	4,1	6,0	4,8	6,2	8,2	9,7	0,0	0,1
Finlande	?	?	0,1	0,0	0,0	0,0	0,2	0,0	0,0	0,0
Grande-Bret.	34,9	17,3	38,7	18,7	26,9	15,5	28,1	20,5	20,7	89,5
Allemagne	9,6	1,3	2,3	0,5	15,9	8,2	23,6	16,1	0,0	0,0
Etats-Unis	?	?	14,9	1,6	3,2	2,6	1,2	9,1	66,7	9,4
Canada	?	?	0,0	0,0	0,2	0,0	0,2	0,0	11,1	0,0
% total par rapport à l'ensemble	92,1	72,1	94,7	61,3	89,9	45,3	85,1	73,7	98,5	99,2

L'Islande paraît vivre en marge des pays nordiques dès avant la seconde guerre mondiale et c'est essentiellement par son peuplement qu'elle se rattache à ces pays, par ses institutions aussi qui sont directement héritées du monde viking dano-norvégien, mais aussi suédois, avec ce qui reste de la première implantation suédoise à Husavik, en 860.

LA SUÈDE

En dépit des apparences, la Suède sort de la première guerre mondiale plus affaiblie que ses voisins scandinaves. Cela tient pour une bonne part à la nouveauté de sa transformation démocratique. Les structures sociales anciennes sont encore solides avant la guerre. Le développement de la libre entreprise jusqu'en 1914 correspond à la ruine des couches moyennes, à leur prolétarisation, à ce qu'en Suède on appelle la *Jobbar-perioden*. Parmi ces couches moyennes, il faut compter les fonctionnaires « ultimes tenants » de la morale traditionnelle, élite formée à la pensée allemande, sans parler des plus favorisés qui, passant par les universités d'Uppsala et de Lund, ne voient le monde ou à défaut l'Europe qu'à travers le filtre allemand, cet *europé på tyska*, qui doit aussi à l'héritage hanséate lourd et lent comme les anciennes *kogge*.

La défaite allemande de 1918 libère la Suède de cette tutelle. Mais aussi cette guerre qui fait tomber la consommation de blé à 50 % de ce qu'elle était en 1913, cette guerre qui contraint la Suède à céder la moitié de sa flotte marchande (plus de 400 000 t) à la Grande-Bretagne pour obtenir des céréales, cette guerre oblige à de déchirantes révisions dont la nécessité se manifeste, dès l'été 1918, lors de la grande sécheresse et du rationnement généralisés qui débouchent sur les « émeutes de la faim ».

L'arrêt du commerce et de nombreuses activités en raison des hostilités extérieures comme l'arrêt de l'émigration vers les Etats-Unis provoquent un chômage important : plus de 100 000 sans-travail en 1918, alors que dans la bourgeoisie et au gouvernement les révolutions qui se développent en Russie, en Allemagne et en Finlande inquiètent fortement. Les plus conservateurs sentent alors la nécessité de « lâcher du lest », de démocratiser la vie publique. Fin 1918, le suffrage devient universel et l'âge de droit de vote est abaissé à 23 ans. Lors des élections de 1919, le Parti social-démocrate est le plus important dans la chambre haute. Deux années plus tard, alors que le droit de vote est accordé aux femmes — et le corps électoral passe de 19 % à 54 % de la population entre 1918 et 1921 —, le glissement à gauche est encore accentué lors des élections à la chambre basse (voir p. 192). A partir de 1920, de façon épisodique, de 1932, de façon continue — à l'exception de quelques mois en 1936 — le Parti social-démocrate obtient la direction du ministère. Ainsi, en très peu d'années, la physionomie politique de la Suède se trouve bouleversée.

Mais la situation économique reste très difficile : le chômage atteint 160 000 personnes en 1922 en dépit des réformes sociales de 1920-1921 (dont la mise en application de la loi de huit heures de travail quotidien ou quarante-huit heures hebdomadaires, dans l'industrie) et bien que la production atteigne 75 % de celle de 1913 (au lieu de 44,5 % en 1917). Il est alors entrepris des « travaux de secours » (ouverture de routes, etc.). Malgré tout, l'opposition reste très vive à toute mesure sociale « révolutionnaire » et le ministère social-démocrate Branting « tombe » en 1923 sur la question des allocations chômage. Il y aura ainsi, jusqu'en 1932, une succession de ministères de gauche, puis de droite, agissant par à-coups et manifestant la faiblesse relative de chacun des courants comme les difficultés économiques importantes qui ne parviennent pas à être surmontées quand survient la crise mondiale.

Au cours de cette période, la Suède semble être un pays européen « classique », progressant à petits pas, sans grands affrontements comme cela est le cas en Norvège à propos de la prohibition. Cette question n'est pas ignorée en Suède : mais les partis sont plus équilibrés, les majorités moins nettes, et la Suède n'aboutit pas aux solutions extrêmes de sa voisine scandinave. Elle choisit un moyen terme de contrôle « individualisé » et non les grandes lois vite remises en cause. Toutefois, une explosion sociale violente se produit en 1931. Le quart de la population active se trouve alors au chômage. Les chiffres officiels de chômeurs complets donnent :

Début	1930	31 000	chômeurs
—	1931	89 000	—
Eté	1931	160 000	—
	1932	186 000	—
	1933	+ 200 000	—
	1934	171 500	—
	1935	42 000	—

Ces chiffres sont inférieurs aux pourcentages danois ou norvégiens. Ils n'en sont pas moins impressionnants d'autant que ce chômage s'accompagne de grèves nombreuses et vite violentes lors de l'intervention de la police et de l'armée, qui tirent, et tuent. Les tribunaux mis en place en 1928 afin de régler les conflits du travail se montrent absolument impuissants à résoudre ces situations.

La crise n'affecte pas que le monde industriel, mais aussi le monde rural où les cours agricoles s'effondrent. Le gouvernement applique alors une politique dirigiste qui se manifeste tout d'abord par le soutien des prix agricoles, la fixation de « prix planchers » (au début pour le lait), l'abandon de l'étalon-or, et la mise en place de plans de développement — ce qui signifie l'abandon du libéralisme en matière économique.

Les problèmes des différentes catégories sociales sont rapidement perçus par les autres grâce à une « osmose » toute naturelle : pour un total de 6 millions d'habitants, la population vivant des produits de la terre représente environ 40 % du total, mais 40 % des travailleurs urbains habitent encore à la campagne. En 1940, plus de 63 % de la population résident dans les zones rurales alors que le secteur primaire ne représente pas le tiers de cette population :

Secteur primaire	32 %	de la population
Secteur secondaire	36	—
Secteur tertiaire	32	—

Cette période de crise mondiale constitue, comme dans les autres pays scandinaves, le « grand tournant ». Mais ce changement est annoncé dès l'après-guerre par la croissance des coopératives et du mouvement ouvrier.

Les coopératives, qui prennent véritablement vie en 1908, comptent alors 68 000 adhérents. Elles en ont 255 000 en 1922 et plus de 500 000 en 1930. Durant la même période, le Parti social-démocrate passe de 112 000 membres en 1908 (mais 55 000 en 1910) à 135 000 en 1922 et 277 000 en 1930. Sa progression qui avait été irrégulière jusqu'à cette époque, variant selon les gouvernements en place, va se poursuivre régulièrement pour atteindre plus de 487 000 en 1940. L'organisation des Jeunesses socialistes remporte un succès semblable :

1917 (création)	1 200 adhérents	
1922	11 000	—
1930	64 000	—
1940	102 000	—

Il en va de même des autres organisations « parallèles » dont celle des femmes :

1920	3 000 membres	
1931	12 000	—
1940	30 000	—

Et les syndicats connaissent une croissance parallèle plus importante encore : ils regroupent 1 million d'adhérents en 1930.

Dans le domaine plus proprement politique, un scandale financier, en discréditant les dirigeants libéraux et tout particulièrement Ekman leur président qui a accepté des subventions du banquier et fabricant d'allumettes Ivar Kreuger (qui se suicidera), favorise la venue au pouvoir des social-démocrates soutenus par les agrariens (cette union forme une majorité absolue dans la chambre basse) :

Evolution de la représentation nationale
(nombre de députés, chambre basse)

Année	Communistes et autres gauche	Social démocrates	Agrariens	Libéraux	Conservateurs	Total
1921	13	93	21	41	62	230
1924	5	104	23	33	65	230
1928	8	90	27	32	73	230
1932	8	104	36	25	57	230
1936	11	112	36	27	44	230
1940	3	134	28	23	42	230

Le programme de ce gouvernement est tout d'abord de réduction du chômage — ce qui ne sera vraiment réalisé que fin 1934 —, de rétablissement de la production industrielle — ce qui ne sera réalisé qu'à la fin 1938 : pour l'ensemble de l'année 1938, la production n'atteint cependant que 135 % de celle de 1924, année du rétablissement de l'équilibre par rapport à 1913, alors qu'en 1929 cette production avait atteint 150 % ; mais la production parviendra, en 1939, au quadruple de ce qu'elle était en 1924, à l'amélioration des conditions de vie des plus défavorisés.

Cette amélioration est obtenue par diverses voies. La production tout d'abord. Mais le chiffre global ne reflète qu'imparfaitement la réalité. La production électrique, à partir des chutes d'eau, est sextuplée de 1914 à 1939. Les automobiles à peu près inexistantes au début de la guerre atteignent le quart de million en 1939 (elles sont presque toutes d'importation). La marine marchande qui jaugeait moins de 500 000 t en 1919 dépasse 1 600 000 t en 1939. La production de fer — dont le dixième seulement est traité en Suède, l'essentiel étant exporté vers l'Allemagne — double de 1915 à 1935, et les produits finis de la métallurgie, exportés, sont hautement spécialisés (surtout : roulements à billes de la maison SKF, équipements téléphoniques de L. M. Ericsson, équipements de signalisation maritime : phares AGA, mais aussi matériel lourd ferroviaire et maritime). Ces exportations d'un type nouveau, qui sont la preuve d'une industrie hautement développée, représentent près de 30 % des exportations suédoises en 1939.

Dans le domaine monétaire, la Suède souffre moins de la crise que les autres pays nordiques : après la guerre qui l'a mise en position de force, elle se trouve, à partir de 1920, exportatrice de capitaux. Cela se sent jusque dans le produit national qui quadruple de 1918 à 1939.

Ces diverses améliorations se répercutent dans les situations sociales dont le premier révélateur est l'évolution des salaires. Pour l'ensemble des salariés, les revenus progressent de 71 % de 1913 à 1929 et d'autant durant la décade suivante. En prenant en considération l'augmentation des seuls salaires horaires industriels, elle atteint près de 90 % pour chacune des périodes. Et cette progression est inférieure à celle des salaires agricoles qui sont très nettement revalorisés, tandis que les conditions de travail dans les zones rurales sont améliorées par l'alignement en 1938-1939 des horaires des travailleurs agricoles sur ceux des travailleurs industriels (huit heures quotidiennes, quarante-huit heures hebdomadaires).

Au cours de cette période les structures de la population active se modifient (en % de la population active) :

	1920	1930	1940
Secteur primaire	41,5	37	32
Secteur secondaire	30,8	33,3	35,7
Secteur tertiaire	28,9	29,7	32,3

Les lois qui entrent en application et tendent à modifier cette société concernent directement, pour un certain nombre, les questions sociales. Ce sont bien sûr les lois instituant le tribunal du Travail (où siègent deux patrons, deux ouvriers et trois « neutres ») déjà cité mais aussi quantité de lois assurant la protection des mineurs, des handicapés physiques et mentaux, mais encore des textes portant sur les assurances sociales, les assurances chômage (1934), la réforme des pensions et des retraites (en 1935, cette loi fera « chuter » le gouvernement social-démocrate, mais sera reprise et appliquée en 1937).

Ces différentes lois seront complétées en 1938-1940 par les lois sur les congés payés, les conventions collectives (affectant 1 million de salariés dès 1940) et surtout les accords qui suivent les négociations de Saltsjöbaden tendant à limiter les conflits du travail et aboutissant, entre autres, à la nomination par l'Etat des « médiateurs » que sont aussi les *Ombudsman* (ce qui pourrait aussi bien se traduire par « fondé de pouvoir » ou « conseiller au contentieux » ou encore plus simplement par « mandaté »).

Cette fonction n'est pas nouvelle. Elle remonte à 1809, mais ne trouve véritablement vie qu'à partir des années 1938-1939. Le « médiateur » de 1938 se trouve investi de pouvoirs assez étendus qui débordent largement la fonction publique et s'intéresse à toutes les activités mettant en présence des groupes sociaux différents. Le « médiateur » est là pour faire respecter la loi, mais peut (et doit) s'intéresser à toutes les activités, publiques et privées, à la requête d'un plaignant, ou de son propre chef. Des pouvoirs très vastes lui sont accordés législativement afin qu'il puisse aller au fond de toutes les affaires qui lui sont soumises, et son action peut tout aussi bien se tourner contre une entreprise privée qu'une administration ou un ministre. Le rôle de l'*ombudsman* est essentiellement d'améliorer les rapports entre les divers partenaires sociaux, entre l'administré et l'administration, de faire cesser les abus possibles par ses actions en justice, de faire modifier les lois défectueuses.

Ces différentes modifications qui vont avec une stabilisation économique évidente amènent une transformation des états d'esprit. A cette transformation participe aussi une évolution du système fiscal qui fait que les gros revenus comme les grosses fortunes sont « écrasés » et l'éventail des salaires rétréci. Ce qui, dès lors, va dominer est un style de vie nouveau (« ouvert », disent les social-démocrates) dans lequel domine tout d'abord le rejet ou le refus des situations passées et en particulier :

1 / Du mercantilisme libéral qui ignore la misère des humbles pour ne voir que (ou surtout) la réussite des « nantis » ;

2 / De la mystique chrétienne traditionnelle (qui ne disparaît pas pour autant mais dont les manifestations sont critiquées) qui tend à soumettre le corps à l'âme. Avec ce refus, et par lui, le respect du corps est exalté. Cela n'est pas favorable aux seuls jeux du stade, à la seule glorification du sport. Ce refus entraîne une volonté générale d'amélioration des conditions de vie, aussi bien dans le logement que le travail ou l'hygiène générale.

Ce mouvement ne va pas sans contradictions évidentes : si le corps devient « la plus noble conquête de l'homme », cette admiration ne va pas sans un certain refus du machinisme et de la modernisation — et c'est peut-être ce qui, en partie, explique l'amour de la nature « naturelle » manifesté dans le Nord, encore de nos jours, tout comme cela explique, partiellement, que près de la moitié des travailleurs urbains résident en secteurs ruraux. Il y a dans la volonté d'améliorer les situations sociales, de transformer la société et dans ce désir de protéger l'être humain, le corps naturel — ce qui favorise un retour au « primitivisme » —

une certaine contradiction. Cette contradiction débouche sur une inquiétude qui peut aisément se révéler religieuse : Dieu est l'unité des contraires. D'autre part, cette société qui se veut libre se doit de ne rien condamner : tout peut être. Et, en fin de compte, tout acte humain peut être interprété comme un pont jeté vers Dieu. Cette recherche mystique se manifeste tout d'abord dans le nombre croissant d'étudiants en théologie, à l'Université de Lund, qui quintuple de 1920 à 1939. Elle se révèle aussi par les débats sur les problèmes de l'autorité en matière de foi et les églises étant « douteuses » du fait qu'elles sont institutionnalisées, on voit, à partir de 1934, les églises « dissidentes » se multiplier et les sectes de tout genre prendre de l'importance. En 1939, les Eglises « dissidentes » regroupent plus de 400 000 fidèles (alors que les syndicats ont 1 million d'adhérents, les coopératives 1 demi-million de membres).

Cette inquiétude se manifeste aussi face à la vie : si le taux de natalité était en 1901-1905 de 26,12 %₀, il tombe à 14,10 %₀ en 1931-1935, et l'accroissement de la population passe de 7 % en 1890-1900 à 3,5 % en 1930-1940 (et ceci en dépit de l'arrêt de l'émigration). Il est certain que les Suédois, au cours des quelques années qui précèdent la seconde guerre mondiale, ont conscience tout en même temps du bien-être (relatif) auquel ils sont parvenus et dont ils sont « naïvement » fiers, et des incertitudes qui demeurent, non seulement en raison des situations intérieures encore éloignées de la démocratie idéale, mais aussi des situations extérieures dont la Suède dépend toujours grandement.

Tout comme la Norvège, mais après l'affaire des Åland seulement, la Suède se rallie à l'idée de la nécessité absolue d'un équilibre mondial qui peut être atteint par la Société des Nations. En 1926, espérant améliorer le fonctionnement de cette Société, la Suède renonce à son siège permanent au Conseil et le cède à l'Allemagne qui, quoique vaincue, est redevenue un Etat de premier plan. Mais à dater des déficiences des grandes puissances face au Japon (en 1933) et plus encore face à l'Italie (en 1935), la Suède qui appartenait déjà au bloc économique du Nord depuis 1930 (regroupant Danemark, Norvège, Pays-Bas, Belgique, Luxembourg et à partir de 1932 Finlande) décide de revoir son système de défense. Elle affirme — ou réaffirme — son désir de neutralité, mais en même temps veut échapper à toute menace pouvant porter atteinte à son intégrité territoriale. En 1936, la défense nationale est entièrement réorganisée et un service militaire obligatoire de cent soixante-quinze jours pour les hommes du rang est institué. En 1938, avec les autres Etats nordiques, la Suède réaffirme une fois de plus son désir absolu de neutralité, alors même que certains ministres cherchent à nouer une alliance militaire défensive englobant les cinq pays, ou de coopération militaire limitée pour la défense de certains secteurs. Le gouvernement suédois se montre particulièrement intéressé dans la protection du golfe de Bothnie qui gouverne tout en même temps l'approche de Stockholm et les voies d'accès à Luleå. Dans cette perspective, qui agrée à la Finlande, les deux pays demandent à la Société des Nations une modification de la convention de 1921 sur les Åland et établissent un plan préliminaire de coopération militaire pour la protection de l'archipel « clé » de la Baltique. Cependant, à la demande de l'URSS (partie prenante dans les problèmes de la Baltique mais ignorée par la Société des Nations, en 1921, en raison de sa révolution récente), l'ajournement de la modification de la convention de 1921 est prononcé. Le gouvernement suédois renonce alors à son entreprise de protection du golfe de Bothnie et se réfugie dans un neutralisme absolu. Quand, le 28 avril 1939, l'Allemagne propose aux pays nordiques un pacte de non-agression, la Suède qui moins que le Danemark a à craindre l'Allemagne refuse l'offre nazie. Le 9 mai, puis encore le 1er septembre, les divers Etats nordiques, séparément ou conjointement, réaffirment leur volonté de rester hors de tout conflit tout en préservant leur intégrité territoriale et leur indépendance.

La Suède y parviendra — seule des pays nordiques, avec l'Islande dans une moindre mesure — tandis que la Finlande sera précipitée dans la guerre quelques semaines plus tard.

LA FINLANDE

Revenue à la paix après les violences de 1918, la Finlande, plus que tout autre pays nordique, se trouve affaiblie. Seule aussi, elle signe un traité de paix, en octobre 1920, avec l'URSS. Seule encore, la Finlande s'est dotée d'un régime républicain. Enfin, avant l'Islande sans doute mais dernière du bloc fenno-scandien, elle parvient à l'indépendance tardivement et par les armes.

Ce que les autres pays nordiques ont construit ou mis en route depuis au moins une quinzaine d'années — pour la Suède — depuis plus longtemps pour la Norvège et le Danemark, la Finlande doit l'entreprendre au sortir de cette guerre. Certes, depuis 1907, elle dispose du suffrage universel. Mais la guerre civile a détruit la confiance et rejeté une partie de la population dans l'ombre. L'industrialisation était bien amorcée dès avant la guerre, mais là encore, la période 1917-1919 a ruiné ce qui était et, plus grave encore, quand la Finlande retrouve la paix elle connaît la crainte et la suspicion et doit supporter les conséquences des longues années de famine, de combats et de répression. De plus, elle a perdu son arrière-pays, la Russie.

Aussi la tâche du gouvernement est immense. Il lui faut tout reconstruire. Et cette « reconstruction » fait que bien souvent la Finlande reste à l'écart des autres pays nordiques : les questions intérieures priment, d'autant que l'ouverture vers l'extérieur est délicate; l'Allemagne a perdu la guerre et son influence qui fut déterminante n'est plus d'aucun secours durant une dizaine d'années; la Russie, devenue URSS, est l'ancienne métropole et après la guerre civile la bourgeoisie comme la social-démocratie lui sont fermement hostiles. Les pays scandinaves sont surtout connus en Finlande par la Suède — qui fut aussi sa métropole — elle-même représentée en Finlande par ses descendants qui furent nobles, officiers, grands propriétaires fonciers, etc. Ils forment une minorité en lutte pour le maintien non plus de l'ensemble de leurs privilèges — désormais de « classe » et non plus seulement « ethniques » — mais pour la conservation et la protection de leur langue, et de quelques avantages attachés à cet aspect. Aussi y a-t-il une forte opposition à tout scandinavisme qui, trop facilement — et parfois à tort —, prend l'allure d'un suédisme, ou d'un état de conservation du passé. Les autres Etats vers qui pourrait se tourner la Finlande sont ou trop faibles (les Etats baltes), ou trop éloignés (les Pays anglo-saxons).

Repliée sur elle-même — et l'image de Georges Duhamel d'une Finlande enfermée dans son ornière n'est pas totalement fausse —, la Finlande aura du mal à se « restructurer », d'autant que son degré d'industrialisation est faible et que sa population est encore largement agricole (1).

C'est tout d'abord dans le domaine rural que des mesures législatives et sociales sont mises en œuvre dès 1920. La question des tenanciers avait tenu une place importante dans les programmes politiques avant la guerre civile. Elle demeure essentielle en 1920 et tous s'accordent à vouloir la régler rapidement. Ce point n'est pas négligeable : alors que la nation est encore profondément divisée, cette question est l'une des rares où l'accord et l'unanimité peuvent se réaliser. Elle est partiellement réglée en 1922 lors de l'adoption d'une loi qui permet aux tenanciers, aidés par l'Etat, de racheter les terres qu'ils exploitent ou encore de mettre en valeur des terres nouvelles dans le centre et le nord du pays. Cette loi fait suite à celle d'octobre 1918 qui avait permis à 123 000 tenanciers de racheter leurs terres. Elle sera complétée en février 1936. Le sens général en est toujours le même : il permet une libération effective des tenanciers qui, grâce aux secours de l'Etat (avances financières, prêts à long terme, dégrèvements d'impôts, etc.), peuvent accéder à la propriété. Alors qu'en 1920 près de 10 % de la population se trouvait réduite à l'état de tenancier, il n'y aura plus que 2 % d'agriculteurs tenanciers en 1940. A ces transformations de structure de la paysannerie s'ajoute l'extension de la mise en culture : 600 000 ha nouveaux

(1) Répartition de la population :

Année	Agriculture (et forêt)		Industrie		Commerce		Transports		Fonctionnaires et profess. libérales		Autres	
	(a)	(b)	(a)	(b)	(a)	(b)	(a)	(b)	(a)	(b)	(a)	(b)
1920	2 061	66,4	419	13,5	106	3,4	104	3,3	102	3,3	313	10,1
1930	2 074	61,4	510	15,1	145	4,3	128	3,8	139	4,1	384	11,3
1940	2 014	54,5	664	18,0	188	5,1	172	4,6	225	6,1	433	11,7

(a) = en milliers ;
(b) % du total.

sont défrichés. Ces différentes mesures, jointes à un système protectionniste, permettent à l'agriculture de couvrir dans l'ensemble 95 % des besoins avec, cependant, des écarts importants : la Finlande est rapidement excédentaire en produits laitiers mais demeure très déficitaire pour les céréales panifiables.

Mais il est un autre facteur important : c'est l'implantation, la taille et la rentabilité des propriétés agricoles. D'une façon générale, les grandes propriétés qui sont aussi celles des meilleures terres, se trouvent dans l'Ouest (Ostrobothnie) et dans le Sud, qui sont les terres d'ancienne colonisation. Les nouvelles installations sont implantées en direction du Nord (Laponie entre autres) où les terres sont pauvres, rocailleuses ou marécageuses selon les lieux. De plus, officiellement, on considère que la taille minimum d'une propriété, pour qu'elle assure un revenu suffisant, doit être de 10 ha par famille. Or, pour environ 350 000 exploitations existant en 1939, plus de 280 000 sont inférieures à 10 ha — et 100 000 d'entre elles sont inférieures à 2 ha. Ce monde de paysans pauvres continue de faire problème, d'autant que ces travailleurs ruraux ne pouvant uniquement vivre des produits de la terre s'adonnent à d'autres travaux, forestiers ou industriels. Il s'agit donc là d'un semi-prolétariat appartenant au monde tout autant rural qu'urbain.

L'industrie elle-même reste très directement tributaire de l'agriculture et de la forêt (1).

Les activités industrielles demeurent très stables les unes par rapport aux autres, surtout les industries dérivant de l'agriculture et de la sylviculture (industries alimentaires, du papier, du

(1) Principales productions industrielles (pourcentage de la production totale) :

				Industries				
	Papier et bois	Alimentaires	Textiles	Métallurgiques	Cuir	Pierre	Chimiques	Electriques
Valeur :								
en 1913	39,9	19,7	13,8	12,3	4,6	4,1	1,8	1,7
en 1938	40,0	17,1	10,7	17,2	4,2	4,2	2,5	2,3

bois et du cuir : 64,2 % en 1913; 61,3 % en 1938). L'industrie métallurgique croît très nettement, malgré la prééminence des industries liées à la culture. Elle passe du quatrième au deuxième rang après, en particulier, la mise en exploitation des mines de cuivre d'Outokumpu en 1934 — alors que les gisements de nickel de Petsamo (les plus importants d'Europe) n'ont pas vraiment le temps d'être exploités avant la deuxième guerre mondiale. D'autre part, les industries chimiques progressent de 38,8 %, tandis que la production électrique augmente de plus de 35 %, toujours par rapport aux autres productions. En valeur absolue, les exportations classiques des produits du bois et du papier croissent nettement :

Année	Contre-plaqué (en m³)	Pâte à papier mécanique	Cellulose	Papier	Carton
			(en milliers de tonnes)		
1920	12,9	82,0	88,0	132,9	40,3
1923	37,8	62,7	198,5	173,4	23,6
1926	67,3	72,9	332,6	210,1	45,0
1929	131,5	160,8	484,1	243,9	54,5
1932	107,5	180,3	756,9	288,6	62,3
1935	169,8	289,8	923,9	376,2	83,0
1938	207,1	224,6	1 021,4	463,5	100,7

(L'augmentation des exportations, parallèle à l'augmentation de la production, varie de 2 fois et demie à 12 fois — pour la cellulose — et même 16 fois — pour les contreplaqués).

D'une façon plus générale, la production augmente singulièrement à dater de 1924 (indice égal à celui de 1913). De 1924 à 1938, elle progresse d'au minimum 70 à 90 % selon les secteurs. Mais ce développement connaît diverses entraves. La première est due à un facteur permanent qui tient au manque de moyens financiers et pour les industries autres que celles du bois et du papier à la pénurie de matières premières. La seconde tient à la situation économique mondiale, à la crise de 1929-1932 et aux secousses sociales qu'elle entraîne.

L'inflation est telle au cours de la première guerre mondiale que le coût de la vie est multiplié par 11 entre 1914 et 1920.

Quand la paix est rétablie, la monnaie est dévaluée et n'atteint plus qu'au quarantième de sa valeur d'avant guerre. Cette situation financière catastrophique ne se rétablit que lentement. Il semble que la monnaie parvienne à une certaine stabilité en 1929. Mais alors, très vite, la crise mondiale remet tout en question. La faiblesse de la monnaie, sa dépendance par rapport à la livre sterling entravent tout naturellement le développement d'autant qu'une forte part du revenu national est consacrée aux remboursements de la dette extérieure (la Finlande sera le seul pays européen à avoir intégralement remboursé les prêts américains avant 1939 — et cela explique le soutien accordé par la suite par les Etats-Unis à la Finlande).

La crise mondiale touche la Finlande alors même que les situations politiques sont toujours instables. Les Blancs, vainqueurs par les armes en 1918, ont dû, à la demande des puissances de l'Entente, autoriser les syndicats et partis de gauche dès 1919. Certes, le Parti communiste est interdit mais l'aile « radicale » du mouvement ouvrier utilise largement les possibilités offertes par les libertés syndicales.

Sans être très puissants numériquement, les syndicats parviennent à contrôler les problèmes de l'embauche, même lors des périodes les plus défavorables, et à étendre leur influence par le biais des coopératives, ce qui leur assure un véritable contrôle indirect sur l'opinion. Les grèves sont nombreuses et importantes jusqu'en 1928, elles décroissent fortement pendant la période de crise pour renaître en 1935 lorsque la reprise se manifeste et que le danger fasciste est écarté.

Si les grèves diminuent fortement en 1929-1933, cela tient au chômage fort important (en 1930 : 60 % de la population industrielle). Alors l'action redevient plus nettement politique. C'est aussi la période de montée du fascisme.

L'Allemagne qui jusqu'en novembre 1918 avait été l'alliée « privilégiée » des Blancs, en se libérant du traité de Versailles, en redevenant une grande puissance retrouve sa place de « modèle » en Finlande. C'est à son exemple — et à l'exemple de l'Italie — que l'extrême-droite qui s'estime frustrée de sa victoire de 1918 se réorganise. Comme en Suède quelques années auparavant, des marches de « paysans » sont provoquées (les paysans en question, qui sont parmi les plus pauvres d'Europe, sont amenés à Helsinki par trains

Années	travailleurs	Nombre de	
		syndiqués	journées de grève
1919	680 000	40 700	160 130
1920	661 000	59 500	455 590
1923	687 000	48 100	261 470
1926	690 000	62 100	386 360
1927	689 000	75 800	1 528 180
1928	693 800	90 200	502 240
1929	704 000	70 400	74 890
1930	300 000	15 000	12 120
1931	650 000	19 400	110
1932	630 000	18 900	2 300
1933	660 000	19 800	9 540
1934	680 000	27 200	89 730
1935	847 500	33 900	60 840
1936	731 650	44 500	35 360
1937	805 000	64 400	183 400
1938	781 500	70 300	110 460
1939 (¹)	761 600	68 500	256 630

(¹) Pour les neuf premiers mois de l'année.

spéciaux et automobiles particulières — ce qui en dit long sur la « spontanéité » de la manifestation centrale, et sur l'organisation de la manifestation en fait bien encadrée par certains éléments de l'armée). Comme en Italie, des hommes politiques sont enlevés (dont le premier Président de la République, bourgeois trop libéral aux yeux de l'extrême-droite) et des militants de gauche assassinés.

Le mouvement fasciste est très proche de la réussite : il parvient à faire élire un Président de la République qui lui est favorable (P. E. Svinhufvud), à « épurer » l'armée (et Mannerheim revient à la tête des forces armées). Mais il échoue tout comme en Norvège en raison, en particulier, de ses violences et de son racisme virulent. Le mouvement fasciste se veut, en effet, « pur finnois » à l'intérieur, « carélien » à l'extérieur. Sa politique est fondamentalement antisoviétique (mais la Finlande est frontalière de l'URSS !) et anticommuniste — ce en quoi il pourrait obtenir l'accord des partis bourgeois et du mouvement paysan. Mais son anticommunisme déborde largement le seul Parti communiste : il s'attaque à tout ce qui a une teinte plus ou moins rose : syndicats ou Parti social-démocrate. C'est aussi au nom de la pureté de la race (et de la notion d'espace vital nécessaire) qu'il s'attaque à la minorité suédoise. Or, pour être moins nombreux que les social-démocrates, les Suédois de Finlande n'en sont pas moins une minorité importante dans les domaines économiques et culturels, et agissante. Les violences répétées du mouvement fasciste aussi bien contre le mouvement syndical que contre la social-démocratie rapprochent les forces de gauche. Les sévices multiples contre la minorité suédoise rapprochent du mouvement ouvrier cette minorité ainsi que l'ensemble de la bourgeoisie libérale. Et c'est finalement l'action conjointe — et consciente — de ces diverses forces qui met le mouvement fasciste en échec. Mais cet échec est aussi la manifestation du manque de structuration de ce mouvement même d'un point de vue politique : il ne parvient à aucun moment à emporter l'adhésion des électeurs et ne rassemble qu'à grand-peine 8 % des voix (1). Ainsi l'unité nationale se fait à partir de l'oppo-

(1)   *Nombre de députés*
(par parti politique; en fait, le Parti communiste interdit participe
à certaines élections sous d'autres noms)

Année	Communiste	Social-démocrate	Agrarien	Suédois	Du progrès	De l'Union	Fasciste	Autres
1919		80	42	22	26	28		
1922	27	53	45	25	15	35		
1924	18	60	44	23	17	38		
1927	20	60	52	24	10	34		
1929	23	59	60	23	7	28		
1930		66	59	20	11	42		2
1933		78	53	21	11	32		5
1936		83	53	21	7	20	14	2
1939		85	56	18	6	25	8	2

(En 1933, le Parti de l'Union et le Parti fasciste dit « Parti patriotique populaire » — Isänmaallinen kansallisliike — font liste commune.)

sition aux fascistes qui, en 1936, sont plus isolés que jamais. Seule la guerre peut leur laisser l'illusion d'une certaine force.

A partir de 1936, il semble que la Finlande s'engage sur la voie que connaissent déjà les autres pays nordiques. Toutefois, les violences physiques et verbales de ce mouvement fasciste et la liberté qui lui est laissée (dans le cadre de la Constitution) introduisent un climat de grande défiance dans les rapports finno-soviétiques déjà difficiles. Les manifestations en faveur de l'Allemagne nazie, en particulier d'un certain nombre de militaires anciens *jäger* de la guerre de 1914-1918 et de quelques hommes politiques, ne laissent pas d'inquiéter aussi bien les dirigeants soviétiques que scandinaves.

Dans le domaine de la politique extérieure, en dehors de la question des Åland et de celle de Carélie, la Finlande cherche à sortir de son isolement par une ouverture en direction des pays nordiques. A partir de 1936-1937, des rencontres régulières ont lieu entre les ministres des Affaires étrangères des différents Etats. C'est à cette époque qu'elle parvient à un accord avec la Suède sur la protection du golfe de Bothnie et des Åland — accord qui ne pourra se concrétiser en raison de la position de l'URSS et de la Société des Nations. Mais il est vrai aussi que la Finlande a jusque-là manifesté moins d'intérêt que la Norvège ou la Suède en faveur de la Société des Nations et qu'elle s'était opposée aux sanctions contre l'Italie lors de l'affaire d'Ethiopie.

En même temps que des négociations s'ouvrent officiellement avec les autres pays nordiques, la Finlande entame des conversations avec les Soviétiques tôt vouées à l'échec, car le gouvernement finlandais n'est pas persuadé de leur nécessité et ni Yartsev ni Stein ne parviendront à en convaincre les Finlandais qu'ils rencontreront. Elles sont vouées à l'échec aussi du fait soviétique. C'est Litvinov qui a pris l'initiative de ces conversations alors secrètes. Or, l'attitude du ministre soviétique est équivoque dans la mesure où il a toujours prôné les discussions « ouvertes » et condamné les pactes secrets. Mais l'attitude soviétique est aussi « douteuse » dans la mesure où Litvinov est lui-même fort contesté dans les cercles dirigeants moscovites. Ces premières conversations de 1937-1939 tournent donc court.

Elles ne reprendront qu'en octobre 1939. Et ce sera un nouvel échec — et la guerre.

CHAPITRE VI

LA DEUXIÈME GUERRE MONDIALE

La deuxième guerre mondiale fait « éclater » les pays nordiques. Toutes les situations possibles s'y retrouvent. La Suède demeure neutre. Le Danemark et la Norvège sont occupés par l'Allemagne — mais leurs statuts sont différents : l'un est « protectorat » (le Danemark), l'autre est vaincue et militairement occupée et soumise (la Norvège). La Finlande est « partiellement » alliée à l'Allemagne nazie. L'Islande enfin tombe dans l'orbite alliée. On pourrait ajouter le Groenland par lequel le Danemark, pays « protégé » par l'Allemagne, est aussi pris en charge par les Etats-Unis.

Dans le temps, pour ceux qui participent aux hostilités ou subissent les effets directs de la guerre, l'engagement se fait à des moments différents : le Danemark et la Norvège se trouvent sous contrôle allemand d'avril 1940 à mai 1945. L'Islande, dépendance du Danemark, parvient à l'indépendance à la fin de la guerre à laquelle elle participe. La Finlande mène, au cours de cette seconde guerre mondiale, trois guerres différentes : la « guerre d'hiver » de décembre 1939 à mars 1940, la guerre dite de « continuation » de juin 1941 à septembre 1944, la guerre « de Laponie » d'octobre 1944 à avril 1945.

Cette guerre mondiale n'est pas une véritable surprise. La pression allemande en faveur des pactes de non-agression et bien d'autres signes généraux ne pouvaient laisser croire, en dépit de tous les désirs, au maintien de la paix. Mais elle débute d'une façon totalement inattendue. Il y a d'abord les surprises de la guerre d'Espagne, puis l'étonnement dû aux accords de Munich et l'attente née du pacte germano-soviétique d'août 1939. Il y a enfin la morne expectative des événements du front français qui vient après les atermoiements de Paris et de Londres. La campagne de Pologne — qui fut de toute la seconde guerre mondiale la seule « guerre éclair » — stupéfie.

LA GUERRE D'HIVER EN FINLANDE

En Finlande, l'armée formée à l'« allemande » et par l'Allemagne ne doute plus de la supériorité de la Wehrmacht qui lui semble le seul vrai rempart contre l'URSS devenue, par la faiblesse des dirigeants les plus responsables et par une savante propagande du parti « carélien », l'ennemie héréditaire. C'est à ce moment, en octobre 1939, que les Soviétiques demandent officiellement l'ouverture de négociations sur des « questions politiques concrètes » au gouvernement finlandais.

Les réactions à cette demande de conversations sont diverses. Celles qui se manifestent tout d'abord sont d'indifférence et d'attente : le gouvernement finlandais hésite à s'engager dans des discussions qui lui paraissent inutiles. Bientôt, pressé par les Soviétiques, le gouvernement finlandais désigne J. K. Paasikivi (puis lui adjoint V. Tanner) pour mener ces rencontres du côté finlandais tandis que l'armée est mise sur pied de guerre et entièrement soumise à C. G. E. Mannerheim. Les centres urbains sont évacués.

Les trois hommes ci-dessus revêtent une importance de premier ordre, non seulement dans cette période mais dans l'histoire de la Finlande indépendante, de 1917 à 1960, de façon plus ou moins continue. Ce qui ici importe est que le chef de la délégation finlandaise dit ouvertement ce que le président de la Commission de défense déclare en privé mais reprendra publiquement par la suite : il faut négocier et aboutir à un accord. La guerre peut pour la Finlande être une catastrophe. En bref, les demandes soviétiques leur semblent « négociables ». Ces demandes ne sont pas nouvelles : elles portent sur une rectification de frontière en avant de Léningrad. Ce souci existe depuis la fondation de la ville (dont la population atteint presque à celle de la Finlande tout entière), c'est-à-dire depuis Pierre le Grand.

En dépit de leurs responsabilités et de leur renommée, ni J. K. Paasikivi ni C. G. E. Mannerheim ne parviennent à se faire entendre de leur gouvernement d'autant qu'une bonne part de l'opinion publique ignore tout des conversations (l'assemblée nationale et la commission des affaires étrangères ne sont pas tenues au courant), que le gouvernement dans son ensemble est persuadé que les demandes soviétiques sont « d'intimidation », que s'engager à fond serait se réduire à l'état des pays baltes, et que de nombreux Finlandais sont persuadés du soutien occidental comme de l'appui allemand et de l'aide scandinave.

Ces croyances sont entretenues par ce qui est dit de la Conférence des chefs d'Etat des quatre pays nordiques, réunis à Stockholm le 19 octobre 1939, et qui aboutit au communiqué commun constatant :

« à l'unanimité des gouvernements représentés, résolus à s'en tenir — dans une étroite coopération et de manière suivie — à une stricte neutralité... et leur accord pour que, pendant la guerre actuelle, le Danemark, la Finlande, la Norvège et la Suède suivent dans leur politique la même ligne de conduite que celle appliquée avec succès, grâce à une étroite collaboration, pendant la guerre de 1914-1918 ».

Ces croyances sont aussi entretenues par les démarches américaines, les promesses franco-britanniques, les silences allemands.

Mais le 26 novembre un incident de frontière provoque, de la part de l'URSS, la dénonciation du pacte signé en 1932 entre la Finlande et l'URSS. Le 30 novembre, c'est la guerre. Elle durera cent cinq jours. Quelque temps avant l'ouverture des hostilités, le chef de l'armée, C. G. E. Mannerheim, avait déclaré que l'armée finlandaise pourrait « tenir » cent jours au plus. Une littérature abondante existe sur cette période à commencer par les quotidiens et les hebdomadaires français. Cette guerre ne pouvait se terminer, étant donné la « taille » des adversaires, que par une victoire soviétique. Ce qui, dès lors, étonne est le temps mis par les Soviétiques pour vaincre, comme la détermination des Finlandais dans leur combat dont ils sortiront « bons deuxièmes ».

Cette guerre d' « Hiver » qui se déroule par des températures très rigoureuses (— 50 ºC ne sont pas rares) montre que l'unité nationale est une réalité profonde — que si elle n'est pas encore réalisée en octobre 1939 elle se manifeste avec éclat dès le 1er décembre, devant le danger extérieur. Cette unité est à l'origine des lenteurs soviétiques, le gouvernement de l'URSS ayant alors tablé sur une décomposition rapide de la société finlandaise. Mais il y a un autre aspect non négligeable qui est celui de la participation indirecte — car il n'y a de participation directe que de volontaires isolés — des pays extérieurs. Cette participation est de deux ordres : matériel et psychologique. Durant toute cette guerre, la Finlande a le sentiment d'être « portée » par le monde entier : les encouragements viennent aussi bien du Japon que des Etats-Unis, d'Italie que de France, de Hongrie que de Grande-Bretagne. Face au bolchevisme, la Finlande se sent véritablement le héraut d'armes du monde, ou à tout le moins de l'Europe. Elle se sent dans son bon droit d'autant que cet appui n'est pas seulement psychologique : les puissances occidentales, les Etats scandinaves, certains pays alliés à l'Allemagne avancent des fonds et envoient des armes. Il y a dès lors une illusion si bien entretenue par le gouvernement finlandais (mais non pas par l'Etat-major qui évalue la situation froidement et avec clairvoyance) que la désillusion est grande lors de l'annonce de la paix — et de la défaite.

En mars 1940, la Finlande a soudainement le sentiment d'être abandonnée de tous et surtout de la France qui encore en février multipliait les encouragement à la résistance contre les Soviétiques et les promesses d'intervention (et en France, le gouvernement Daladier, qui s'est fait le champion de la cause finlandaise, tombera peu après la signature de la paix : la défaite finlandaise est « sa » défaite). De même, une déception évidente se fait jour en ce qui concerne les Etats scandinaves. La Finlande avait espéré et attendu leur aide massive et directe. Celle-ci se limite à la fourniture de matériels divers — parfois importants : matériel lourd, équipements d'hiver, avions, etc. (1). Plutôt que neutres, les pays scandinaves sont des « Etats non belligérants », selon un discours du ministre suédois des Affaires étrangères, le 19 jan-

(1) La Suède fournit à elle seule 84 400 fusils, 575 mitrailleuses, plus de 300 canons, 25 avions, des cartouches, obus, vêtements, équipements sanitaires, etc., et des volontaires.

vier 1941. Mais aucun des Etats ne s'engage totalement. Ils vont même plus loin en refusant qu'un corps expéditionnaire franco-britannique traverse leurs territoires. L'une des raisons invoquées par les Scandinaves pour refuser ce transit tient aux déclarations de P. Reynaud qui veut « couper la route du fer » à l'Allemagne, c'est-à-dire prendre, d'une façon ou d'une autre, le contrôle des mines de fer du nord de la Suède, ce qui pouvait entraîner une riposte allemande. (Il y a aussi que les demandes officielles sont tardives, et inutiles : la dernière parvient à Stockholm le 12 mars; le 13, les Finlandais déposent les armes.)

D'un autre côté, la Finlande reproche en général aux pays scandinaves leur manque de solidarité et, tout particulièrement à la Suède, d'avoir pesé chaque fois qu'elle en avait la possibilité en faveur du retour de la paix en Finlande, au détriment de celle-ci, mais afin de préserver l'ensemble du Nord ou, en d'autres termes, d'assurer la protection de la Suède aux dépens de la Finlande.

Quand la paix est rétablie, la Finlande doit céder à l'URSS les territoires demandés en octobre sans qu'aucune contrepartie ne lui soit cette fois offerte. De plus, elle doit réinstaller les réfugiés des terres évacuées. Enfin, le Parti communiste trouve la possibilité de paraître au grand jour et ses militants doivent être libérés des prisons où ils étaient enfermés parfois depuis de très nombreuses années.

En dépit de tous les ressentiments qu'elle peut éprouver ou exprimer, la Finlande demande dès avant la fin des hostilités, le 27 février, la conclusion d'une alliance défensive une fois la paix revenue, avec la Suède. Le 11 mars, la question est aussi posée à la Norvège. Les deux pays scandinaves donnent leur accord de principe mais réservent leur réponse définitive. Une semaine après la signature de la paix, Moscou fait savoir qu'une telle alliance serait contraire au texte qui vient d'être signé par la Finlande et l'URSS — et ce nouveau projet tourne court. La Finlande se trouve isolée dans la paix plus encore que dans la guerre. Jusqu'au 12 mars, les « politiques » et à leur suite l'opinion publique — mais pas l'état-major — ont espéré un secours de l'Occident et des Pays scandinaves. La paix est la manifestation de l'inanité de cet espoir. Il ne reste alors que l'Allemagne vers qui se tourner officiellement. Dès avril 1940, des débuts de rapprochements se font jour, tout d'abord dans le domaine de la « coopération» militaire, mais bientôt aussi dans le domaine économique avec la reprise de l'exploitation des mines de nickel de Petsamo.

L'OCCUPATION DU DANEMARK

Toutefois, en avril 1940, la guerre mondiale entre dans une phase nouvelle : le 9 avril, les troupes allemandes envahissent le Danemark et la Norvège. Malgré les avertissements nombreux, dont des informations des légations scandinaves à Berlin, aucun des trois pays : Danemark, Norvège et Suède, n'avait cru que l'Allemagne oserait violer la neutralité scandinave maintes fois affirmée et c'est justement pour éviter de prêter le flanc aux critiques nazies possibles que ces trois pays se refusent à tout réarmement massif.

Dans la journée du 9, le Danemark est occupé. En raison de son attitude antérieure (signature du pacte de non-agression) et présente (non-résistance) le Danemark est déclaré protectorat du Reich. Son gouvernement reste en place, légèrement modifié : les partis d'opposition y participent; c'est l'union nationale; et le ministère des Affaires étrangères passe aux mains d'un homme « conciliant » à l'égard de l'Allemagne.

LA CONQUÊTE DE LA NORVÈGE

L'occupation de la Norvège est moins aisée pour au moins trois raisons :

— la configuration des sols ne permet pas une avance rapide ;
— moins que les Danois, les Norvégiens sont prêts à supporter la férule allemande, et surtout nazie : Quisling revient dans les fourgons allemands après s'être totalement déconsidéré en Norvège, en temps de paix ;
— les Alliés franco-britanniques viennent d'entreprendre l'expédition de Narvik et l'appui qui avait été promis à la Finlande et n'était jamais arrivé se trouve présent physiquement contre l'agression allemande (les troupes franco-britanniques deviennent un appui en raison de l'attitude allemande — autrement elles auraient été fort embarrassantes pour le gouvernement d'Oslo).

L'expédition de Narvik débute le 7 avril. Là encore nous disposons d'une abondante documentation tant en français qu'en anglais. Nous ne nous y attarderons pas. Notons seulement que cette opération conjointe franco-britannique (mais aussi polonaise et surtout norvégienne) fait que la Norvège perd son statut de neutre, que les troupes norvégiennes résistent aux armées allemandes, que le gouvernement norvégien et la famille royale quittent Oslo et rejoignent les Alliés dans le nord du pays pour ensuite se rendre en Grande-Bretagne. L'expédition de Narvik se termine le 10 juin. Officiellement l'armée norvégienne, en territoire norvégien, dépose les armes. Mais le combat des Norvégiens contre l'Allemagne ne fait que commencer. Cette campagne, mise sur pied par les Alliés pour « couper la route du fer » à l'Allemagne et décidée par l'état-major interallié le 5 février 1940, aboutit à un repli général des troupes alliées grossies des troupes norvégiennes, par un mouvement volontaire : le 28 mai, l'armée belge a capitulé, la bataille de Dunkerque s'achève, la campagne de France entre dans une nouvelle phase qui va aboutir à la défaite de la France.

L'attaque allemande contre le sud de la Norvège, l'invasion délibérée par terre, air et mer, la formation d'un gouvernement Quisling ordonnant de coopérer pleinement avec les troupes nazies incitent le gouvernement légal, le palais royal et le peuple norvégien tout entier à résister à cette agression — ce qui est bien difficile avec une armée de 7 000 hommes, mal armés, contre un corps expéditionnaire de 15 000 hommes bien armés et bien entraînés, appuyés par les meilleurs éléments de la marine allemande — ce qui n'empêchera pas cette armée norvégienne, secondée par les chasseurs alpins, d'infliger sa première grave défaite à l'armée allemande.

A la fin mai, l'ensemble de la Norvège est occupé. La Suède parvient à rester neutre, position que la Finlande maintient encore quelque temps tandis que l'Islande et le Groenland, terres éloignées, se trouvent dans la mouvance des puissances alliées.

L'ISLANDE ET LE GROENLAND

L'engagement de ces deux régions dans la seconde guerre mondiale est fortuit. Il est aussi « extérieur » étant donné les populations concernées. Mais il est important pour des raisons stratégiques.

Le contrôle au moins partiel du Groenland est nécessaire pour une guerre moderne en Europe occidentale : il existe sur la côte Est sept stations météorologiques qui annoncent les perturbations pouvant atteindre l'Europe et tout l'Atlantique Nord. Les informations fournies par ces stations sont essentielles pour les relations de la Grande-Bretagne avec les Etats-Unis comme pour toutes les opérations terrestres, maritimes et aériennes en mer du Nord, Manche, etc. C'est pour ce contrôle qu'il y aura, de 1940 à 1944, un « front arctique » à proximité de l'Amérique. Cette guerre pour le contrôle des stations météorologiques commence dès le printemps 1940. Elle n'est pas spectaculaire et n'engage pas de grands moyens : par des températures variant de — 10 °C à — 50 °C en moyenne, deux équipes, l'une allemande, l'autre alliée (en fait surtout danoise), fortes toutes deux de moins de 10 hommes spécialistes de l'Arctique, se font la guerre sur un « front » de 1 200 km. Il ne s'agit pas seulement pour ces hommes de fournir des renseignements vitaux, il faut aussi empêcher l'adversaire de les recevoir. Finalement, les Alliés l'emportent après des alternances de « victoires » et de « défaites », où l'on voit le chef des météorologistes danois (allié) prisonnier du responsable de l'expédition allemande et parcourant à ses côtés des centaines de kilomètres, le faisant prisonnier à son tour, et retournant totalement la situation, obligeant l'expédition allemande à renoncer à demeurer plus longtemps en Groenland.

La situation de l'Islande est quelque peu différente. Le Danemark occupé, l'Islande se trouve indépendante de fait. Son importance tient à sa situation géographique, à sa capacité « d'accueil » aussi bien pour les navires que les avions voyageant dans l'Atlantique Nord. Par précaution, dès le 10 mai 1940, les troupes britanniques prennent le contrôle de l'île en dépit des protestations de l'Althing. Une année plus tard, les troupes britanniques seront relevées par des troupes américaines. Cette occupation n'est cependant pas ressentie comme une atteinte à la neutralité. En se plaçant sous la protection des Etats-Unis (qui ne sont pas en guerre) au cours de l'été 1941, de nombreux Islandais voient non seulement le seul moyen d'échapper à l'Allemagne mais aussi la possibilité d'accéder à l'indépendance. Le fait que l'Islande soit un point de ralliement et de relâche pour les convois alliés permet un développement économique certain de l'île. Cela s'accompagne d'une très forte inflation mais, en quelques années, le niveau moyen de vie s'élève considérablement. C'est aussi à cette époque que les ressources naturelles sont largement drainées et utilisées. Le 17 juin 1944, après un plébiscite, l'Islande se proclame indépendante. Elle est toujours occupée par les forces alliées (américaines) qui lui assurent un plein emploi sans qu'elle ait eu à participer physiquement à la guerre. Le fait qu'elle soit entrée dans un « circuit mondial » lui assure pour quelque temps encore une prospérité jamais connue. L'armistice signé avec l'Allemagne n'ayant pas été suivi d'un traité de paix, l'Islande pourra louer des bases aériennes aux Etats-Unis et s'assurer, dans une paix non officielle, la poursuite d'une économie de guerre qui lui avait été favorable.

A l'issue de la guerre, le Danemark est contraint de reconnaître la validité des décisions du temps de guerre et accepte la proclamation d'indépendance islandaise.

LE DANEMARK ET LA NORVÈGE OCCUPÉS

Quoique le statut juridique de ces deux pays soit différent, la guerre, par le fait de l'occupation allemande, revêt des caractères généraux identiques. Simplement — mais ce n'est pas peu dire — la présence militaire est plus brutale en Norvège qu'au Danemark et, dans un premier temps, l'administration allemande ne se manifeste qu'indirectement au Danemark.

La population danoise ressent vraiment la présence allemande à partir de juin 1941. Alors le Parti communiste est interdit et ses membres pourchassés. Le premier « tournant » de la guerre se situe cependant en novembre 1941 quand le gouvernement danois est contraint d'adhérer au pacte antikomintern. Les Danois se posent alors la question de savoir quel prix ils devront payer leur paix relative. La jeunesse danoise réagit très vite par de nombreuses manifestations antinazies, tandis que le Parti communiste clandestin entreprend le sabotage systématique des voies de communication, ce qui bien sûr est très gênant pour toutes les relations avec les troupes allemandes de Norvège. En août 1943, le Danemark perd son statut de protectorat et devient un simple pays occupé. Cela ne bénéficiera guère à l'Allemagne, mais permettra au Danemark de rejoindre le camp allié, ouvertement. La résistance, qui jusque-là était le fait de quelques groupes, devient nationale. Quand, en octobre 1943, Hitler décide de la liquidation des Danois d'origine juive, il ne parvient à arrêter qu'à peine 200 d'entre eux (il y en avait alors 7 000), tant la résistance est vive, unanime et efficace. En mai 1945, le soulèvement est général. 43 000 hommes encadrés par les officiers de l'armée régulière prennent les armes contre les troupes allemandes. Et si les dirigeants politiques ne sont pas toujours d'accord avec le mouvement de résistance, celui-ci recrute dans tous les milieux et tous les partis, si bien qu'au moment de la Libération un nouveau gouvernement de coalition est facilement constitué et le Danemark, par sa lutte intérieure, peut être considéré comme une puissance alliée.

Légère dans ses débuts, l'occupation allemande n'en a pas moins entraîné de lourdes pertes. Des milliers de personnes ont fui le Danemark, par mer, pour se réfugier en Suède qui est le grand lieu de refuge, y compris pour les Norvégiens qui bénéficient d'une frontière plus aisée à traverser.

La Norvège est, dès juin 1940, territoire d'occupation. Avec une particularité : 80 % de sa flotte marchande (soit près de 4 millions de tonnes) se trouvent sous contrôle allié, et la totalité de ses réserves monétaires ont été emportées par le gouvernement légal et se trouvent en Grande-Bretagne.

De 1940 à 1943, les actions de commando et de guérilla vont être incessantes. Il s'agit essentiellement de détruire les industries pouvant servir à des buts de guerre (et les usines d'eau lourde ne sont qu'une partie de ces implantations). L'action norvégienne se développe en deux lieux différents : une partie des troupes norvégiennes (et la marine) participent aux actions des troupes alliées aussi bien en Méditerranée que dans l'Arctique. La marine aura particulièrement à souffrir de cette guerre : 2 700 000 t marchandes sont coulées par la marine allemande. La marine royale participe tout naturellement aux actions de la marine britannique (contre le *Scharnhorst* entre autres). Mais la participation norvégienne aux opérations alliées se situe aussi en Norvège même.

Le développement rapide du mouvement de résistance est en partie une réponse aux exactions du Reichskommissar J. Terboven et au soutien d'Hitler à Quisling. Ce dernier parvient sans doute à restructurer son parti nazi, mais il ne parvient pas à se concilier plus de 5 % de la population. En 1942, Quisling tente de réunir une Assemblée de corporation en lieu de l'Assemblée nationale. Là encore son échec est notoire et la répression très forte (les enseignants qui sont les premiers à refuser de collaborer sont aussi les premiers à être frappés « en corps »). En 1942, 35 000 Norvégiens sont en prison (dont 760 Juifs, soit la moitié de la population d'origine israélite de Norvège ; 22 seulement survivront). En 1944, le Parti nazi se trouve totalement isolé, sa correspondance est régulièrement interceptée, ses bureaux dynamités. Et quand le Reichskommissar décide de l'envoi des jeunes gens dans les industries de guerre, il ne parvient à en rassembler que 300, alors qu'il en attendait 70 000. Pendant ce temps l'armée secrète rassemble 32 000 hommes — on parle même de 47 000.

L'une des façons de résister à l'occupant est de se soustraire à la pression et au contrôle des nazis. Pour cela, il faut gagner la Suède où bien souvent les Norvégiens sont rassemblés dans des camps d'internement, où finalement ils s'entraînent militairement (mais secrètement) à la lutte armée.

La contribution de la Norvège à l'effort antinazi est importante. Par les destructions tout d'abord : un tiers des industries norvégiennes est détruit, les voies de communication sont peu sûres alors que les côtes norvégiennes sont nécessaires à la marine et à l'aviation allemande pour le contrôle de l'Arctique, de la mer du Nord, du mouvement des convois alliés se rendant à Mourmansk. Mais la résistance se manifeste aussi en s'attaquant directement aux forces allemandes : dans le seul port d'Oslo, plus de 50 000 t de la marine de guerre allemande sont coulées par le mouvement communiste norvégien. Le renseignement joue aussi un rôle important : les stations émettrices de renseignement passent, en dépit de la répression, de 2 en 1940 à 69 en 1945.

La Norvège se trouve de plein droit puissance alliée lors de la fin de la guerre qui est marquée par le retour du roi à Oslo, le 7 juin 1945, et l'admission de la Norvège à l'ONU. Dernier aspect de la guerre, avant la reconstruction : l'élimination des criminels de guerre. 30 sont condamnés à mort. 25 sont exécutés (dont Quisling). 500 sont condamnés à huit ans de prison ou plus. Ils seront amnistiés en 1957.

Ce problème des criminels de guerre est connu aussi en Finlande à la fin de la guerre. Mais, en 1940, la Finlande se trouve dans une situation bien différente de celles du Danemark ou de la Norvège.

LA FINLANDE : LA PAIX « INTERMÉDIAIRE » LA « GUERRE DE CONTINUATION » ET LA GUERRE DE LAPONIE

A peine sortie de sa « guerre d'Hiver », la Finlande se trouve isolée. La Baltique est fermée. L'impression générale est que l'Allemagne est invincible.

Le mouvement nazi et le corps des officiers, déjà très fortement influencés par l'armée allemande et le NSDAP, sont maintenant persuadés que l'Allemagne va dominer le monde. Le gouvernement est plus lent à se laisser convaincre. Mais il se trouve pris dans un engrenage, dans un filet aux mailles tressées par les militaires et les amis de l'Allemagne. Dès l'été 1940, l'armée finlandaise puis les hommes politiques acceptent de coopérer avec l'Allemagne. Pour eux c'est le seul moyen de « récupérer » ce qui a été perdu. L'argument qui sera sans cesse utilisé par la suite est que ce que la Finlande a accordé à l'Allemagne (droit de transit pour les troupes allemandes par exemple) l'a été auparavant à l'Union soviétique. Cet argument se révèle totalement faux quand on prête quelque attention aux dates : la Finlande accorde tout d'abord à l'Allemagne des droits non évidents qu'elle concède ensuite à l'URSS. Mais à l'époque l'information est si pauvre et la croyance en la puissance allemande si grande qu'il est aisé de comprendre que les Finlandais se soient laissés entraîner. De nombreuses études ont paru sur cette période qui rétablissent les faits (1).

(1) Dans la *Revue d'histoire de la seconde guerre mondiale* en particulier, ainsi qu'en anglais, en particulier UPTON [403] et LUNDIN [384].

A partir de septembre 1940, la coopération de la Finlande et de l'Allemagne devient active. En décembre, l'état-major allemand sait qu'il peut compter sur l'armée finlandaise dans son plan Barberousse.

Quand l'Allemagne se lance dans la guerre à l'est en juin 1941, la Finlande est sur pied de guerre. Elle attend, selon les plans établis à Berlin, une avance suffisante des troupes allemandes en direction de Moscou et de Leningrad, ou une contre-attaque soviétique, pour entrer en action. Le 25 juin, l'aviation soviétique bombarde certains objectifs en Finlande — qui officiellement est toujours neutre mais a déjà cédé la Laponie, des terrains d'aviation, des secteurs portuaires à l'Allemagne. La Finlande entre alors officiellement en guerre contre l'URSS. C'est ce qu'on appelle la guerre de « Continuation ».

Sans vouloir entrer dans le détail de cette guerre, disons que nous pouvons distinguer trois périodes :

1 / Jusqu'en décembre 1941, la Finlande a l'espoir d'une victoire rapide ;

2 / De décembre 1941 à début 1943, la Finlande prend conscience qu'elle ne peut pas gagner militairement la guerre, que le temps joue en faveur de l'URSS et elle cherche à se démarquer de l'Allemagne ;

3 / Du printemps 1943 à l'automne 1944, « l'opposition de paix » pèse sur toutes les actions politiques et finalement obtient — les revers militaires étant nombreux et importants — le retrait de la Finlande.

Mais cette « périodisation » n'apparaît qu'*a posteriori*. Elle révèle les courants forces qui s'organisent pour dominer par la suite. Elle fait état de l'opinion en particulier du maréchal Mannerheim qui, très tôt, se rend compte que l'Allemagne a perdu la guerre (il le déclare en privé dès le 6-XII-1941). La situation ne peut cependant pas être « retournée » d'un coup. L'opposition de paix, animée par les social-démocrates de gauche bientôt rejoints par les « Suédois », se développe lentement. Sa première manifestation a lieu en faveur des Juifs réfugiés d'Allemagne en Finlande. Elle obtient de Mannerheim que leur transport en Allemagne soit interdit. A partir du printemps 1943 cette « opposition » entretient des conversations avec Stockholm et, à Stockholm, avec l'ambassadrice soviétique A. Kollontaï.

Cependant, à l'été 1944, la Finlande est obligée de signer le pacte antikomintern. Un artifice de procédure fait que le pacte n'est pas soumis au Parlement (en fait inexistant durant toute cette période, du moins en ce qui concerne les questions essentielles de guerre et de paix — ce n'est qu'après la guerre que les députés auront connaissance des situations exactes y compris des demandes soviétiques de 1939) et le pacte est signé « à titre personnel » par le Président de la République — ce qui n'a aucune valeur en Finlande. Quand le front s'écroule en septembre 1944, le Président de la République se retire et le pacte n'a plus aucun sens. Le maréchal Mannerheim devenu président signe l'armistice.

Cette guerre engagée sur de faux calculs aboutit à un armistice très lourd : la Finlande est amputée de toute la Carélie occidentale, elle perd le territoire de Petsamo acquis en 1920 (et du même coup les mines de nickel), et doit payer une forte indemnité, interdire le parti nazi, poursuivre les criminels de guerre (8 condamnés à diverses peines de prison n'excédant pas dix ans), louer pour cinquante ans la base de Porkkala à l'URSS (elle sera rétrocédée à la Finlande en 1955). Et elle doit se débarrasser des troupes allemandes qui se trouvent sur son territoire. Ce sera la guerre de « Laponie ».

L'essentiel de l'armée allemande en Finlande se trouve en Laponie. Cette armée était chargée de prendre Mourmansk en juillet 1940. Son échec avait été total et rapide. Grave aussi, car il laisse à l'URSS la possibilité de communiquer avec les Alliés occidentaux. Cependant, en s'implantant dans cette région, l'armée allemande contrôle les mines de nickel de Petsamo essentielles à l'industrie de guerre allemande. A l'automne 1944, le général Rendulic est contraint de retirer ses troupes encerclées par les Soviétiques et les Finlandais, harcelées sur leurs arrières par les résistants norvégiens qui opèrent à l'ouest du cap Nord. De ce territoire immense (presque le quart de la Finlande), l'armée allemande va faire un désert. Après la guerre, l'UNRRA constatera que de toute l'Europe la Laponie finlandaise a été le territoire le plus systématiquement détruit : il ne reste pas une maison (36 % totalement détruites, les autres endommagées), la population a dû être totalement évacuée (elle trouvera refuge tout d'abord en Laponie suédoise), les troupeaux de rennes ont été dispersés (38 000 têtes de rennes et bovins ont été tuées par l'armée allemande en retraite, soit directement, soit par minage du sol), et il ne reste aucun pont, aucun kilomètre de route intact. Encore en 1945, 54 personnes sont tuées par des mines, 17 en 1946, 2 en 1948. Le dernier Allemand quitte la Finlande en avril 1945.

Outre les destructions et les pertes de territoires, la guerre a provoqué la mort de 55 000 personnes et 500 000 personnes sont des réfugiés qu'il faut reclasser (pour une population inférieure à 4 millions). Et puis aussi, contrairement aux autres pays nordiques, la guerre se termine par une défaite qui oblige à une révision totale de la politique antérieure de la Finlande, tant du point de vue intérieur qu'extérieur.

LA SUÈDE

La situation est tout autre en Suède qui parvient, seule des pays nordiques, à demeurer neutre. Elle se veut neutre et parviendra à le demeurer. Cela ne se fait pas sans concessions. Elle bénéficie du fait d'être « intéressante » : ni l'URSS ni l'Allemagne ne souhaitent la voir (l'avoir) parmi leurs adversaires. Pour l'URSS, c'est un ennemi inutile. Pour l'Allemagne, l'espoir subsiste longtemps de voir la Suède basculer à ses côtés (lire par exemple les déclarations d'Hitler, le 3 février 1941), d'autre part, elle est utile pour des transactions financières — ce qui bénéficie à l'économie suédoise qui devient en 1939-1945 un refuge financier et bancaire. Enfin, l'Allemagne estime qu'elle peut faire l'économie d'une occupation : les accords commerciaux avec la Suède sont tels que les livraisons de fer sont assurées.

Cette neutralité n'est pas uniforme et connaît de nombreuses déviations. Dans une mesure importante, la Suède y est contrainte : elle ne peut demeurer neutre sans risque, étant encerclée par les armées allemandes ou alliées de l'Allemagne. Dès le 18 juin 1940, elle accepte que les troupes allemandes transitent par son territoire pour gagner plus rapidement le nord de la Norvège. En juin 1941, ce transit est accordé pour les troupes allemandes à destination de la Finlande. Il durera jusqu'à l'été 1943.

L'Allemagne a toujours été cliente de la Suède. De 1940 à 1944, la Suède livre annuellement 10 millions de tonnes de fer aux industries allemandes (ce qui représente 50 % de la production suédoise). Mais aussi, afin de ne pas déplaire aux autorités nazies

— ou ne pas les « provoquer » — la revue *Clarté*, fondée en 1919 et très ouvertement antinazie, est contrainte de suspendre ses livraisons en 1940. Elle ne reprendra qu'en 1944, avec une forte participation communiste.

D'un autre côté la Suède cède, contre paiement, la moitié de sa flotte marchande aux Alliés, en 1941. Cela lui permet d'obtenir que les Etats-Unis poursuivent leurs livraisons de céréales pendant la guerre et évite au pays de connaître les difficultés alimentaires de 1914-1918.

Enfin, et ce n'est pas négligeable, la Suède abrite de nombreux réfugiés qui ont fui la domination nazie. 30 000 Norvégiens, 11 000 Danois, 50 000 Finlandais, 30 000 Baltes trouvent abri en Suède au cours de cette guerre.

Ce récapitulatif rapide ne jette que de brèves lueurs sur ce que put être la neutralité suédoise. Il est certain que l'équilibre entre belligérants était difficile à obtenir, puis à tenir. Mais cet équilibre était aussi difficile à atteindre en Suède même. Le palais royal et quelques groupes penchaient en faveur d'une aide active à l'Allemagne, soit par inclination idéologique, soit par intérêt, soit encore par calcul. Les syndicats, de leur côté, penchent très ouvertement en faveur des démocraties occidentales. Il n'est guère que pendant la guerre d'hiver que l'opinion publique est d'accord avec le palais royal. Le souhait d'une intervention rapide en faveur de la Finlande est évident. Mais ce désir se heurte au gouvernement et aux états-majors des partis qui, tout en voulant venir en aide à la Finlande, désirent rester en dehors de la guerre. Quand la Finlande se trouve aux côtés de l'Allemagne, la Suède est très partagée : la Norvège est occupée et la Finlande alliée à l'occupant. Les pays nordiques sont donc divisés et la Suède souhaiterait n'avoir pas à choisir. Elle aidera les uns et les autres, individuellement, chaque fois qu'elle estimera pouvoir le faire sans danger pour elle-même. Le reste du monde paraît n'avoir que peu existé pour les Suédois de cette époque — encore que diverses personnalités aient joué le rôle de médiateur à plusieurs occasions, dans quelques-uns des pays soumis à l'Allemagne. Ce repliement de la Suède tient aussi pour partie au régime de censure que subit la presse, mais qui frappe essentiellement les journaux antinazis et surtout de tendance communiste, jusqu'en 1942. Sur 315 journaux saisis ou interdits durant la guerre, 264 le sont pour parler de l'Allemagne en mal — y compris lorsqu'il s'est agi de rapporter les atrocités ou les crimes commis par l'armée allemande en Norvège.

La guerre est aussi une charge pour la Suède dont la liberté de mouvement est fortement entravée à l'intérieur. Le développement social amorcé entre les deux guerres et surtout à partir de 1934 est arrêté. Les prix et les salaires sont bloqués en 1942. La Défense nationale devient une préoccupation quotidienne et la Suède, par précaution, se dote d'une armée importante. Tous les hommes sont astreints au service militaire porté à quatre cent cinquante jours. De nombreuses usines sont orientées vers l'armement, tandis que d'autres fabriquent des matériaux et des objets jusque-là importés. L'agriculture se ressent plus directement de l'état de guerre environnant : les importations sont réduites à l'essentiel et le fourrage ne peut plus être qu'une production locale. L'insuffisance des récoltes en plantes fourragères oblige à abattre un bétail nombreux, en 1942. Cette situation se répercute très vite dans le domaine alimentaire général. Toutefois, afin d'éviter la reproduction des émeutes de 1917, le gouvernement suédois veille tout au long de la guerre à ce que le lait demeure une denrée « libre » et abondante. Ce produit devient un véritable symbole. Certaines denrées alimentaires seront contingentées, mais pas le lait.

La guerre épargne très largement la Suède, non seulement par rapport aux autres pays riverains de la Baltique mais aussi par rapport aux situations qu'elle avait antérieurement connues en 1914-1918. Et la prospérité relative de la Suède la séparera quelque peu des autres pays nordiques lors du retour de la paix (1).

----

(1) On aura tout intérêt, pour mieux connaître les diverses situations nordiques durant la seconde guerre mondiale, à se reporter aux travaux du « symposium » d'août 1976, à Oslo, sur cette question.

CHAPITRE VII

L'APRÈS-GUERRE

Les problèmes de l'après-guerre sont très différents pour chacun des pays nordiques. L'Islande entre dans « l'ère américaine », tandis que la Suède « s'américanise ». Le Danemark, la Norvège et la Finlande pansent leurs plaies avec des difficultés croissantes du sud au nord, de l'ouest à l'est ; la Finlande se trouve dans une situation particulièrement difficile ayant été plus que les autres pays touchée par la guerre et étant, de plus, dans le camp des vaincus.

C'est au cours de la décennie 1951-1960 que les pays nordiques retrouvent un équilibre rompu par la seconde guerre mondiale, puis en viennent à rechercher une coopération plus grande, une certaine « unité nordique » et voient aussi leurs économies prendre leur essor. L'aspect économique de la période 1947-1967 est soigneusement noté dans l'ouvrage de Gunnar Alexandersson [528] paru aux PUF, en 1971. Nous ne reviendrons sur cette situation que pour quelques points de détails touchant la période des « réparations » pour la Finlande.

Pour les pays nordiques, la guerre de Corée (1950-1953) marque un nouveau tournant qui est en même temps le signe de la fin de la seconde guerre mondiale et le début d'une prospérité de paix, sauf pour la Finlande qui parvient à ce moment au terme de sa période de réparations et d'indemnités. Il lui faut donc, dans les années 1953-1955, entreprendre ce qui a été fait dans les autres pays depuis 1945. Toutefois, la Finlande bénéficie de cette union nordique naissante. Elle progressera beaucoup plus vite, relativement, que les autres pays voisins et en une dizaine d'années comblera un grand retard dans le domaine économique.

Cette première période est aussi marquée pour tous les pays nordiques, à l'exception de l'Islande, par une progression très forte du mouvement communiste. Partout cette « fièvre » retombe assez vite, sauf en Finlande où le Parti communiste demeure un concurrent sérieux du Parti social-démocrate, qui, s'il n'est pas toujours dominant, est partout le parti le plus nombreux. A ce titre le Parti social-démocrate participe à peu près en permanence aux gouvernements des pays nordiques, ce qui implique un certain « choix de société » différent de ce qui est en Europe (orientale ou occidentale) ou en Amérique et donne aux pays nordiques une certaine unité « naturelle ». L'exemple le plus évident de cette nouvelle société est la Suède qui peut être considérée comme un « modèle ».

LA SUÈDE

En 1945, la Suède se trouve en position de force non seulement parmi les pays nordiques, mais par rapport à l'ensemble de l'Europe. Seuls pourraient lui être comparés des pays comme l'Islande et la Suisse si la taille, la population et les ressources naturelles de ces pays le permettaient. La guerre a permis à la Suède d'opérer un certain nombre de « transferts » qui renforcent sa stabilité : pendant cinq années, la Suède a été obligée de compter essentiellement sur elle-même, d'orienter ses industries vers la consommation intérieure. Cela fait aussi que ces industries sont beaucoup plus diversifiées qu'avant la guerre, que ces industries nées de la guerre ne sont contraintes ni à reconstruction ni à reconversion. Et puis, facteur non négligeable, la population suédoise aborde la période de paix sans pertes humaines, sans invalides, orphelins ou veuves de guerre, sans problèmes territoriaux non plus.

Mais la Suède se trouve « handicapée » du fait même qu'elle n'a pas connu la guerre. Elle l'est doublement : elle se sent coupable vis-à-vis de ses voisins qui ont subi le poids des armes et se veut exemplaire dans l'aide qu'elle peut apporter; n'ayant pas à reconstruire, elle ne peut opposer aucune nécessité nationale supérieure aux mouvements sociaux.

Les partis d'opposition et les syndicats reprenant leur liberté de manœuvre en 1944-1945, la lutte contre l'inflation et la transformation des structures économiques échouent. Les grèves sont plus importantes qu'elles ne l'avaient été depuis 1909 par le nom-

bre de travailleurs concernés et le nombre de journées «perdues».
(Le nombre de journées de grève avait atteint 11 800 000 en 1909,
pour être à peine supérieur à 1 million en 1938 et 50 000 en 1942.
En 1944, il remonte à près de 230 000 et dépasse 11 300 000 en 1945.)

Ces mouvements sociaux, inattendus et amplifiés du fait que
le gouvernement a mis sur pied un programme en fonction d'une
crise économique mondiale (considérée comme inévitable par les
économistes suédois) qui ne vient pas, obligent le gouvernement à
abandonner pour un temps une partie de son programme de
nationalisation. Pour maintenir son programme social et le financer,
le gouvernement doit créer de nouveaux impôts, en particulier
sur les gros revenus et sur le capital. La pression fiscale comme
la crainte des nationalisations isolent quelque peu le parti au
pouvoir qui, pressentant des difficultés électorales, recherche
l'alliance du Parti agrarien. Cette alliance se réalise en 1948.
Alors les difficultés de l'immédiat après-guerre sont surmontées
et la société suédoise semble stabilisée. Il n'y aura plus de grandes
secousses durant deux décennies, si l'on excepte la grève des fonctionnaires en 1953. La Suède est bien installée dans le réformisme
et les variations dans la représentation nationale influent peu sur
l'ensemble politique qui à partir de 1945 est déterminé par tous
les Suédois de 21 ans et plus (la majorité électorale sera abaissée
à 20 ans en 1964) (1).

(1)

Année	Commu- nistes	Social- démocrates	Agrariens	Libéraux	Conservateurs
Nombre de représentants élus à la chambre basse (230 députés) :					
1940	3	134	28	23	42
1944	15	115	35	26	39
1948	8	112	30	57	23
1952	5	110	26	58	31
et à la chambre haute (150 sénateurs) :					
1952	4	80	24	20	21
1953	4	79	25	21	20
(Un sénateur est « sans parti » en 1952 et 1953.)					

Le Parti social-démocrate marque aussi son influence dans l'ensemble du pays où ses effectifs dépassent les 750 000 en 1951. Mais plus encore que par l'organisation politique centrale, c'est au travers de multiples organisations parallèles que la social-démocratie exerce son influence, que ce soit les syndicats, les coopératives, les ligues de tempérance, les associations sportives ou d'éducation ouvrière. Toutefois, le Parti social-démocrate est loin d'exercer un contrôle quelconque de l'opinion publique. La presse par exemple appartient à des groupes privés pour sa plus grande partie (la famille Bonnier possède 25 % des quotidiens et 50 % des hebdomadaires). Ce qui domine est la stabilité de la société, d'une part, et, d'autre part, la réduction des écarts sociaux sans qu'il y ait domination d'un groupe, de l'Etat, ou d'un parti. Cependant, les écarts de fortune demeurent importants et introduisent une grande diversité dans cette société : pour 3 millions de personnes imposables, près de 100 000 ont un revenu annuel encore inférieur à 600 couronnes, tandis que 15 000 environ dépassent les 30 000 couronnes. Pour grande que soit cette différence, on constate un « tassement » évident des revenus, accéléré à partir de 1950. Mais cette situation est encore une exception dans les pays nordiques.

L'ISLANDE

L'Islande pour sa part bénéficie du flux américain qui peut être considéré comme résultant tour à tour de la seconde guerre mondiale, puis de la « guerre froide » naissante. Ce flux apparaît à beaucoup comme une néo-colonisation : les deux populations, islandaise et américaine, vivent côte à côte sans se rencontrer. Mais l'apport financier américain est important. De 1941 à 1945, de 60 000 à 80 000 soldats américains cantonnent en Islande. Par la suite, ce nombre va décroître mais la présence américaine sera encore effective en 1975. Cette présence militaire n'influe pas directement sur le commerce local : les Américains vivent en « circuit fermé », mais ils assurent des emplois et un revenu constant par la location de la base de Keflavik.

L'aspect le plus spectaculaire de l'industrie islandaise est celui de la pêche. Toutefois ce secteur ne concerne, directement, que 10,8 % de la population en 1950 (et 7,3 % en 1960). En fait, l'industrie est assez diversifiée mais très dépendante des importations de matières premières tant pour les industries classiques que la construction. Les industries métallurgiques occupent un nombre croissant de personnes (11,1 % de la population industrielle) et concurrencent, dans le domaine de l'emploi, les industries du textile et du vêtement, plaçant les industries alimentaires à la troisième place. Mais il est remarquable qu'une des industries les plus florissantes soit celle de l'imprimerie (5,4 % de la population industrielle). Depuis 1963, la population active semble à peu près stabilisée dans les proportions ci-dessous :

Agriculture	14,7 %	de la population active
Pêche (marins)	6,5	—
Pêche (industrie)	9,8	—
Industries	17,7	—
Construction	11,0	—
Commerce	13,9	—
Communication	9,5	—
Fonction publique et professions libérales	16,2	—
Autres	0,7	—

En dépit de ces chiffres, les ressources naturelles sont si limitées que la question des ressources maritimes demeure très importante.

A la différence des autres pays nordiques, les coopératives n'atteignent pas à un développement important. L'Islande demeure un pays « hautement » capitaliste. Pour un total de 1 082 entreprises, 138 appartiennent à des coopératives, 36 seulement à l'Etat, tandis que 334 sont des propriétés privées et 574 sont contrôlées par des sociétés.

Malgré ces structures économiques « capitalistes », la législation sociale se rapproche beaucoup de celle connue dans les pays scandinaves. Le système policier, juridique et répressif est bien allégé comparativement à l'ensemble des autres pays (1 policier pour 1 000 habitants) mais cela tient sans doute à l'insularité de l'Islande, à sa faible population, à sa petite taille ainsi qu'à ses traditions de « justice ouverte ».

Bien que le Parti social-démocrate ait toujours été très minoritaire par rapport aux libéraux et aux conservateurs, il participe régulièrement au gouvernement depuis 1956, le plus souvent en alliance avec le « Parti du progrès » (libéral) mais parfois assumant seul les charges gouvernementales.

Nombre de députés (total : 60)

Année	Travail-listes	Social-démocrates	Du progrès	Indé-pendants
1959	9	10	17	24
1963	8	9	19	24

(Les travaillistes comprennent les communistes.)

Tournée vers la mer, la république d'Islande vit quelque peu en marge de l'Europe à laquelle elle est rattachée surtout par des liens affectifs, linguistiques, littéraires et ethnographiques. Et c'est par l'Union nordique, tout d'abord parlementaire et consultative, que l'Islande maintient sa parenté européenne.

LE DANEMARK

Tournés aussi vers la mer mais en dépendant beaucoup moins directement, les royaumes de Danemark et de Norvège connaissent une période de reconstruction qui fut épargnée à l'Islande. Au Danemark, comme dans toute l'Europe débarrassée de la guerre, le Parti communiste fait en 1945 une « percée » dans l'arène politique. Mais tout comme en Suède, et en Norvège, cette poussée est provisoire.

Le Parti social-démocrate ne parvient pas à atteindre la majorité des voix ni des sièges s'il est le parti le plus important et le Danemark connaît en alternance une succession de gouvernements « bourgeois » et social-démocrates. Après 1953, seul ou en alliance, le Parti social-démocrate se trouve au gouvernement. En 1953, la loi électorale est modifiée : sont électeurs tous les citoyens de 21 ans ou plus (1); sont éligibles tous les électeurs.

(1) En octobre 1976, la majorité électorale est abaissée à 18 ans.

D'autre part, la chambre haute est supprimée et le Folketing devient la seule Assemblée nationale avec 175 membres dont 2 pour les îles Féroé et 2 pour le Groenland. En même temps, la constitution est modifiée en faveur des femmes qui peuvent accéder au trône (droit de succession modifié). Et prenant exemple sur la Suède, le Danemark introduit dans sa constitution la notion de médiation et crée les *ombudsman*.

Représentation des partis au Folketing
(nombre de députés)

Année	Communiste	Social-démocrate	Radical	Libéral	Géorgiste	Conservateur	Autre	Total
1945	18	48	11	38	3	26	5	149
1947	9	57	10	49	6	17	3	151
1950	7	59	12	32	12	27	2	151
1953	8	74	14	42	6	30	1	175

Contrairement à ce qui se produit en Suède, la crise économique est très sensible dès 1945. Elle se double d'une déception « extérieure » : l'Islande a demandé — et obtenu — son indépendance à un moment où le Danemark était incapable de se manifester. En 1946, les îles Féroé demandent à leur tour leur autonomie interne. En soi, cette demande est de peu d'importance pour le Danemark : les Féroé sont un groupe de 18 îles volcaniques au nord-est de l'Ecosse. Leur surface cultivable n'atteint pas 350 ha et leur population dépasse à peine les 30 000 habitants. Les ressources de ces îles sont faibles. Ce sont essentiellement l'élevage (70 000 ovins, 4 400 bovins) et la mer. Le Danemark est contraint d'accorder cette autonomie interne aux Féroé en 1948 comme il l'accordera au Groenland en 1953.

Ces autonomies demandées (et accordées) sont une ombre vite oubliée : quand elles prennent corps, le Danemark a surmonté la période la plus difficile de l'après-guerre. Sa production retrouve, dès 1947, son niveau d'avant-guerre. Son développement ultérieur est plus difficile : l'agriculture reste la source principale des revenus et constitue encore, en 1954, la masse principale des exportations (60 %). Le manque de ressources minières et énergétiques se fait ressentir très sensiblement. Cette absence de matières premières est très visible dans les constructions navales qui, avec la fabrication des autres moyens de transport, constituent la deuxième industrie du pays (après les industries alimentaires). Encore en 1954, le tonnage construit est inférieur à ce qu'il était en 1938 :

Année	1938	1948	1950	1952	1954
1 000 t de jauge brute lancées	158	99	126	104	130

Avec le Danemark on peut avoir l'impression d'un pays se réinsérant lentement dans les circuits mondiaux, sans heurts sociaux ou politiques, par de lentes transformations et des aménagements quotidiens.

LA NORVÈGE

La Norvège se trouve dans une situation différente : ses industries ont gravement souffert de la guerre. Elles doivent être entièrement reconstruites pour une bonne part. Leurs structures mêmes se trouvent modifiées du fait qu'une partie des entreprises chimiques connaissaient une forte participation de capital allemande : elles vont se trouver nationalisées. Comme le Danemark, mais de façon plus accentuée, la Norvège a aussi souffert humainement. Aussi les positions sont plus tranchées dans le domaine intérieur et politique, tandis que l'économie norvégienne reste fragile et ouverte à toutes les influences et fluctuations extérieures.

En 1949, la couronne norvégienne est dévaluée, les prix augmentent de 30 % en moyenne. Les conflits sociaux ne sont cependant pas très nombreux. A cela on peut trouver trois raisons : le Tribunal du travail chargé d'arbitrer les différends est actif et efficace. En 1952, il est remplacé par un « Bureau des salaires » plus spécialisé mais aux pouvoirs plus étendus et qui intervient fréquemment, obtenant le plus souvent le règlement des conflits par la signature de conventions collectives. Il y a aussi qu'en dépit du mécontentement dû à la vie chère les nécessités de la reconstruction limitent la liberté d'action des mécontents : le règlement des conflits est bien souvent fonction des besoins immédiats. Cette période de « reconstruction » explique le rôle important des Tribunaux du travail puis du Bureau des salaires. Enfin, il y a aussi que le gouvernement est essentiellement assuré par le Parti social-démocrate qui, de 1945 à 1961, détient la majorité absolue des sièges au parlement.

Représentation des Partis au Storting (1945-1961)
(nombre de députés)

Année	Communiste	Travailliste	Travail. chrétien	Agrarien	Libéral	Conservateur	Total
1945	11	76	8	10	20	25	150
1949		85	9	12	21	23	150
1953	3	77	14	14	15	27	150
1957	1	78	12	15	15	29	150

(L'ancien Parti social démocrate d'avant guerre a disparu ; officiellement le Parti social-démocrate qu'on trouve en Suède, au Danemark ou en Finlande porte en Norvège le nom de Parti « travailliste ».)

Cette stabilité gouvernementale permet la mise en œuvre de nombreuses réformes sociales, et l'action du gouvernement est largement soutenue dans le pays où les effectifs de ce parti passent de 350 000 membres en 1939 à 575 000 en 1945.

Mais ce qui caractérise surtout la Norvège au cours des années d'immédiat après-guerre est son orientation en matière de politique étrangère.

Les quatre pays nordiques dont nous venons d'évoquer rapidement la situation intérieure adoptent en matière extérieure une attitude commune en 1947 : ils acceptent le plan Marshall — ce que la Finlande refusera. En ce qui concerne le pacte Nord-Atlantique, la Suède n'accepte pas d'y adhérer, tandis que les trois autres pays nordiques (Danemark, Islande, Norvège) y participent. L'Islande qui se trouve tributaire des troupes américaines et se trouve à proximité immédiate des Etats-Unis rejoint les organismes patronnés par les Américains sans difficultés. Le Danemark et la Norvège hésitent un certain temps. Toutefois, le souvenir de la seconde guerre mondiale qui les trouva désarmés joue un rôle non négligeable dans l'adhésion de ces deux pays à l'OTAN. Un autre élément joue en Norvège : depuis la défaite de la Finlande, la Norvège a une frontière commune avec l'URSS, à proximité de Kirkenes. Les événements de Prague vont inquiéter la Norvège qui, par crainte d'une agression soviétique, cherchera une protection extérieure puissante. Seule l'OTAN semble la lui offrir.

La position de la Suède est différente. Elle accepte le plan Marshall avec hésitation et en bénéficiera dans des limites très étroites : l'aide nette fournie par ce plan sera de 0,3 % du revenu national (pour les autres pays, l'aide nette est généralement de 4 % du revenu national) et en 1948-1949 le total des importations au titre du plan Marshall atteint en Suède 2 % du total (pour les autres pays : moyenne de 20 %). Cette aide avait cependant permis à la Suède de trouver son équilibre. Mais la Suède veut conserver sa « liberté de choisir le chemin de la neutralité » comme elle le fait depuis plus d'un siècle. Au moment où les puissances occidentales négocient l'OTAN, les pays scandinaves hésitent et se divisent : la Norvège penche nettement pour l'adhésion afin de bénéficier de la protection et de la collaboration de la Grande-Bretagne et des Etats-Unis. Le Danemark est plus hésitant. Il aimerait échapper à tout bloc et pour cela se tourne vers la Suède.

Stockholm estime qu'une alliance défensive sous forme d'Union nordique de Défense ne peut être envisagée que dans le cas où aucun des participants ne s'appuie sur une puissance extérieure au nord et à la condition qu'au moins les trois pays scandinaves, à défaut des cinq pays nordiques, participent à cette Union. L'étude d'un projet préliminaire est confiée à un comité d'experts (dont les ministres des Affaires étrangères) à l'automne 1948. Dans les premiers jours de 1949, ce comité technique remet ses conclusions aux trois gouvernements : il ne peut y avoir de neutralité conjointe qu'accompagnée d'une politique extérieure commune, ce qui suppose une défense commune, intégrée, obligeant à une modernisation rapide et au renforcement des armées danoise et norvégienne. L'armement devra être commun et unifié. Les pays nordiques n'ayant pas d'usines d'armement, il leur faut donc trouver des fournisseurs — et le moyen de payer ces charges supplémentaires.

Au même moment l'URSS propose un pacte de non-agression à la Norvège, offre que décline Oslo : l'obligation de non-agression se trouve inscrite dans la charte de l'ONU à laquelle adhèrent aussi bien les pays nordiques que l'URSS.

L'OTAN

Moins d'une semaine plus tard, la Norvège décide de s'informer des conditions d'adhésion à l'OTAN. L'une des raisons essentielles qui pousse la Norvège à explorer cette voie est le coût estimé trop élevé d'une défense purement nordique et la déclaration de Washington affirmant (le 14 janvier 1949) que les Etats-Unis ne pourraient en aucun cas céder des armements à un pays ou un groupe de pays extérieurs à l'OTAN, ou neutres. Le Danemark rejoint assez rapidement les positions norvégiennes tandis que la Suède se refuse absolument à entrer dans un bloc qui lui paraît « une assurance contre l'incendie augmentant les risques d'incendie ». Pour ce refus, la Suède donne deux raisons majeures :

— depuis cent trente-cinq ans la Suède vit en paix ; la Suède a pu échapper à tout conflit en particulier en se tenant à l'écart de tout groupement ou bloc ; elle n'a pas de raison fondamentale pour modifier son attitude ;
— parmi les pays nordiques, il y a aussi la Finlande. Défaite en 1944, la Finlande a pris l'engagement de ne participer à aucune alliance militaire. On ne peut donc lui proposer de faire partie d'une Union nordique défensive et moins encore de l'OTAN ou d'une alliance semblable. Si la Suède acceptait l'Alliance atlantique, la Finlande ne serait-elle pas entraînée à nouer des alliances à l'Est ? La situation inverse pouvant tout aussi bien s'imaginer. Dans les deux cas, l'équilibre serait rompu. Aussi, finalement, en l'absence d'une possibilité véritable d'alliance nordique, il n'est pas d'autre possibilité que la neutralité pour assurer la paix dans cette région.

Ce raisonnement devait être repris à propos de la CED que la Suède refuse d'autant plus que le Conseil de l'Europe ne pouvait, statutairement, à moins d'une modification de ses statuts, s'intéresser aux questions de défense. Par contre, ce refus d'intégration militaire dans un bloc conduit la Suède à réactiver le Conseil nordique auquel la Finlande pourra participer.

LA FINLANDE

Nous l'avons signalé au début de ce chapitre, la Finlande est de tous les pays nordiques celui qui a le plus de difficultés à réintégrer l'état de paix. Les pertes humaines sont lourdes (80 000 morts, 50 000 invalides), le domaine économique délabré, l'unité nationale incertaine. De tous les gouvernements nordiques, celui de la Finlande est le seul dont la politique du temps de guerre est ouvertement et officiellement condamnée. La Finlande ne peut trouver aucune splendeur à son isolement : il est le fruit de trop d'erreurs.

Vaincue, la Finlande échappe à l'occupation mais est soumise à de sérieuses restrictions du fait de son retard industriel et social, du manque de développement durant la guerre (seules les industries de guerre ont réellement fonctionné, mais elles sont devenues inutiles et doivent se reconvertir) et, enfin, de la nécessité de reclasser plus de 400 000 personnes évacuées de Carélie. Outre la perte de territoire cédé à l'urss (12 % des terres arables), la Finlande doit verser de fortes réparations de guerre sous diverses formes (navires, machines, câbles, cellulose, produits forestiers) en huit années. Le montant de ces réparations est fixé à 300 millions de dollars américains.

Le poids des réparations de guerre est aggravé par la faiblesse des capacités industrielles : pour livrer à l'urss le tonnage prévu de navires, il faut accroître la capacité des chantiers navals de 75 % et créer 55 % d'emplois nouveaux dans cette industrie. Mais on peut se rendre compte du poids de ces réparations sur une économie très affaiblie en comparant la production d'après guerre avec celle d'avant guerre et la part de ces réparations par rapport à la production d'après guerre (voir page ci-contre).

Pour régler rapidement le paiement des réparations, un certain accord limitant les conflits sociaux s'établit de 1945 à 1950 entre le patronat et les syndicats. En 1950, la « paix de château »

Année	Indice de production pour l'exportation	Réparations en % du total des exportations
1935	100	
1945	18	61
1946	47	28
1947	64	19
1948	67	17
1949	80	16
1950	88	9
1951	110	6
1952	97	5

est rompue et des grèves importantes se développent. Mais la paix sociale ne suffit pas pour régler cette situation. La Finlande emprunte à la Suède et aux Etats-Unis, en particulier, pour pouvoir acheter les matières premières nécessaires à ses industries.

Si la nécessité des réparations assure un plein emploi, cette même nécessité crée une situation malsaine pour l'avenir comme pour le présent. Dans l'immédiat, tous les efforts sont tendus vers ces réparations. Les biens produits sont exportés et ne bénéficient pas au pays qui se trouve en état de pénurie. Le niveau de vie demeure bas. De plus, de même que les investissements du temps de guerre se sont trouvés improductifs après la guerre, les investissements faits pour favoriser le versement des réparations risquent de se trouver inutilisables à l'issue de cette période par manque de débouchés. Par chance pour la Finlande, la guerre de Corée offre de nouveaux débouchés.

Un autre grand problème est celui de la réinstallation des 230 000 personnes vivant de l'agriculture et ayant perdu leurs terres. Une réforme agraire est mise sur pied et de nouvelles terres mises en culture. Ce n'est cependant qu'après 1952 que la production agricole retrouve son volume d'avant guerre. Dans les autres domaines économiques, la Finlande rattrape plus rapidement son niveau d'avant guerre, ou le dépasse largement pour les industries liées aux réparations de guerre (1). Les exigences de cette période font que la Finlande est toujours dans une situation délicate en 1953. Certes, des mesures sociales sont adoptées mais l'inflation reste très forte et les prix atteignent l'indice 1500 (1938 : 100; 1946 : 600) tandis que les salaires marquent un très net retard (indice 100 en 1938; 1130 en 1952). Ce n'est qu'à partir de 1950-1951 que la situation financière tend à se stabiliser. Mais il faudra encore une quinzaine d'années pour que la Finlande parvienne au niveau des autres pays nordiques tant dans le domaine économique que social.

Pour ce qui est plus proprement du domaine politique, la Finlande connaît des situations plus difficiles aussi que les autres pays nordiques. Cela tient tout autant aux situations intérieures qu'extérieures. A l'intérieur, le mouvement communiste, qui avait longtemps été interdit, opère librement à partir de la fin 1944. Ses adhérents les plus engagés ont, pour les plus âgés, résidé de nombreuses années en URSS ou en prison. Ils sont mal informés des situations réelles et aussi très méfiants à l'encontre de la social-démocratie qui, depuis 1919, pratique une politique de « collaboration » de classes. Plus que partout ailleurs, communistes et social-démocrates se considèrent en frères ennemis. Cette opposition dans le mouvement de gauche fait qu'aucun gouvernement ne peut, après 1947, être envisagé à partir de l'électorat de gauche. De 1947 à la fin des années 60, la coupure est totale qui rejette les communistes dans l'opposition. Mais cela leur laisse une grande liberté de manœuvre pour l'action syndicale. Leur influence restant forte dans le pays, ils pèsent sur toutes les options intérieures et extérieures.

(1) Production de :

	Cellulose (t)	Papier (t)	kW/h (milliards)
1938	1 471 200	559 700	3,1
1948	1 082 000	549 700	2,1
1950	1 193 700	636 900	4,2
1952	1 156 000	684 000	

A l'intérieur (1), le poids du Parti communiste se fait particulièrement sentir quand les années les plus difficiles sont passées, c'est-à-dire à partir de 1949. Les grèves sont beaucoup plus nombreuses (plus de 1 million de journées de grève en 1949, 1950, etc., au lieu de moins de 250 000 avant) et plus violentes. Mais c'est aussi à partir de 1950 que les accords collectifs se font plus nombreux et que les rapports entre ouvriers et patronat se rapprochent de ceux connus dans les autres pays nordiques.

A l'extérieur, le point essentiel est celui des rapports avec l'URSS, toujours fort méfiante à l'égard de la Finlande, d'autant que les liens qui unissent certains dirigeants soviétiques et communistes (en Finlande) sont étroits (cas de la famille Kuusinen). En 1948, la Finlande signe avec l'URSS un accord d'amitié qui est surtout la confirmation du traité de paix alors que l'URSS souhaitait un traité de non-agression et de coopération militaire. Ce résultat est obtenu en particulier par une négociation « ouverte » dont chaque phase est portée à la connaissance de tous les parlemen-

(1) Représentation des partis à l'assemblée (nombre de députés) :

	1939	*1945*	*1948*	*1951*	*1954*	*1958*	*1962*	*1966*	*1970*
Communistes		49	38	43	43	50	47	41	36
Opposition socialiste						3	2	7	
Social-démocrates	85	50	54	53	54	48	38	55	52
Agrariens	56	49	56	51	53	48	53	49	36
Suédois	18	15	14	15	13	14	14	12	12
Conservateurs	25	28	33	28	24	29	32	29	37
Unionistes	6	9	5	10	13	8	13	9	8
Nazis	8								
Autres	2							1	19

a) En 1958, 11 députés social-démocrates rejoignent, après élection, le groupe d'opposition socialiste ;

b) En 1958, 1 député agrarien fonde le groupe des « petits propriétaires » de tendance poujadiste ;

c) En 1966, 1 député unioniste rejoint le groupe agrarien ;

d) En 1970, il y a 18 députés « petits propriétaires » et 1 député « travailleur chrétien ».

taires et, au-delà, des citoyens et du monde extérieur. Ce « traité d'amitié » libère en fait la Finlande de l'hypothèque soviétique. Mais c'est surtout en 1955 que la diplomatie finlandaise se trouve débarrassée des entraves les plus contraignantes : l'URSS remet à la Finlande la base militaire de Porkkala, louée en 1944 pour une durée de cinquante ans.

Jusque-là la Finlande devait, dans tous ses actes, tenir compte non seulement de l'existence à ses frontières de l'URSS mais aussi, sur son territoire, d'une base soviétique. Qu'elle l'ait voulu ou non, cela signifiait qu'en cas de conflit entre les puissances occidentales et l'URSS la Finlande pouvait à tout moment être entraînée dans une guerre mondiale du fait de l'enclave soviétique sur son sol. La remise de la base à la Finlande la libère de cette hypothèse. Désormais, la neutralité ne se résume pas à un vœu pieux. Elle peut devenir réalité. Elle permet à la Finlande de se rapprocher davantage des autres pays nordiques.

Chapitre VIII

SITUATION ACTUELLE

Il serait très hasardeux de vouloir aujourd'hui retracer l'histoire récente des pays nordiques. Cependant, certains axes généraux peuvent être dès maintenant dessinés.

Tout d'abord, une expansion économique générale qui fait des pays nordiques dans leur ensemble une région « privilégiée » où le revenu moyen est l'un des plus hauts du monde. Cette expansion a lieu dans des pays où la stabilité du corps électoral est très grande et orientée très nettement vers une gauche réformiste.

Ensuite, on constate une réalité nouvelle : celle de l'Union nordique qui peu à peu gagne des domaines nouveaux.

Enfin, à l'intérieur du cadre de cette Union nordique, on voit que chacun des pays vit très différemment, tant en ce qui concerne sa politique intérieure quotidienne que sa politique extérieure à long terme.

La politique extérieure est tout naturellement déterminée par les engagements pris au sortir de la seconde guerre mondiale. On peut répartir les pays nordiques en deux groupes : d'une part, l'Islande, la Norvège et le Danemark; d'autre part, la Suède et la Finlande.

Islande, Norvège et Danemark sont orientés vers l'Ouest. Avec des nuances. L'Islande et la Norvège sont plus « atlantistes », le Danemark plus « européen ». La Suède et la Finlande sont strictement neutralistes, mais là encore avec des différences : la Suède se sent beaucoup plus libre de ses mouvements et coopère chaque fois qu'elle le peut avec tous les organismes mondiaux ou européens. Elle se manifeste aussi très librement, chaque fois qu'elle le juge utile, dans le domaine international aussi bien en faveur des grandes puissances, Etats-Unis et URSS, que contre elles. La Finlande, très proche de la Suède en ce domaine, s'abstient cependant de toute manifestation trop ouvertement antisoviétique. Elle ne tient pas à ce qu'un problème diplomatique quelconque avec l'urss naisse de son fait. Cela lui permet d'opposer une fin de non-recevoir à toute demande possible de l'urss tendant à un rapprochement qui irait au-delà du pacte d'amitié. En se tenant à l'écart des disputes entre les Grands, en évitant que des manifestations officielles d'hostilité se déroulent sur son territoire à l'encontre de la politique intérieure ou extérieure de l'urss, la Finlande s'interdit aussi, par souci d'équilibre, toute manifestation officielle hostile à la politique américaine. On ne voit pas, à Helsinki, les ministres manifester contre la politique américaine au Vietnam ou au Chili, ni contre la politique soviétique en Tchécoslovaquie comme cela s'est fait à Stockholm. On pourrait dire que la Suède pratique une politique neutraliste active, tandis que la Finlande s'en tient à une politique neutraliste passive dans le domaine international.

Dans le domaine intérieur, on peut trouver une période de « conjonction » à tous les pays nordiques — à l'exception de l'Islande qui demeure toujours quelque peu en marge. Cela ne tient pas aux difficiles discussions sur le Nordek, mais aux mouvements ouvriers qui se manifestent par des « grèves sauvages » remettant en cause les structures syndicales et politiques ainsi que les accords et les conventions collectives.

De 1950-1955 à 1970, le modèle, reproduit avec plus ou moins de bonheur dans les autres pays nordiques, est la Suède. Les autres pays nordiques suivent une évolution semblable avec des différences parfois sensibles.

Le Parti social-démocrate suédois emporte régulièrement entre 45 et 50 % des voix lors des élections législatives et la gauche atteint à la majorité au moins par le nombre de sièges, si ce n'est par le nombre de voix. C'est en 1973 seulement que le Parti social-démocrate est mis en difficulté : avec le Parti communiste, il obtient juste la moitié des sièges, la droite obtenant l'autre moitié. Si le Parti social-démocrate continue alors de gouverner, c'est au bénéfice des programmes engagés qui doivent être poursuivis. Malgré cela les positions gouvernementales demeurent instables et plusieurs lois sont « votées » par tirage au sort.

L'un des succès les plus visibles de l'action gouvernementale au cours de cette période est la diminution des conflits du travail. De 1954 à 1969, le nombre de journées perdues du fait des grèves est généralement inférieur à la centaine de milliers. Ce « succès » aboutissant à la réduction des conflits du travail ne se fait pas toujours au bénéfice des ouvriers qui n'ont de liberté d'action qu'en dehors du cadre des conventions collectives signées entre le patronat et les syndicats. Il est cependant certain que ces conventions collectives, limitant les actions revendicatives ouvrières, augmentent la garantie de l'emploi et la stabilité dans les fonctions en même temps qu'elles assurent un niveau de vie croissant. En dix années, les salaires ouvriers (industriels et agricoles) font plus que doubler (1). Cette augmentation des salaires s'accompagne d'une réduction des temps de travail. Officiellement, la semaine de quarante heures est acquise dans toutes les activités en 1973. En fait, si l'on tient compte des heures chômées rémunérées ainsi que les temps de congés payés, la moyenne hebdomadaire (annuelle) est réduite à trente-quatre heures trois quarts en 1970 et trente-trois heures vingt-cinq en 1971. (En 1970, pour la Finlande : 38 h 20 ; pour la Norvège : 34 h 40 ; pour les Etats-Unis : 39 h 45 ; pour la France : 44 h 45.) L'augmentation des prix, très sensible, réduit cependant la valeur des augmentations de salaires. (Pour 1960-1969 : augmentation moyenne annuelle de 3,7 % en Suède ; 3,85 % en Norvège ; 5,35 % en Finlande ; 6,1 % au Danemark.)

On peut aussi se faire une idée des modifications intervenues dans le niveau de vie à partir de la diffusion de quelques biens

(1) Salaires horaires comparés de la main-d'œuvre ouvrière (en us dollars).

	1960	1965	1970	Augmentation	% du salaire us
Suède	1,14	1,67	2,54	+ 131,58 %	75,82
Danemark	0,82	1,30	2,18	+ 151,21 —	65,07
Finlande	0,52	0,79	1,24	+ 138,46 —	37,00
Norvège	0,90	1,29	1,99	+ 121,11 —	59,43
Etats-Unis	2,28	2,63	3,35	+ 46,93 —	
France	0,51	0,65	1,13	+ 121,52 —	33,73

ou moyens. Ainsi, nous avons, pour 1 000 personnes (entre paren-
thèses, les chiffres concernant la France) :

Nombre de : téléphones, récepteurs radio, puis automobiles, téléviseurs (1966)

1953	264	323	?
1966	460 (133)	277 (151)	250 (220)
1972	576 (199)	333 (237)	302 (269)

Ces améliorations peuvent encore être appréciées en fonction
de la moyenne de vie :

1816-1840 41 ans 6 mois,
1941-1945 68 ans 4 mois,
1963   71 ans pour les hommes, 75 ans pour les femmes

En 1963, la mortalité infantile était de 12,6 $^0/_{00}$ et de 10,8 $^0/_{00}$
en 1972. Mais le taux de natalité est lui aussi en diminution et
passe de 14,6 $^0/_{00}$ en 1953 à 13,8 $^0/_{00}$ (1). La faible croissance

(1) Populations des pays nordiques (en milliers) :

	Suède	Dane-mark	Finlande	Islande	Norvège	Groenland	Féroé
1800	2 347	929	833	47	883		5
1900	5 136	2 450	2 656	78	2 240	12	15
1940	6 371	3 844	3 696	121	2 982	19	27
1950	7 042	4 281	4 030	144	3 279	24	32
1960	7 498	4 585	4 446	176	3 595	33	35
1970	8 081	4 951	4 598	205	3 888	47	39
1972	8 129	5 008	4 634	211	3 948	48	39
1975	8 235	5 030	4 605	221	4 036	43 $^{(a)}$	
1980	8 413	5 124	4 570	239	4 187	46	
1985	8 552	5 142	4 524	257	4 337	49	
1990	8 676	5 278	4 494	275	4 487	51	

(^{a}) Seules sont comptées les personnes nées au Groenland ;
(^{b}) Les chiffres pour 1980 et au-delà sont les prévisions des offices nationaux
de la statistique en fonction des évolutions récentes ;
(^{c}) Les Féroé n'apparaissent pas à dater de 1975 : leur population est décomptée
avec celle du Danemark.

démographique actuelle est partiellement compensée par la venue de travailleurs immigrés dont un certain nombre viennent en Suède pour une très longue période. Ces travailleurs étrangers (dont le nombre double en dix ans) sont, pour une très large part, des citoyens des autres pays nordiques et leur installation ne pose juridiquement aucun problème (1). Ce phénomène de l'immigration est très particulier à la Suède et ne se retrouve pas dans les autres pays nordiques.

Un grand nombre de ces émigrés se regroupent par « nationalité » et la plupart d'entre eux occupent des emplois « pénibles ». Mais une évolution se dessine : alors que les éboueurs stockholmois étaient en très grand nombre des travailleurs étrangers voici quelques années, le courant s'est inversé avec la revalorisation des salaires dans ce secteur. Cette main-d'œuvre nécessaire se heurte parfois à certaines incompréhensions, d'autant qu'elle est arrivée « en masse » à une période où les industries suédoises se rationalisaient à l'extrême, contraignant de nombreux ouvriers à se recycler. L'instabilité qui semble réapparaître débouche sur les grèves « sauvages » de 1970 (à l'origine de chacune de ces grèves « sauvages », on trouve l'action débordant le cadre traditionnel des revendications syndicales d'un grand nombre de travailleurs immigrés). Ces grèves « sauvages », l'absentéisme et le

(1)

	En 1960	En 1970
Emigrés de :		
Finlande	74 935	207 500
Danemark	30 235	31 470
Norvège	19 835	27 635
Total	125 005	266 605

Les autres émigrés sont, par ordre décroissant, en 1970 : les Yougoslaves (36 025), les Allemands de l'Ouest, les Grecs, les Italiens, les Britanniques, les Espagnols, les Français (1 775), ainsi que des isolés de divers pays. Ces chiffres ne font état ni des mouvements saisonniers ni de l'émigration provisoire.

chômage renaissant du fait du contexte international ralentissent la production qui cependant connaît des progrès notables en raison de la modernisation des moyens techniques.

Les industries mécaniques bénéficient particulièrement de ce développement à partir de 1955. Leur progression annuelle de production est de l'ordre de 9 % de 1950 à 1969, de 6 % à partir de 1970. Mais, en même temps qu'elles se développent, ces industries ont une très nette tendance à la concentration et à la spécialisation.

1950-1973. Production industrielle
(% de la production nationale)

	1950	1960	1970	1973
Extractive	4,7	5,2	2,9	3,1
De la pierre	5,2	4,3	4,5	3,9
Des bois et dérivés	7,7	5,9	7,4	7,9
Du papier	6,7	7,9	6,9	7,4
Alimentaire	11,0	8,0	7,8	6,7
De boissons et tabac	1,7	1,4	1,7	1,7
Textile	14,8	9,3	6,1	4,9
De l'imprimerie	7,8	5,9	7,1	6,5
Mécanique	28,8	37,2	40,1	41,4
Métallurgique	3,7	6,8	6,1	6,1
Chimique	4,9	5,1	6,6	7,6
Du caoutchouc	1,3	1,2	1,5	1,3
Du pétrole	0,8	0,9	0,8	0,7

(La production électrique n'est pas comptée ici.)

En dépit de la diminution du pourcentage de certains domaines, la progression absolue générale est très nette. C'est ainsi que, de 1950 à 1970, l'industrie extractive produit de 13 600 000 t de fer à 34 400 000 t, que la production de pâte à papier a plus que doublé de 1955 à 1973 (de — 4 000 000 de tonnes à + 8 000 000 de tonnes) et celle des papiers (journal, kraft et carton) a plus que triplé (de 1 000 000 de tonnes à 3 200 000 t).

La production électrique a aussi grandement évolué, passant de 4 690 MW en 1950 à 17 600 en 1970. L'une des grandes difficultés rencontrées dans l'ensemble des pays nordiques tient aux distances. La Suède n'échappe pas à ce problème qui fait que les lieux de production électrique sont situés dans le Nord alors que la majeure partie des lieux d'utilisation se trouve dans le Sud. Il s'ensuit une déperdition moyenne de l'ordre de 10 % de l'énergie produite. D'autre part, la Suède arrive actuellement au maximum de la capacité de production d'énergie à partir des ressources hydrauliques du pays. Il lui faut envisager une collaboration internationale plus grande, en particulier dans le secteur de la production électrique à partir de l'atome. Cette collaboration a commencé, à titre expérimental, en 1965. La production était alors de (en mégawatts) :

	Hydraulique	*Thermique*	*Atomique*	*Totale*
1965	10 410	3 390	10	13 810
1970	12 330	5 270	?	17 600
1971	12 550	5 980	(470)	18 530 (19 000)

Afin d'assurer cette production, la Suède collabore en premier lieu avec les Etats-Unis mais aussi avec le Canada, la Grande-Bretagne, la France et la Suisse. Elle participe aussi aux travaux de l'Agence Internationale de l'Energie Atomique et à ceux de l'Agence Européenne pour l'Energie Atomique. D'autre part, le réseau suédois est relié aux réseaux finlandais, danois, norvégien et, par l'intermédiaire de ses partenaires nordiques, aux réseaux soviétique et ouest-allemand.

Le réseau d'alimentation et de distribution de l'énergie électrique montre à l'évidence que les pays nordiques sont solidaires les uns des autres, mais aussi qu'ils sont reliés étroitement au reste de l'Europe. C'est ce qui se manifeste aussi dans le domaine plus particulièrement politique.

REMARQUES SUR LA POLITIQUE EXTÉRIEURE

La politique extérieure des pays nordiques peut être envisagée d'un double point de vue : dans le cadre des pays nordiques et hors de ce cadre, chacun des pays n'étant pas tenu de suivre les autres. En dépit de différences notables qui vont de l'appartenance à l'OTAN à l'isolement complet vis-à-vis des « blocs », une certaine unité se dégage et prend forme. Elle n'est pas sans analogie avec la « négritude » et « l'africanité » chantées par Léopold Sédar Senghor. Mais contrairement à la « négricité » prônée par le poète et homme d'Etat africain, la « nordicité » est pragmatique.

Le « scandinavisme » du XIXe siècle avait abouti à une impasse. Le Conseil nordique pour la Neutralité mis sur pied par les gouvernements après la première guerre mondiale avait été un échec évident en 1939. La Conférence d'Oslo sur la neutralité avait, en 1948, abouti elle aussi à une impasse. Chacun des pays nordiques avait décidé d'agir de son côté et seule la Suède se trouvait être « neutre absolue ». Cet échec n'est cependant pas totalement négatif. Abandonnant les plans d'une Union au sommet coordonnant les politiques étrangères et les plans de défense, les dirigeants des trois pays scandinaves estiment à l'époque qu'il faut reprendre cette question de l'Union à un échelon moins élevé. Ce sera la réactivation de l'Union Interparlementaire, à partir de 1949.

Cette Union Interparlementaire avait été créée en 1906. En 1921, la Finlande et l'Islande y participaient. Son ambition alors était grande : elle se proposait de traiter des relations culturelles, des problèmes financiers et économiques ainsi que des aspects diplomatiques et militaires touchant les cinq pays. En reprenant vie en 1949, l'Union Interparlementaire abandonne totalement les deux derniers points : c'est par eux que toute tentative d'Union s'est toujours soldée par un échec. L'Union Interparlementaire se fixe un programme plus réduit. Quittant les abstractions et laissant de côté les grands idéaux, ce programme se veut pratique et réalisable à court terme. Il se situe sur trois plans : unification des lois sociales, harmonisation des plans économiques et financiers, multiplication des contacts culturels. Mais aussi cette Union se veut « non impérative ». Chaque Etat se détermine librement par rapport aux « recommandations » qui émanent de cette Union à vrai dire inexistante d'un point de vue constitutionnel et structurel — au moins dans ses débuts. Chaque parlement s'attache un bureau particulier qui est en relation avec les bureaux des autres parlements. Un certain nombre de parlementaires sont élus par leurs pairs pour poursuivre les conversations « indicatives » avec leurs partenaires, mais l'Union Interparlementaire comme par la suite le Conseil nordique qui en sortira ne disposent ni de secrétariat ni de siège permanent. Le cadre très souple de cette Union lui laisse la possibilité de s'exprimer sur toutes les questions qu'elle juge utile d'aborder. (Mais, encore une fois, d'un accord tacite, les problèmes de défense et de diplomatie communes ne sont généralement pas abordés si ce n'est pour quelques aspects entrant dans le cadre des activités des grandes organisations internationales comme l'ONU.)

Organisme qui n'impose rien mais dont les suggestions et recommandations sont suivies d'effets presque immédiats dans l'ensemble des cinq pays nordiques, on pourrait dire de l'Union Interparlementaire et du Conseil nordique qu'ils sont une force morale régissant la vie sociale, économique, financière et culturelle de cette région.

Etant donné sa situation au sortir de la seconde guerre mondiale, la Finlande est le dernier des pays nordiques à rejoindre l'Union. De plus son traité d'amitié signé avec l'URSS la met dans une situation particulière par rapport à ses partenaires et surtout vis-à-vis de ceux qui appartiennent à l'OTAN. Enfin, aussi longtemps que la base de Porkkala se trouve sous contrôle soviétique, la Finlande ne dispose pas d'une totale liberté de mouvement. En 1955, après la restitution de cette base, la Finlande peut intégrer pleinement l'Union Interparlementaire et le Conseil nordique. A partir de 1956, et plus que les autres pays, la Finlande voit dans l'Union nordique un moyen d'échapper à toute pression soviétique à la condition que les autres membres de l'Union acceptent d'échapper aux puissances occidentales. Ainsi on voit la Finlande réintroduire, indirectement, les questions de politiques étrangères (et par là les questions touchant à la Défense). Les demandes finlandaises ont rencontré un certain écho dans les autres pays : depuis 1967, les ministres de la Défense se rencontrent deux fois par an pour échanger des informations. Mais ces échanges de vues n'aboutissent pas à des réalisations pratiques autres que dans le cadre des activités de l'ONU (utilisation des « Gardes bleus », etc.). Les conversations officielles ne vont guère au-delà — ce qui déjà est un progrès par rapport aux vingt années passées.

C'est surtout dans les autres domaines que les rencontres nordiques ont quelque efficacité. L'uniformisation de la législation sociale a été favorable dans un premier temps à la Finlande qui, plus que les autres pays nordiques, est sensible au chômage saisonnier. En entrant au Conseil nordique, la Finlande bénéficie du même coup des accords antérieurs et en particulier du Marché commun de l'emploi créé en 1954. Afin de « rentabiliser » ce service, un contact permanent des différents services publics s'est avéré nécessaire, qui a abouti dans quelques cas à une coopération approfondie de quelques-uns de ces services. C'est le cas des affaires économiques et sociales, des services de l'éducation et de la culture, etc. Cela fait que les étudiants nordiques inscrits dans une université (nordique) dont ils ne sont pas les ressortissants peuvent bénéficier de bourses d'études au même titre que les nationaux, que les prestations sociales sont payées sans distinction de nationalité (nordique), etc.

Il faut sans doute accorder une place privilégiée à la coopération culturelle : elle a été la première de toutes. Elle ne relève ni de l'Union Interparlementaire ni du Conseil, mais ces organismes y participent comme ils en ont été influencés. Elle passe aussi bien par les organismes gouvernementaux que les syndicats, les « écoles populaires » ou les personnes privées. Toutes ces organisations ou personnes se retrouvent dans un organisme rassemblant à l'origine les « groupements destinés à promouvoir l'éducation et la compréhension internationale ». C'est le Norden qui a commencé à vivre après la première guerre mondiale, qui s'est surtout développé après la seconde guerre mondiale et dont l'action a été facilitée par le fait qu'une certaine unité linguistique et ethnique existe. Il ne faut cependant pas se faire trop d'illusions sur cette unité linguistique. Tout d'abord, moins de 10 % de la population finlandaise relèvent de cette « unité ». Mais aussi, si un grand nombre de Danois et de Norvégiens sont aptes à comprendre le suédois, il n'en va pas de même pour les autres langues et le réflexe « nationaliste » face au suédois est encore très fort, comme le montre une enquête faite en 1946 (1).

Le Norden soumet des propositions et des rapports au Conseil nordique et aux différents gouvernements. Son action est essentiellement dirigée vers l'intégration et l'unification des systèmes éducatifs et de formation permanente.

Toutefois, l'action entreprise par l'Union nordique sous ses différentes formes ne peut être que limitée dans ses effets. Tout d'abord parce que les options neutralistes sont différenciées selon les pays. Mais aussi parce que les pays nordiques après une période d'unification véritable qui a permis d'aboutir à la libre circulation des biens et des personnes se sentent profondément tributaires du monde extérieur. Toute action particulière à l'Union nordique finit par déboucher sur des domaines extérieurs. La coopération internordique ne peut à la longue avoir de sens que si elle se développe et pour cela il lui faut intégrer des marchés autres que nordiques. C'est ce qui est tenté avec l'Association européenne de Libre-échange. C'est ce que recherche le Danemark avec l'Union européenne — que refuse la Norvège.

L'accord n'est pas parfait ni permanent et l'actuelle période de difficultés économiques généralisées soumet l'Union nordique à

---

(1) Suédois comprenant le norvégien 44 % oui; 41 % un peu; 15 % pas du tout

—	comprenant le danois	17	—	41	—	42 —
—	lisant le norvégien	32	—	28	—	22 —
—	lisant le danois	13	—	22	—	43 —
—	n'ayant pas tenté de comprendre le norvégien	18	—			
—	n'ayant pas tenté de comprendre le danois	22	—			

Favorables à une réforme linguistique pouvant aboutir à une « intégration » :

	Oui	*Non*	*Sans opinion*
Danois	43 %	38 %	19 %
Norvégiens	33 —	27 —	40 —
Suédois	57 —	20 —	28 —

de nouvelles épreuves. Mais, après plus d'un siècle et demi de repliement sur eux-mêmes, l'Union nordique permet aux pays qui y adhèrent de sortir de leur cadre géographique et les incite à participer davantage aux relations mondiales, dans tous les domaines.

TROISIÈME PARTIE

Problèmes et directions de recherches

Sans vouloir énumérer toutes les questions qui se posent à propos des pays nordiques et de leur histoire, nous essaierons d'évoquer les points qui nous semblent essentiels en amorçant une esquisse de réponse ou de discussion.

La première des questions est certainement : pourquoi l'histoire, mais aussi la littérature, les arts, les techniques, les institutions des pays nordiques sont-ils si peu et si mal connus en France ? (Tout étant d'ailleurs très relatif : le professeur britannique W. F. Mead constatait, en 1968, que l'approche des langues nordiques n'était guère recherchée par les anglophones. Et il déplorait le manque de curiosité des Anglo-Saxons pour ces régions. Ce qu'il disait pour les anglophones est encore plus vrai des francophones.)

On peut bien sûr trouver rapidement un certain nombre de réponses tenant aux structures scolaires françaises par exemple (et cela concerne aussi bien l'enseignement des langues que « l'histoire hexagonale »), qui seront toutes exactes mais insatisfaisantes et pourront le plus souvent être considérées comme des éléments participant à l'explication mais ne formant pas une réponse globale.

Les habitudes acquises ne suffisent pas à expliquer cet abandon non plus que les modes qui portent les historiens français vers l'histoire quantitative ou l'histoire africaine par exemple. La peur de l'aventure ne saurait non plus être une explication suffisante : le « quantitativisme » ou l' « africanisme » — ou d'autres — sont aussi des aventures. Et pourtant ne faut-il pas constater, comme le faisait Léouzon Le Duc, en 1850, qu'encore aujourd'hui :

« Le Nord nous fait peur. »

Alors, pour cacher cette peur, les « situations » nordiques sont réglées d'un mot tranchant, définitif et bien sûr inexact mais « frappant ». On avance un chiffre étonnant et irréel de suicides, ou on parle de socialisme. A la limite on invente l'obscur terme de « finlandisation » chargé d'une exemplarité maléfique mais finalement hors de sens.

Conséquence logique et participant de cet esprit « hexagonal », on peut penser à propos de Paasikivi, Kielland ou d'autres, ce que déjà Chanut écrivait à Descartes au sujet de Stiernhielm :

« S'il avait vécu en France ou en Italie, il serait devenu célèbre. »

En dépit d'une bibliographie disponible importante et d'expériences particulières qui peuvent peut-être atteindre à l'intérêt général, le Nord continue donc d'être isolé — et méconnu. Il semble que, malgré les écrits de Voltaire, les préventions et les terreurs révélées par Tacite et Adam de Brèmes soient toujours présentes, et que l'ignorance où nous nous trouvons engendre la confusion dans laquelle nous nous complaisons.

Cette méconnaissance, encore une fois, ne touche pas le seul domaine historique, et les remèdes, s'il en existe, doivent se trouver hors de la recherche historique proprement dite.

Dans le secteur plus spécifiquement historique, il nous semble que trois questions dominent actuellement le débat contemporain. La première touche à l'histoire sociale, la deuxième aux relations internationales, la troisième aux questions de colonisation et de décolonisation. Toutes ces questions ont déjà été abordées d'un point de vue plus général et théorique dans d'autres volumes de la collection, par Pierre Jeannin dans son *Europe du Nord-Ouest et du Nord aux XVII*e *et XVIII*e *siècles*, et par Jean-Baptiste Duroselle dans *L'Europe de 1815 à nos jours*, par exemple. Dans ces deux ouvrages cités — qui ne sont pas exclusifs — trois chapitres peuvent, en particulier, nous intéresser directement. Ce sont : « Les multiples dimensions de l'histoire sociale » de P. Jeannin, et de J.-B. Duroselle : « L'homme d'Etat et les forces profondes » ainsi que « Colonisation et décolonisation ».

A ces questions il faudrait ajouter un dernier volet qui envisagerait la liaison existant entre le discours littéraire et le discours historique, domaine encore très flou et fort peu exploré.

L'histoire sociale trouve son point d'application privilégié en Suède avec les questions que soulève ce qu'on dénomme « le socialisme à la suédoise ». L'histoire des relations internationales est au centre de l'histoire contemporaine de la Finlande. Les problèmes de colonisation et de décolonisation intéressent tout particulièrement les régions excentriques des pays nordiques : Islande, Groenland, îles Féroé, Spitzberg et surtout Laponie. Le discours littéraire se retrouve aussi bien dans la prise de conscience nationale scandinave au xixe et au xxe siècle que dans l'approche des études historiques contemporaines en Finlande et en Suède. Ce discours trouve un développement nouveau avec le cinéma nordique et tout particulièrement danois et suédois qui, tout naturellement, a son histoire comme il participe de l'histoire.

Nous ferons précéder ces rapides réflexions, qui ne cherchent pas à épuiser le sujet mais plus simplement à suggérer les situations et provoquer les questions, de quelques notes de mise au point sur la question des suicides, non point tant pour satisfaire à une mode que pour rétablir, dans la mesure où cela est possible, la réalité des faits.

CHAPITRE PREMIER

LE SUICIDE DANS LE NORD

Le Traité du désespoir ;
Le concept d'angoisse ;
Crainte et tremblement ;
Le droit de mourir pour la vérité,

sont des titres d'ouvrages mondialement connus. Leur auteur est le Danois Sören Kierkegaard dont le seul nom est un « programme », tout comme chacun de ces titres — et il serait aisé de citer bien d'autres titres du même ou d'autres auteurs nordiques qui manifestent la même crainte et vont dans le même sens. Ce que le Suédois Gunnar Ekelöf exprime sous cette forme :

> « Il est simple de naître
> Tu deviens toi
> Il est simple de mourir
> Tu n'es plus toi
> Cela aurait pu être le contraire
> Comme dans le monde du miroir
> La Mort t'aurait donné le jour
> Et la Vie l'aurait éteint
> Cela revient au même
> Et peut-être en est-il ainsi
> Issu de la Mort, lentement
> T'efface la Vie » (1).

C'est un autre Suédois, Ingmar Bergman, qui déclare :

« L'être humain est fait de telle façon qu'il porte en soi et avec soi, toujours, des tendances à l'autodestruction et à la destruction de son entourage, consciemment ou inconsciemment. »

(1) Gunar EKELÖF, L'amant, in *Lettres nouvelles*, Paris, nº 2, 1972, p. 117.

ajoutant ensuite :

> « Quant nous mourons, eh bien nous sommes morts ! Nous passons d'un état concret à un état de rien absolu... Et je dois dire que cette certitude me procure une énorme sensation de sécurité (1) ».

Du *Concept d'angoisse* à la « sensation de sécurité » offerte par la Mort ouvrant sur le Jour, le passage est tout naturellement le suicide. Et l'un des plus beaux livres du Norvégien Tarjei Vesaas est *Palais de glace* (2), dont les personnages principaux sont deux petites filles. L'une se suicide (sa mort « accidentelle » étant l'aboutissement de sa volonté d'autodestruction) et l'autre cherche à s'autodétruire sans y parvenir. Et c'est encore un Suédois, Jan Myrdal, qui écrit :

> « Ma maison est bâtie entre le lac et la forêt dans une région paisible et agréable.
>
> « Je vis là dans le meilleur des mondes. Si j'avais du courage, je descendrais le corridor à main droite, j'entrerais dans la chambre d'amis et j'irais décrocher le « kukri » qui est suspendu au mur (inépuisable sujet de conversation pour les visiteurs) et je me trancherais la gorge, mais je n'en ai pas le courage. Et par le fait même que je puisse écrire cela, mes pensées se transforment en (mauvaise) littérature.
>
> « Je ne vois guère de raisons d'exister... Je suis un Européen ordinaire, pris au piège d'un tissu de mensonges, de traditions, et de réalités...
>
> « Tout en ruminant ces choses, je mange mon pain grillé et mon fromage qui est fort et est très avancé » (3).

Ainsi le décor est planté. La vie est « calme et volupté » mais, comme le montre si clairement le chevalier du Septième Sceau : « la Mort seule est certitude ». Et la Nuit. Vouloir y échapper serait lâcheté. En avancer l'heure devient banalité.

Peut-être est-ce de ce monde livresque que nous vient l'idée commune de l'aspect ordinaire du suicide en pays nordique. Mais on ne saurait se contenter de ce côté littéraire des choses — de même qu'on ne saurait se satisfaire des on-dit répandus depuis quelques années dans la presse de langue française.

---

(1) S. Björkman, T. Manns et J. Sima, *Le cinéma selon Bergman*, entretiens recueillis par..., *Cinéma 2000*, Seghers, 1973, pp. 52 et 355.
(2) Tarjei Vesaas, *Palais de glace*, Paris, 1975.
(3) Jan Myrdal, *Confessions d'un Européen déloyal*, Paris, 1973, pp. 132, 133.

Des auteurs « sérieux » ont écrit savamment sur les suicides dans les pays nordiques. Les articles, études et ouvrages de K. A. Achte, J.-C. Chesnais, H. Hartelius, H. Hendin, P. L. Landsberg, T. Landström, R. H. Rimon, A. Stenback, H. Teräväinen, V. Verkko, etc., sont nombreux sur cette question (1).

Jean Baechler note :

« ... la propension massive des Suédois au suicide, lieu commun obligé de la conscience commune, est pure légende... Tout se passe comme si la conscience occidentale éprouvait le besoin d'inventer un haut lieu du suicide, pour que tous les autres puissent se convaincre qu'ils sont à l'abri de tels maux » (2).

et Guy de Faramond souligne après son interrogation :

« La Suède est-elle le pays où l'on se suicide le plus ? » C'est un des mythes les plus profondément ancrés dans les esprits à l'étranger. Or, selon les statistiques européennes, la Suède arrive au cinquième rang, après la Hongrie, l'Autriche, la Tchécoslovaquie et l'Allemagne fédérale » (3).

Ces affirmations ne sauraient sans doute suffire à évacuer l'idée installée. Alors, prenons les chiffres de l'Organisation mondiale de la Santé en nous souvenant qu'en France, par exemple, le nombre des suicides n'est pas identique selon les statistiques fournies par le ministère de l'Intérieur et par le ministère de la Santé, qu'en pays musulman la notion de suicide est rejetée, de même qu'elle est méprisée, parfois niée, souvent cachée en pays catholiques, alors qu'en Suède :

« ... Le suicide n'est pas un sujet tabou et les permis d'inhumer portent toujours la cause véritable du décès. Les statistiques suédoises sont donc plus sincères que celles de beaucoup d'autres pays... » (4).

Constatons avec les statistiques officielles que les Suédois se suicident moins que les Autrichiens, les Finlandais, les Hongrois, les Japonais, les Suisses et les Tchécoslovaques, et pas plus que les Allemands de RFA.

(1) Renvoyons pour une bibliographie plus générale au livre de J. Baechler, *Les suicides*, Paris, 1975, préface de Raymond Aron.
(2) J. Baechler, *Les suicides*, p. 29, n. n° 26.
(3) Guy de Faramond, *La Suède et la qualité de la vie*, Paris, 1975, p. 124.
(4) *Ibid.*

	Suicides pour 100 000 décès	
	1961-1963	*1966-1967*
Hongrie	33,9	
Finlande	29	
Autriche	28,3	22,8
Tchécoslovaquie	28,2	
Japon	24,7	14,7
Danemark	24,2	17,7
Allemagne RFA	24,1	20,9
Suisse	23,2	20
Suède	21,7	20,9
France	20,7	15,5

De même, les Suédoises ne se suicident pas plus que les Françaises (8,9 suicides pour 100 000 décès), c'est-à-dire moins que les Autrichiennes ou les Danoises (14,7); les Allemandes de RFA (12,4), les Suissesses (11,1) ou les Anglaises et les Galloises (9,1) et à peine plus que les Belges (8,6).

Si l'on veut considérer les suicides de jeunes (de 15 à 24 ans), en 1969, la Suède arrive au quatrième rang des pays européens industrialisés.

On peut certes, au fil des statistiques, constater que les Norvégiens se suicident moins que les Finlandais, les Danois et les Suédois. Mais aucune explication n'est fournie. Peut-être faut-il la rechercher dans la proximité du Gulf Stream. Si nous pouvions être aussi certains des statistiques fournies par les Etats-Unis et par la France, pays riverains du Gulf Stream tout comme la Norvège, que de celles données par les pays nordiques à l'Office mondial de la Santé, nous pourrions éventuellement tirer des conclusions géographiques. Mais s'il est véritablement nécessaire de trouver une explication à ce qui est dit des suicides dans le Nord, il serait sans doute plus intéressant de s'attacher préalablement à l'origine de ce « bruit ». N'est-il pas là pour rassurer ceux qui le propagent et qui trouvent un fondement à leur argumentation dans le fait que sans fard on parle plus communément de la mort et de l'autodestruction dans les pays nordiques que dans les pays latins ? Ou bien encore n'est-ce pas pour « oublier » les meurtres en ne parlant que des suicides (il y a 3 meurtres par million d'habitants au Danemark pour 380 meurtres par million d'habitants au Mexique) ?

L'épigraphe du *Diapsalmaha* de S. Kierkegaard est :

> « Grandeur, savoir, renommée,
> Amitié, plaisir, eh bien !
> Tout n'est que vent et fumée,
> Pour mieux dire, tout n'est rien. »

Elle n'est pas de lui : il a emprunté ces vers à Paul Pélisson. Faut-il en conclure que les poètes français — et au-delà *tous* les Français — ont une tendance très nette au nihilisme ?

Il est toutefois vrai qu'une justification du libre-arbitre de sa vie est donnée librement dans les pays nordiques où l'on reconnaît volontiers avec Gunnar Ekelöf que :

« le temps que mesure l'horloge n'est rien, celui que ton expérience t'a donné est tout » (1).

Cette volonté de s'assumer et de le dire est peut-être un début d'explication aux suicides dans les pays nordiques. Mais c'est aussi ce que laisse supposer Raymond Aron pour tous quand il écrit :

« Personne n'est responsable de sa naissance, chacun est libre de choisir sa mort » (2).

Il reste, comme le constate encore R. Aron, que le suicide en général « nous interpelle tous », mais aussi que ce mythe développé à propos de la Suède et des pays nordiques relève de l'ignorance — ou de la malveillance. Penchons pour l'ignorance, encore que ce ne soit guère flatteur. Ce « bruit » est peut-être tout simplement suffisance pour ceux qui le colportent, tout comme le terme de « finlandisation ».

Sans partager le pessimisme de D. S. Connery, nous nous contenterons de livrer comme conclusion provisoire à ces quelques

---

(1) G. Ekelöf, *Guide pour les enfers.*
(2) R. Aron, in *Les suicides* de J. Baechler, p. 1.

remarques ce qu'il écrit à propos des « suicides dans l'Etat-providence » (1) :

> « On pourrait disserter à l'infini, mais le cœur du problème se situe sans doute dans cette simple phrase : les suicides sont la rançon du progrès. Plus une nation se développe technologiquement, plus elle instruit ses fils, plus elle trouve de motifs à douter de la religion établie, plus elle remplace la vie rurale par la vie citadine, plus elle accroît la longévité par de meilleures conditions d'hygiène, plus elle met d'acharnement à travailler pour acquérir les biens matériels qui sont le symbole de la prospérité, plus de chances se trouvent réunies pour que cette nation-là voie son taux de suicides s'élever au-dessus de ceux des sociétés moins avancées et moins blasées. »

A quoi il faut ajouter cette affirmation de Jean Bailhache :

> « Alors que dans les pays catholiques l'homme est porté à tuer son prochain, dans les pays protestants il a tendance à se tuer » (2).

(1) D. S. Connery, *Les Scandinaves*, Paris, 1968, p. 51.
(2) J. Bailhache, *Danemark*, Paris, 1957, p. 153.

CHAPITRE II

« LE SOCIALISME A LA SUÉDOISE »

Sans vouloir entrer dans des discussions théoriques sur le socialisme (1), nous devons tout d'abord rappeler que cette question ne peut être abordée sans un certain nombre de précautions au moins oratoires — que ce socialisme auquel on semble faire référence en parlant de la Suède n'est plus celui du début du XIXe siècle mais celui des sociétés industrielles contemporaines qui trouvent leurs références chez Marx plutôt que chez Fourier. Ce socialisme est dit « à la suédoise » hors de Suède. Ni le Parti social-démocrate suédois ni les syndicats suédois ne connaissent cette expression. Dès le départ, on pourrait dire que « le socialisme à la suédoise » — parfois dit « socialisme suédois » — n'existe que dans l'esprit des personnes extérieures aux pays nordiques. Pourtant, le fait même que la société suédoise puisse par certains être considérée comme un « modèle » mérite peut-être réflexion. A la limite la Suède ne serait-elle pas, tout comme M. Jourdain qui faisait de la prose sans le savoir, un Etat socialiste sans en avoir clairement conscience ?

Si l'on considère qu'un Etat socialiste suppose une appropriation collective des moyens de production, il est certain que la Suède est fort loin du socialisme : 10 % seulement des moyens de production n'appartiennent pas à des entreprises privées (4,50 % appartiennent aux coopératives, 5,50 à l'Etat). D'autre

(1) De nombreux ouvrages s'intéressent au « socialisme suédois » en particulier, non seulement d'un point de vue pragmatique mais aussi théorique. Au cours des six premiers mois de 1976 plusieurs études ont paru sur ce thème. Les principales sont certainement celles de G. ARDANT, *La Révolution suédoise*, R. Laffont, mai 1976 ; de U. JEANNENEY, *Le socialisme suédois : une expérience*, Hatier, 1er trimestre 1976 ; de Olof PALME, *Le rendez-vous suédois*, Stock, juin 1976.

part, la société industrielle est fortement concentrée. Nous avons déjà noté la puissance de la famille Bonnier dans les domaines de la presse et de l'information. Il faudrait parler aussi des familles Wallenberg, Broström, Wehtje, ou autres. Ces quatre premières familles employaient, en 1960, plus de 265 000 ouvriers et employés — les 15 plus grandes entreprises, fonctionnaires de l'Etat exceptés, groupant à l'époque 440 000 employés et ouvriers. Ces quatre familles détenaient à peu près 60 % du capital de ces 15 plus grands groupes financiers et industriels. La société suédoise laisse aussi fort peu de place aux « marginaux ». Depuis 1920, la tendance à la concentration a été constante et les petites entreprises sont peu à peu éliminées, si bien qu'il y a peu de petits producteurs dans l'industrie et le commerce. L'artisanat est lui-même en voie de disparition. Des secteurs entiers de l'industrie sont très concentrés. Il s'agit tout d'abord des industries tournées vers l'exportation ainsi que toute l'industrie lourde et les industries mécaniques. Au total, la Confédération du Patronat suédois (SAF) regroupe quelque 26 000 patrons employant 1 200 000 personnes. En 1973, les 56 plus grandes entreprises (sans compter les domaines particuliers à l'Etat) utilisaient les services de près de 950 000 personnes. En 1972, pour un même nombre de salariés, ces grandes compagnies privées étaient au nombre de 62. Une tendance semblable se manifeste dans le domaine de l'agriculture.

Entreprises agricoles

	Nombre total	De 2,1 à 10,0 ha	De 10,1 à 30,0 ha	De 30,1 à 50,0 ha	De 50,1 à 100,0 ha	Plus de 100,1 ha
1951	282 200	185 700	77 500	11 200	5 400	2 300
1961	232 900	141 600	71 700	12 000	5 400	2 200
1971	50 000	69 700	54 500	14 900	8 100	2 700
1973	139 000	60 800	51 500	15 200	8 600	2 900

(Diminution du nombre des petits agriculteurs — jusqu'à 30 ha : de 1951 à 1971 : 53,21 % = — 2,66 % par an ; de 1971 à 1973 : 9,58 % = — 4,79 % par an.)

Cette concentration, qui se fait au bénéfice des grandes sociétés ou des grandes fortunes, n'a rien de socialiste. Cette situation rapprocherait la Suède du capitalisme à l'américaine plus que de l'image ordinaire et idéale d'une société socialiste. Toutefois, le système des impôts mis en place en 1947 tend à modifier quelque peu cette image. En 1960, les impôts sur les revenus et les fortunes (sur le capital) représentaient 35 % des recettes courantes de l'Etat. Ils tendent à s'élever et devraient se stabiliser à 50 % (en 1970 : 41,9 % ; en 1975 : 43,1 %). Les impôts touchent l'ensemble de la population active (soit 48,7 % de la population, dont 88 % de salariés — en France : 41 % de la population, dont 71 % de salariés). Ces impôts sont retenus à la source et il n'existe pas d'abattement pour les personnes à charge mais des allocations exonérées d'impôts sont versées pour chacune de ces personnes.

1970. Salaires et impôts annuels des salariés
(en francs français, printemps 1976)

Gains annuels	% des salariés	Impôts	% des salaires
Inférieurs à 24 900	2,9	de 4 901 à 6 696	de 26,4 à 28,8
De 24 901 à 37 500	40,8	de 6 697 à 21 992	de 28,9 à 44,6
De 37 501 à 49 800	37,4		
De 49 801 à 62 400	12,5	de 21 993 à 27 436	de 44,7 à 47,1
Plus de 62 401	6,4	à partir de 27 437	de 47,2 à 69,7

En fait, pour les plus hauts salaires, les impôts sur les revenus peuvent atteindre 78 % des revenus déclarés sans toutefois excéder 80 %. Cette clause bénéficie aux 3 650 Suédois ayant des revenus supérieurs à 1 million de francs (1). A l'autre bout de la

(1) Il s'agit bien sûr de francs français 1976. Il faut aussi signaler que le gouvernement suédois met chaque année en vente un « livre des impôts » indiquant les gains reçus et les impôts perçus sur toutes les personnes ne se trouvant pas dans les catégories « inférieures ». Il va sans dire que le montant de la vente de ce livre — qui se trouve dans toutes les librairies — bénéficie au ministère des Finances.

chaîne, 5 % des « actifs » ne sont pas imposables : leurs revenus sont inférieurs à 18 600 francs. Ce système des impôts frappe aussi lourdement les bénéfices nets des sociétés (jusqu'à 50 %). Il tend donc à corriger les inégalités de revenus — dont l'éventail est réduit après impôts au rapport maximum de 1/30 environ (en France, le rapport « officiel » est de l'ordre de 1/110). Cet aspect tendrait à rapprocher la situation économique des salariés de celle connue en URSS — mais il ne prouve rien encore quant au socialisme.

Si l'on se réfère au PNB par habitant, il ne peut faire de doute que la Suède — européenne — peut être citée en exemple : de 1938 à 1968, ce PNB a été multiplié par 12 (en prix constants) et la Suède arrive au deuxième rang mondial, après les Etats-Unis d'Amérique. Mais, tout comme aux Etats-Unis quoique dans une moindre mesure et dans un nombre réduit, ce haut niveau du PNB n'évite pas à une partie de la population de connaître des difficultés énormes qui la mettent dans une situation proche de la misère, tant par les revenus perçus que les conditions de vie (dont celles de logement : encore en 1966 presque 2 % des logements n'avaient pas l'eau courante — mais en France, en 1962, plus de 10 % des logements étaient sans eau courante — et presque 20 % des habitations suédoises n'avaient pas de salle de bain — en France, toujours en 1962, presque 65 % des habitations se trouvaient dans cette situation). Le socialisme qui suppose une certaine égalité des chances devant la vie ne trouve pas son compte avec le PNB dont la valeur est théorique et gomme justement les différences qui sont les caractéristiques des sociétés inégalitaires à coup sûr non socialistes.

Une enquête conduite à la demande du gouvernement suédois en 1967-1969 a fait apparaître que près de 7,50 % des salariés étaient contraints de faire appel à une aide sociale (1), leurs salaires étant insuffisants à leur survie. Là encore nous avons visiblement affaire à un Etat capitaliste où la libre concurrence est la loi entre les entreprises mais aussi entre propriétaires et producteurs et où l'écrasement des salaires ne suffit pas à éliminer la pauvreté.

---

(1) Le journaliste britannique R. Huntford, très opposé au système et au gouvernement suédois, note cependant qu'il est très difficile à un Suédois d'échapper à l'aide de l'Etat, tant cette aide est multiforme et « insidieuse ».

Alors, ce qui différencie la Suède des pays capitalistes « classiques », mais aussi des pays qui se veulent « socialistes » comme les « démocraties populaires » est peut-être à rechercher ailleurs que dans les indices purement matériels. On pourrait peut-être le déceler dans ce que Guy de Faramond (1) appelle la « politique du bien-être», ce qui peut aussi être envisagé sous l'aspect « qualité de la vie» et ferait de la Suède un certain « modèle». Cette « qualité de la vie » passe tout naturellement par la « protection de la nature » contre toutes les nuisances, toutes les pollutions, toutes les contraintes. On pourrait aussi trouver cette « différence » dans la possibilité de contestation — que cette contestation s'exprime par les grèves, par l'émigration, par l'opposition même que manifeste parfois le pouvoir politique à l'encontre du pouvoir administratif (et nous en avons des exemples récents dans les démêlés du cinéaste Ingmar Bergman avec les contrôleurs des impôts, ainsi que dans l'appui que le premier ministre, Olof Palme, a prêté à l'artiste en cette occasion, et cela très publiquement), etc.

La première des évidences est que la Suède est, depuis plus d'un tiers de siècle, gouvernée par des équipes social-démocrates. Ce terme de social-démocrate laisse supposer un certain cadre qui n'est pas *a priori* seulement favorable à la libre entreprise. Mais il faut bien constater que les garanties obtenues par les gouvernements social-démocrates en faveur des employés l'ont été par le biais des compromis et du système fiscal tendant à réduire les marges bénéficiaires pour développer les aides sociales. Cette meilleure répartition de la fortune rejoint la notion égalitaire du PNB — notion on le sait trop vague et très irréelle. Pour parvenir à cette situation dans une paix sociale relative, l'accord plus ou moins volontaire des employeurs est nécessaire, tout comme celui des employés. Aussi, au cours des années passées, et cela jusqu'en 1976, la législation régissant les rapports entre employeurs et employés a laissé le champ libre, en dernière analyse, aux employeurs qui ont pu — et peuvent — embaucher ou renvoyer leurs employés, les maintenir dans un poste, ou les changer d'ateliers, etc. C'est ce qu'un patron explicite sous la forme :

> « Participation des ouvriers aux microdécisions : d'accord ; aux macro-décisions : jamais ! »

Cette position a été acceptée par la direction social-démo-crate — le gouvernement, donc — et les syndicats aussi longtemps que l'économie suédoise a été en expansion. C'est-à-dire aussi longtemps qu'un minimum « décent » était assuré à l'employé. Cette option n'a cependant rien de socialiste. Mais cette situation qui semblait stable (et essentiellement favorable au patronat) peut constamment être remise en question. Elle l'est dès l'instant où le programme initial et minimum de la social-démocratie : stabilité de l'emploi, minimum assuré, sinon à tous, du moins à la très grande majorité, « égalisation » des chances par la croissance privilégiée des faibles revenus et le « rabotage » des hauts revenus, semble être atteint et/ou remis en cause. Elle l'est aussi quand la production et les débouchés deviennent incertains.

Les premiers à contester la situation acquise sont les nouveaux (ou derniers) arrivés sur le marché du travail : les jeunes, les femmes et les travailleurs immigrés. C'est actuellement, depuis 1970, ce qui se passe avec les grèves sauvages par exemple. C'est dans les mines du Nord — où se trouvent rassemblés de nombreux ouvriers immigrés, finlandais — et dans les usines Volvo de Göteborg, parmi les plus « rationalisées », où le travail est morcelé (simplifié, disent certains) à l'extrême — et où encore une fois se trouve tout naturellement un grand nombre d'ouvriers immigrés (Finlandais essentiellement) — que les ouvriers, sortant des cadres habituels de discussion, déclenchent les premières grandes « grèves sauvages ». En quarante-huit heures, deux résultats sont obtenus : une augmentation substantielle des salaires (de 12 à 14 %) et, dans un certain nombre d'ateliers, la rupture des chaînes. Ces demandes n'étaient pas nouvelles mais aucune discussion n'avait permis de les faire aboutir. La concertation ordinaire s'était révélée totalement inefficace et l'exutoire dès lors dépassé de la « libération sexuelle », qui avait pu un temps faire passer les questions de l'emploi au second plan, se trouve à son tour abandonné car inutile devant les nouvelles questions qui surgissent ou renaissent, d'autant qu'il a aussi rempli son rôle annexe de mise sur un pied d'égalité des deux composantes humaines : la masculine et la féminine. Dès lors, ceux qui sont les plus fermes partisans des conventions collectives, des tribunaux du travail, etc., c'est-à-dire des discussions entre « partenaires » sociaux, ou de ce qu'on pourrait appeler la « concertation », sont les membres de la SAF (confédération patronale), mais aussi les « appareils » syndicaux ouvriers qui se refusent à des réformes bousculant les habitudes et les schémas sociaux ordinaires.

Le gouvernement peut alors, avec la direction du parti au pouvoir, faire la preuve de ses options fondamentales en prenant des décisions soit en faveur du renforcement des structures mises en place en un peu plus d'un quart de siècle, soit, passant outre aux manifestations de ce qui peut paraître la majorité, s'intéresser aux désirs des minorités et agir en leur faveur. Mais c'est là un choix typiquement politique — qui est peut-être la marque d'un certain socialisme dans la mesure où ces minorités sont déshéritées en regard de la majorité.

Cela peut aboutir très rapidement à une certaine désaffection ou à un désintérêt de la part de la masse des électeurs, à moins encore qu'une certaine propagande ne mettant en lumière que certains aspects de la politique poursuivie oriente — ou trompe — les électeurs par omission. Cette désaffection du corps électoral — toute relative — est d'autant plus aisée que les réformes sont entrées dans les mœurs et ne sont pas remises en question, même par les partis les plus opposés au Parti social-démocrate : un consensus « de gauche » est implanté qui semble irréversible.

Si le socialisme est l'accord conscient de la majorité des travailleurs, une telle option n'entre pas dans son cadre. Imposer des réformes est toujours — au moins moralement — dangereux, quand bien même ces réformes sont nécessaires aux yeux des gouvernants. Et une fois que des réformes ont été imposées, la tentation est grande de poursuivre malgré le désintérêt ou même l'opposition des bénéficiaires futurs; déclarer vouloir satisfaire les désirs d'une minorité pour le plus grand profit de tous peut aboutir à une dictature aussi bien de « droite » que de « gauche ». Et les « majorités silencieuses », parfois évoquées pour justifier certains actes politiques, ne sont pas toujours un argument convaincant car elles sont trop fluctuantes et illusoires. D'un autre côté, la prévision appartient à tous les états-majors, à tous les gouvernements, socialistes ou non.

Cette voie — périlleuse — semble cependant être celle choisie par le gouvernement social-démocrate suédois.

La première fois que le gouvernement décida de passer outre l'opinion publique, le sujet paraissait très secondaire. C'était en 1967, quand il fut décidé que la circulation routière se ferait à droite. L'explication de cette décision se référait à la nécessité de l'intégration à l'Europe en commençant par l'Europe du Nord, tous les autres pays nordiques ayant une conduite routière à droite, la Suède seule l'ayant à gauche. Mais quand le gouvernement décida cette transformation de la circulation routière, 83 % des participants au référendum (1) se prononcèrent contre cette décision. La justification trouvée par le gouvernement pour appliquer sa politique recourut justement à l'entité de « majorité silencieuse » : la participation au référendum avait été particulièrement faible. Une demi-douzaine d'années plus tard, la circulation à droite est entrée dans les mœurs et la transformation décidée par le gouvernement trouve son approbation dans la conduite quotidienne et l'abolition des frontières entre les divers Etats nordiques.

La deuxième manifestation de ce choix est celle concernant le système des retraites. Aménagé en 1946 ce système assure un minimum à tout retraité de 67 ans. (Si l'on voulait appliquer ce système en France, la référence ne saurait être 67 ans comme certains hommes politiques français l'avancent, mais, étant donné les longévités suédoise et française, l'âge de prise de la retraite en France devrait être en moyenne de 58 ans. Cette habitude de « transferts » mécaniques des situations d'un pays à un autre sans autre référence qu'au fait précis ponctuel soulève la question de l'utilisation des « modèles », comme des statistiques d'ailleurs. L'ignorance de la situation exacte et l'évocation mécaniste des chiffres introduisent la confusion dont nous parlions plus haut.) En 1955, le Parti social-démocrate et les syndicats proposent

---

(1) Le recours au référendum, très peu utilisé en Suède, conférait un aspect de gravité à la question sans pour autant lui donner force de loi dans ses résultats.

de porter la retraite de base à 50 % minimum du revenu annuel
de la meilleure période d'activité. Combattu par tous les autres
partis importants (le supplément apporté aux retraités serait
fourni par une caisse alimentée par les employeurs et gérée par
l'Etat) comme par certains syndicats (en particulier des fonctionnaires qui n'étaient pas concernés par cette mesure) le projet
n'emporte que 46 % des voix lors d'un nouveau référendum.
En 1958, le Parlement lui-même repousse le projet par une majorité
de six voix. En 1959, après dissolution de l'Assemblée et nouvelles
élections, le gouvernement présente à nouveau son projet de loi
qui, cette fois, est approuvé par 115 voix pour, 114 contre, et une
abstention. En 1960, le Parti conservateur cherche à faire abroger
la loi, sans y parvenir. Et la loi entre dans les mœurs. Mais là
encore la situation est fort discutable : le gouvernement obtient
l'appui du syndicat ouvrier — mais pas celui du syndicat des
fonctionnaires — et l'emporte grâce à une voix d'abstention.
Cela n'empêche pas le gouvernement, ce premier pas étant franchi
et finalement considéré comme naturel, d'engager quinze années
plus tard, alors que cette « étape » sur l'augmentation des retraites
avait été particulièrement pénible, une nouvelle discussion pour
que ce minimum passe de 50 % aux deux tiers des dix ou quinze
meilleures années de salariat (la durée à prendre en compte
n'était pas encore clairement établie au début de 1976). Il est
bien évident qu'en 1976 cette « proposition » n'était pas « populaire » dans la mesure où de nombreux employés et ouvriers
cotisent pour une retraite complémentaire et qu'ils ne pourront
bénéficier de cette mesure qui est réservée en fait aux plus défavorisés (aux moins prévoyants disent certains), que les fonds seraient
essentiellement fournis par les employeurs qui pourraient avoir tout
naturellement tendance, dans une économie libérale, à reporter
ces frais supplémentaires sur d'autres chapitres et ainsi provoquer
une hausse du coût de la vie en une période économique mondialement difficile.

« Socialiste » dans son principe, cette mesure l'est-elle encore
quand elle intéresse une frange étroite de la population (à peine
plus que les 7,50 % déjà mentionnés) qui serait « secourue » par
une majorité freinée de ce fait dans son développement général ?
Avec cette proposition, le vieux principe socialiste : « A chacun

selon son travail », se trouve dépassé, au moins dans les apparences.

Ce gouvernement social-démocrate prend aussi d'autres décisions qui peuvent déplaire à différents secteurs de son électorat, bien que la « marge » de manœuvre du ministère soit très étroite. Les deux mesures actuelles les plus spectaculaires sont, d'une part, la transformation du code du travail et, d'autre part, la place faite aux femmes dans la vie économique.

La première doit entrer en application le 1er janvier 1977 (1). Elle abolit les prérogatives laissées aux chefs d'entreprises sur l'embauche et la débauche (2), l'affectation des employés à des postes divers et la répartition du travail dans l'entreprise. A partir du 1er janvier 1977 donc ces domaines seront confiés aux comités d'entreprises et aux employés eux-mêmes. Une telle réforme ne remet pas l'entreprise aux mains des producteurs, mais l'organisation du travail au sein de l'entreprise devient leur fait. Elle est la conséquence directe des « grèves sauvages » de Kiruna et de Göteborg, c'est-à-dire de grèves le plus souvent menées par les travailleurs immigrés, contre l'avis des syndicats, de la direction social-démocrate et, bien sûr, de la SAF. Aujourd'hui, changeant d'attitude, le gouvernement reprend à son compte les revendications exprimées par une minorité. C'est l'action pratique « à la base » qui entraîne la « théorisation » à l'échelle gouvernementale. Ce mouvement est hautement pragmatique et semble typiquement suédois si on se réfère aux déclarations de Hjalmar Branting à Lund, en 1900, ou d'Olof Palme en Scanie, le 30 octobre 1967 (3). L'utopie devient alors réalité : le

(1) Les élections de septembre 1976 qui ont donné une majorité aux partis « bourgeois » pour la première fois depuis 1932 ne remettent cependant pas en cause cette décision, à moins que le parlement ne soit saisi d'une proposition de dernière minute modifiant cette loi.

(2) Dans les faits, il faut remarquer qu'en bien des lieux cette question de l'embauche et de la débauche se trouvait déjà dans la main des syndicats. Il est vrai que l'exemple le plus évident n'est pas ici suédois mais finlandais : à l'époque des tentatives de coups d'Etat fascistes en 1932, les dirigeants néonazis se plaignaient publiquement de ce que les adhérents à leur mouvement ne parvenaient pas à se faire embaucher sur certains chantiers et dans certaines usines, les syndicats social-démocrates s'y opposant. D'où le rapide échec du mouvement néo-nazi en Finlande à cette époque.

(3) Mais les déclarations d'Olof PALME, le 24 février 1976, publiées sous le titre de *Rendez-vous suédois*, marquent une nette évolution à cet égard.

gouvernement impose une mesure en avance sur l'état des esprits, comme sur la loi et la jurisprudence. Et l'action d'une minorité — doublement marginale puisque minorité composée essentiellement dans ce cas de travailleurs étrangers — permet la réalisation d'un rêve socialiste ancien (mais toujours présent sous ses aspects autogestionnaires) et remet en cause toutes les situations sociales actuelles. Mais déjà le 15 avril 1970 le Premier Ministre social-démocrate Olof Palme rappelait que :

« force doit rester à la loi... est un slogan qui sert à défendre le *statu quo* et permet à ceux qui l'ont toujours détenu de garder le pouvoir... »

Ce « pouvoir » est bien sûr le pouvoir économique (1).

Ce qui est ici intéressant est que cette déclaration est intervenue après la condamnation des grévistes « sauvages » par les tribunaux — et par les directions syndicales qui avaient refusé de mettre les fonds syndicaux de grève à la disposition de ces grévistes qui au nombre de 4 000 « tinrent » seuls durant cinquante-quatre jours. (Les fonds de grève des syndicats sont assez importants pour que le patronat hésite ordinairement à engager une épreuve de force avec ces organisations. En 1970, pour le seul syndicat de la métallurgie, la réserve monétaire pour les secours aux grévistes était de 353 millions de francs — nouveaux bien sûr.)

Ce qui importe aussi est que cette déclaration ait pu être faite par un Premier Ministre en exercice.

Ce que déclare Olof Palme est tout autant en rupture avec les habitudes établies de concertation que les grèves « sauvages » elles-mêmes. Et c'est peut-être à partir de ce que dit le Premier Ministre qu'une approche nouvelle du socialisme est possible — que d'ailleurs avec prudence O. Palme n'appelle pas socialisme mais « démocratie industrielle ». De telles déclarations peuvent situer le socialisme sinon dans l'illégalité du moins dans une légalité à venir. Le socialisme serait alors, pour partie au moins, « invention ». Ce qui, dans une certaine mesure, rejoint l'utopie (reprenant Leszek Kolakowski, Olof Palme remarque que l'idée de socialisme — et le socialisme lui-même — ne peut exister sans

(1) Olof Palme précise par ailleurs : « Les partis bourgeois détiennent le pouvoir économique, nous, gouvernement des salariés, le pouvoir politique. » C'était avant septembre 1976.

utopies, et que ses objectifs dont certains paraissent justement irréalisables donnent un sens aux transformations quotidiennes).

Un autre aspect de cette « démocratie industrielle » est la place faite aux femmes. Jusqu'en 1970, et d'après l'enquête déjà citée, 41 % des femmes employées dans l'industrie gagnent le minimum (contre 9 % des hommes). Le salaire moyen des employées à plein temps en 1966-1967 était de 15 900 couronnes alors que le salaire moyen des hommes était de 24 150 couronnes. A cela aussi le gouvernement décida de remédier après que des actions aient été entreprises en dehors du cadre « légal » et malgré la majorité des travailleurs qui se satisfaisaient fort bien de la situation existante.

Tout comme l'action en faveur des immigrés (et si l'on voulait dresser un tableau complet il faudrait aussi parler de l'action en faveur des handicapés, des prisonniers, des vieillards, c'est-à-dire de toutes les minorités en fin de compte), l'action en faveur des femmes se révèle double : elle intervient à la demande du gouvernement au bénéfice d'une « minorité » alors que la « majorité » ne ressent pas le besoin profond d'agir. Elle se fait contre l'avis de cette « majorité » (mais face à chacune des minorités, la majorité est différente : il n'y a pas un « front » des minoritaires qui, si cela était, seraient majoritaires) qui se sent mise en danger par l'action en faveur des « minoritaires ». Et puis aussi, elle a une situation légale avant d'entrer dans les mœurs. Ici, la loi précède la coutume. Il faut répéter que cette action, se voulant pragmatique, n'est pas seulement sociale mais politique et que, dans un premier temps au moins, elle peut mettre le gouvernement en difficulté. Chaque fois, cependant, le gouvernement s'engage à fond pour faire aboutir une mesure à l'origine peu populaire qui, chaque fois, lui fait perdre des voix lors des élections qui suivent. (Cela laisse supposer qu'une mutation profonde s'est opérée dans le corps électoral suédois qui se révèle conservateur, tandis que le gouvernement estime pouvoir franchir de nouvelles étapes dans la voie socialiste et par là se montre révolutionnaire par rapport à son support quantitatif.)

Politique suicidaire ?

Il ne semble pas, du moins à long terme, car les opposants à ces lois n'osent pas agir directement contre le gouvernement, contre la direction social-démocrate, pour leur ravir la place et changer de politique (ce qui laisse imaginer que tous les dirigeants politiques sont persuadés de la justesse des décisions prises). Politique dangereuse sans doute car l'intention profonde de cette action semble être de « sortir » les électeurs social-démocrates et tous les autres au besoin, en les transformant peu à peu en électeurs social-démocrates tout d'abord, du simple processus social, et corporatiste pour les amener à une prise en charge générale de ce qu'on appelle aujourd'hui les « marginaux » (1).

Aussi est-ce peut-être en fonction de l'action du Parti social-démocrate, des syndicats, du gouvernement, en direction de ces « marginaux », qu'ils soient « femmes », « immigrés », « jeunes », « incarcérés », « retraités », ou autres, qu'une politique socialiste peut être appréciée, et que le socialisme peut éventuellement rechercher, sinon trouver, une définition et une image nouvelles.

La marge devient alors étroite entre les définitions à l'emporte-pièce du « chacun selon ses moyens » et du « chacun selon ses besoins ». Le « socialisme à la suédoise », à la fois pragmatique et utopiste, tendrait à établir un moyen terme entre les deux expressions, non pas en s'en tenant à égale distance, mais en penchant tantôt pour une égalité face à la production, tantôt pour une inégalité face à la consommation, les plus défavorisés étant servis non pas mieux mais avec plus de soin que les autres.

A cela participe la politique de la formation et de l'éducation que nous ne citons qu'au passage mais qui mériterait un examen approfondi aussi bien dans ses réalisations positives que dans ses « manques ». Il faudrait aussi examiner avec un soin tout particulier l'une des actions considérée comme essentielle par Olof Palme : celle de la décentralisation du pouvoir par la croissance de la capacité de décision des communes regroupées (y compris dans le domaine financier).

Un examen attentif des diverses mesures, et la progression de ces mesures elles-mêmes, dans leur réalisation, leur coût, leur

---

(1) Il est d'ailleurs très remarquable que la campagne électorale de septembre 1976 ait essentiellement, pour les partis opposés à la social-démocratie suédoise, porté sur la défense écologique et ne se soit pas attaquée directement à ces lois.

limitation aussi, devrait permettre une approche nouvelle de ce que peut être le socialisme dans une société libérale avancée, démocratique dans le sens occidental du terme, pluraliste aussi, capitaliste dans une mesure certaine et importante, mais d'abord « sociale » (cette société « sociale » qui fut l'ambition de nombreux socialistes et républicains français au XIXe siècle — qui fut aussi, et reste sans doute, la terreur de nombreux « bien-pensants »).

Il y a là un vaste champ à explorer — et la « littérature » de langue française sur laquelle nous revenons rapidement ci-après est encore bien faible à ce sujet — qui intéresse non seulement les historiens mais aussi les sociologues comme les politologues et les hommes politiques, et qui passant par la compréhension de ce que Olof Palme appelle, provisoirement peut-être, la « démocratie industrielle » pourrait aboutir à une redéfinition de ce qu'on nomme « socialisme ».

Avant de clore, provisoirement, ce chapitre, il nous semble intéressant de noter que parmi les nombreux ouvrages qui ont pu paraître ces dernières années (nombreux en regard de ce qui a été publié antérieurement et non en absolu) et qui ont pour objet le « socialisme suédois », trois dominent diversement.

Le premier est très violemment opposé au système suédois. Il s'agit de celui de Roland Huntford (1).

Correspondant à Stockholm de l'*Observer* de Londres, R. Huntford connaît certes bien les mécanismes suédois. Pour une raison qui échappe ici à notre analyse, le journaliste londonien rejette radicalement tout ce qui émane de la Suède actuelle. Sa base de référence est l'ouvrage d'A. Huxley : *Le meilleur des mondes*, qui apparaît ici comme obsessionnel. Comme le constate U. Jeanneney, « les analyses » de R. Huntford sont « souvent quasi haineuses ». Cela est à un point tel que bien souvent le travail du journaliste britannique en est ridicule. Il est toutefois intéressant car unique en son genre. De plus, par ses outrances, il a les mérites de la caricature et, s'il ne se fonde pas sur la réalité et si l'objectivité est le moindre de ses soucis, il évoque des virtualités négatives qui sont toujours possibles. Et cette philippique peut au total paraître

_____

(1) R. HUNTFORD, *Un nouveau totalitarisme*, Editions Fayard, 1975.

comme une sérieuse mise en garde contre les dangers d'uniformisation, d'égalisation à tout prix, de grisaille, qui guettent tout naturellement la société en général, et la suédoise en particulier. Accessoirement, l'ouvrage de R. Huntford est intéressant d'un point de vue psychanalytique — mais ceci ne concerne en rien cette société suédoise non plus que la démocratie industrielle ou le « socialisme à la scandinave ».

D'un tout autre aspect sont les deux autres ouvrages « dominants ». L'un, celui d'Ulla Jeanneney, appartient à une série (1) qui se veut à la fois schématique et didactique. Il ne saurait donc être question d'y rechercher une étude en profondeur (de plus, comme les autres ouvrages de la collection, celui-ci a moins de 80 pages). Mais l'essentiel est dit et l'ensemble des questions touchant à la situation suédoise est examiné. C'est une présentation sans concession mais non dépourvue d'amitié des problèmes qui se posent à la Suède en 1976 et le cheminement qui l'a amenée à cette position. Il est intéressant de relire après septembre 1976 quelques-unes des conclusions ou remarques d'U. Jeanneney. Tout d'abord, cette constatation qui répond aux « craintes » de R. Huntford :

> « La Suède est un pays où le consensus est bien plus achevé qu'ailleurs, soit, mais de là à croire que toute discussion idéologique est inexistante, que toute doctrine ou théorie hétérodoxe est morte, il y a un fossé — qu'heureusement les Suédois n'ont pas franchi ! » (2).

Donnant aussi quelque raison à la désaffection des électeurs social-démocrates, U. Jeanneney note que les difficultés rencontrées par le gouvernement d'Olof Palme tiennent en partie aux situations internationales et au fait que ce gouvernement, non seulement a pris — comme partout dans le monde — des mesures tardives pour y pallier, mais aussi, et cela est particulier à la Suède, *trop précoces*. Il y a aussi qu'ayant dépassé le stade des revendications purement matérielles (augmentation de salaires, stabilité de l'emploi, etc.) les électeurs ont — à tort ou à raison — le sentiment que le consensus est réel entre toutes les couches de la

---

(1) U. Jeanneney, *Le socialisme suédois : une expérience*, Hatier, coll. « Profil-Actualité », n° 403, 1976 ; U. Jeanneney est aussi rédacteur en chef adjoint de l'*Observateur de l'OCDE*.

(2) *Op. cit.*, p. 57.

population, que de plus cet électorat manifeste un « désir très normal d'alternance », tandis que le parti au pouvoir (mais rarement majoritaire depuis une quarantaine d'années) de son côté montre une « certaine usure du pouvoir ». L'analyse d'U. Jeanneney laisse supposer que le Parti social-démocrate peut perdre son rôle gouvernemental — ce qui s'est produit en septembre 1976 — sans que cela implique un changement fondamental de la politique car — toujours selon U. Jeanneney — les électeurs suédois sont « fondamentalement attachés » à la société construite sous la direction du mouvement social-démocrate.

Ce livre — petit par sa taille — se lit rapidement, aisément. Il a le mérite essentiel de situer l'ensemble des problèmes. Et si son approche est quelque peu elliptique, il ne laisse rien dans l'ombre y compris quant à la possibilité « d'exportation » du « modèle » suédois qui est peut-être et avant toute chose un « art de se hâter lentement ».

Dans un domaine proche, nous trouvons l'ouvrage de Gabriel Ardant (1). Comme U. Jeanneney, le point de vue de G. Ardant est de sympathie et d'intérêt. Et tout comme U. Jeanneney, G. Ardant estime qu'à « tort ou à raison les socialistes suédois s'estiment suffisamment puissants pour durer. Ils ont le temps pour eux » (2). A l'image d'U. Jeanneney encore, G. Ardant pense qu'il y a à « une certaine corrélation entre la religion protestante et la volonté des hommes de gérer eux-mêmes leurs affaires » (3) et il serait aisé mais fastidieux de relever les points de convergence de ces deux auteurs fort avertis. La différence qui existe tient tout d'abord à la nature — et par conséquent à la taille — des deux volumes : celui de G. Ardant est presque quatre fois plus volumineux. Une autre différence tient à ce que dès l'introduction G. Ardant affirme son intérêt pour la « révolution suédoise ». C'est aussi dès cette introduction que notre auteur note que certaines mesures du gouvernement d'O. Palme sont sans doute prématurées par rapport à l'état général des esprits (4).

(1) Gabriel ARDANT, *La Révolution suédoise*, R. Laffont, coll. « Libertés 2000 », 1976.
(2) *Op. cit.*, p. 243.
(3) *Ibid.*, p. 246.
(4) *Ibid.*, p. 18.

La première partie de cette étude qui en comporte trois est une sorte d'analyse thématique de l'évolution historique de la Suède depuis le début du siècle et surtout depuis les années 1930-1932. Cette première partie s'achève avec l'année 1975, c'est-à-dire avec la période nouvelle qu'il s'agit d'atteindre et qui est désignée par le terme de « démocratie industrielle ». Notons que cette appellation est apparue lors du Congrès des Syndicats LO de 1971 et a été reprise lors du Congrès du Parti social-démocrate de 1975.

La deuxième partie s'attache à analyser la situation en 1975, en mettant en relief les zones d'ombre. Cette seconde partie est nettement plus polémique que la première plus linéaire. Ici, l'auteur intervient directement en donnant son avis sur les systèmes monétaires et les mécanismes financiers. Certains des thèmes qui avaient été développés dans ses ouvrages de 1965 et de 1971-1972 (1) et surtout dans celui de 1973 (2) écrit en collaboration avec Pierre Mendès France, apparaissent nettement, sont repris, précisés, et appliqués à la situation suédoise. L'intervention directe de l'auteur n'est pas choquante ou même gênante dans la mesure où ce chapitre est une sorte de commentaire personnalisé de la situation actuelle avec non seulement l'analyse de cette situation mais aussi les réflexions qu'elle suggère et les hypothèses qu'elle permet d'envisager, l'auteur ne cachant pas, bien au contraire, le point de vue qu'il adopte. Il arrive toutefois que G. Ardant s'éloigne quelque peu de la situation suédoise pour avoir des vues plus générales, en particulier lorsqu'il est question des « préjugés monétaires » (3). Cela n'est pas sans intérêt mais pourrait trouver place tout aussi bien dans une analyse de l'économie française, italienne ou encore roumaine. L'examen de la position des syndicats suédois est certainement mieux centré, plus détaillé, et plus nuancé qu'ailleurs. En quelques phases, G. Ardant montre les limites — chiffrées au besoin — de l'influence réelle des syndicats forts numériquement, presque faibles idéolo-

(1) G. ARDANT, *Théorie sociologique de l'impôt*, SEVPN, 1965 ; *Histoire de l'impôt*, 2 vol., Fayard, 1971 et 1972.

(2) G. ARDANT et P. MENDÈS FRANCE, *Science économique et lucidité politique*, Gallimard, 1973.

(3) G. ARDANT, *La Révolution suédoise*, p. 182 et *passim*.

giquement (1). On pourra cependant regretter que dans ce
chapitre G. Ardant ne souligne pas nettement que, par essence,
les syndicats se doivent de préserver (ou améliorer) des intérêts
catégoriels, tandis qu'un parti politique se voulant révolutionnaire
(y compris lorsqu'il s'intitule social-démocrate) doit viser à la
transformation de la société au besoin en s'opposant à ces intérêts
catégoriels. Et puis, aussi, on pourra s'étonner de la si petite
place laissée ici (2) aux travailleurs immigrés, à leur rôle dans
l'opposition (dans le refus de participation) au Parti social-
démocrate comme au syndicat LO, alors qu'Olof Palme souligne
lui-même l'importance des travailleurs immigrés dans la vie
économique de la Suède (3). A côté de cette « absence » dans
l'ouvrage de G. Ardant, il faut constater que le rôle des minorités
(Lapons, Tziganes, etc.) est pratiquement ignoré, tout comme il
est fort peu question du poids de la seconde guerre mondiale sur
l'économie de la Suède.

La troisième et dernière partie est — et se veut — polémique.
Son titre en interrogation : « Y a-t-il un modèle suédois ? » est
une invite à la discussion. Il va sans dire que cette discussion
G. Ardant la veut sans anathème et qu'il cherche dans la « révolution suédoise » les éléments qui pourraient être transposés et
acclimatés en d'autres lieux. Il en trouve trois pour l'essentiel : la
politique du plein emploi, la lutte contre l'insécurité et les tensions,
l'éducation des adultes. Et c'est autour de ces trois thèmes que
s'achève ce livre important pour la connaissance de la Suède
d'aujourd'hui, d'une Suède tantôt réformiste, tantôt révolutionnaire. Et les thèmes évoqués par G. Ardant ne sont pas éloignés des
trois buts officiels annoncés par O. Palme : égalité, sécurité,
solidarité (4).

Imprimée au printemps 1976, *La Révolution suédoise* de Gabriel
Ardant ne pouvait évidemment pas annoncer le résultat des

---

(1) En particulier dans les pp. 192 et 193.
(2) Une phrase p. 209.
(3) Voir *Le rendez-vous suédois*. Olof PALME y déclare : « Puisque la Suède a
besoin de travailleurs immigrés, les travailleurs immigrés doivent pouvoir
compter sur la Suède... », p. 121.
(4) *Ibid.*, p. 46.

élections législatives de l'automne (1) qui ont permis aux partis « bourgeois » de ravir le pouvoir à un Parti social-démocrate qui s'y attendait sans trop y croire.

Cette « défaite » électorale toute relative du Parti social-démocrate se trouve annoncée et en bonne part analysée dans les deux ouvrages qui ont été rapidement présentés ci-dessus. Cette « annonce » se trouve sans doute plus explicite dans celui d'U. Jeanneney par le fait que ce livre est plus « ramassé ». Dans sa conclusion, U. Jeanneney écrivait :

« ... Si l'on considère les élections de 1973 non plus comme un phénomène isolé mais dans la ligne des cinq scrutins qui ont eu lieu depuis 1960, une constatation s'impose : il y a eu... grignotage continuel des voix sociales-démocrates qui ont diminué en tout de 4,2 %.

« ... Comment... expliquer la baisse des voix sociales-démocrates depuis une dizaine d'années ? Très simplement par une certaine usure du pouvoir... et par le désir très normal d'alternance ressenti par l'électorat. Un électorat qui sait fort bien qu'un changement d'équipe ne transformerait pas de fond en comble la société dans laquelle il vit. Etant de plus en plus convaincus que cette alternance serait une alternance dans la permanence, les électeurs semblent craindre de moins en moins de rompre ce « juste équilibre »...

« ... les partis « bourgeois » non seulement acceptent mais approuvent la majorité des acquis politiques et sociaux de la Suède actuelle. Dès lors que parvenus au pouvoir ils voudraient apporter plus que des nuances au système, c'est-à-dire axer leur politique dans un sens franchement contraire aux intérêts des salariés, ceux-ci, qui constituent l'immense majorité de l'électorat, auraient évidemment la possibilité — et à brève échéance, la législature n'étant que de trois ans — de les renvoyer dans l'opposition.

« ... avec une alternance des partis au pouvoir, le « modèle suédois » de société et de civilisation n'est pas près de disparaître » (2).

Mais les raisons données — avant l'heure — de cet échec sont peut-être, et tout naturellement étant donné leur forme, par trop simples. Au lendemain de ces élections, il est possible d'affirmer — et cela ne fait que reprendre ce que nous disions plus haut — que les mesures prises en faveur des minorités par exemple sont parfois d'un intérêt non immédiatement perceptible à tous. Que ces mesures, par leur « précocité », choquent quand bien

---

(1) Voir l'annexe n° 1.
(2) U. JEANNENEY, *Le socialisme suédois : une expérience*, pp. 75, 76 et 77.

même une large consultation préalable a été ménagée et menée par le gouvernement et divers organismes de presse ou d'éducation populaire, cela montre simplement que les techniques de « communication » en dépit de leurs progrès ne sont pas encore au point. Cela montre aussi que le corps électoral suédois est loin de l'uniformisation ou de la « grisaille » que certains semblent redouter.

De cet échec relatif du Parti social-démocrate deux conclusions au moins peuvent être tirées. La première a trait à la non-maîtrise absolue des « mass media » par l'appareil du parti ou des syndicats. Cette première conclusion confère une importance toute particulière à ce que Olof Palme appelle « la bataille de l'éducation » qui a été engagée voici plus d'un siècle et demi dans les pays nordiques avec en particulier le « grundtvigisme », puis les « écoles populaires ». Si des progrès spectaculaires ont pu être réalisés grâce à cette « éducation populaire », il reste encore bien à faire non seulement sur la forme de cette éducation mais en ce qui concerne son « fond » afin d'éviter la naissance d'une nouvelle aristocratie (celle du savoir détaché des nécessités du « vécu ») et la formation de nouvelles castes, en particulier celle des technocrates.

La seconde concerne la nature même du Parti social-démocrate suédois. Bien souvent — trop souvent disent certains — ce parti est apparu comme essentiellement pragmatique et timidement réformiste. En fait, déjà ou encore avec Tage Erlander (avant 1970) mais plus encore avec Olof Palme, l'action gouvernementale, c'est-à-dire des plus hauts responsables du Parti social-démocrate, a bousculé les esprits et accéléré la marche d'un processus qui, pour n'être pas violent dans les faits, a profondément choqué les intérêts catégoriels des « privilégiés » et à leur suite ceux des classes moyennes atteignant à une certaine aisance. Par là, par le choc asséné, l'action d'Olof Palme et de son gouvernement est non plus réformiste mais révolutionnaire. Et l'électorat suédois qui se souvient encore de la misère qui régnait voici à peine plus d'un quart de siècle, mais pour qui cette misère n'est plus qu'un souvenir « historique », souhaite une halte, un arrêt dans ce développement. La « démocratie industrielle » est comme un pas en avant vers l'inconnu, qui fait hésiter. De son côté, le Parti social-démocrate lui-même a besoin d'une halte : il est devenu une machine énorme qui doit « faire le point » et se débarrasser du poids du bureaucratisme qu'inconsciemment il a accumulé jusque dans les moindres rouages de son organisation qu'il avait quelque peu tendance à confondre avec celle de l'Etat (1).

(1) Depuis que ces lignes ont été écrites, un livre essentiel : *Suède : la réforme permanente* est paru dans la collection « Livre-dossier Stock », réalisé sous la direction de Guy de FARAMOND et de Claude GLAYMAN.

Chapitre III

RELATIONS INTERNATIONALES
ET « FINLANDISATION »

Dans un domaine qui peut paraître éloigné du social mais qui touche aussi à certains aspects économiques ainsi qu'à ce qu'on peut appeler les « mentalités collectives », un autre champ demeure à explorer : celui des relations internationales et singulièrement celui des relations entre la Finlande et la Russie puis l'URSS.

Et tout d'abord une constatation d'évidence : la rue la plus commerçante d'Helsinki a pour nom « Aleksanterinkatu » : la rue d'Alexandre. La place centrale, entre ministère des Affaires étrangères, Cathédrale et Université, est la « Senaatintori » ou « Suurtori » (place du Sénat ou Grande Place) et la statue qui en est le centre est celle d'Alexandre Ier, tzar de toutes les Russies, grand-duc de Finlande, etc. En Finlande, la Russie ne fut pas toujours l'ennemie héréditaire comme une histoire hâtive voudrait ou pourrait le laisser croire. Certes, il y eut Nicolas II, et Bobrikov. Mais la Russie fut autre chose si elle fut aussi cela.

Ceci rappelé, que voyons-nous dans les relations finno-russes, puis finno-soviétiques ? De longs « silences » qui recouvrent bien souvent des échanges commerciaux et autres « normaux ». C'est le cas pour l'essentiel du XIXe siècle comme pour une part non négligeable du XXe siècle. Et puis, si l'on excepte la période de russification de Nicolas II, encore que l'aspect « préventif » de cette politique n'ait pas été étranger aux mesures préconisées par Bobrikov et les autres ministres de l'époque, des crises qui ont toutes un point commun : le désir (ou la volonté) russe/soviétique de « garantir » Saint-Pétersbourg/Petrograd/Leningrad. A tort ou à raison, là n'est pas notre propos, les dirigeants d'outre-Néva estiment cette protection nécessaire, et l'attitude finlandaise au moins incertaine. D'où leurs demandes. Et chaque fois nous voyons un phénomène semblable agir — qui peut réussir ou échouer selon les circonstances extérieures. C'est celui de l'importance des partenaires en présence. Non de ce qu'ils représentent matériellement — cet aspect est en fin de compte toujours défavorable à la Finlande face à sa voisine. Mais de ce que sont ces partenaires. Autrement dit, l'un des points importants de toutes ces conversations tient à la nature des personnes, ou encore à leur personnalité aussi bien physique et sociale que morale.

Pour le XXᵉ siècle, trois personnes dominent la scène du côté finlandais : U. Kekkonen, C. G. E. Mannerheim, et J. K. Paasikivi. Il est peut-être prématuré de parler dès maintenant d'U. Kekkonen qui, actuel Président de la République, a pour l'essentiel repris la politique extérieure de son prédécesseur J. K. Paasikivi.

— Remarquons au passage qu'employer le terme de « finlandisation » pour laisser supposer une dépendance plus ou moins occulte de la Finlande par rapport à l'URSS est non seulement injurieux pour les Finlandais et singulièrement pour U. Kekkonen, mais est aussi la preuve évidente d'une profonde ignorance de la politique extérieure et intérieure finlandaise en toutes saisons. Et s'il fallait tenter une définition de ce terme souvent employé en France depuis peu, nous serions contraint de constater une fois encore ce que nous écrivions plus haut : la confusion des genres est complète, l'ignorance très grande et la complaisance dans la confusion et l'ignorance étonnante. Aussi, il nous faut admettre que le terme de « finlandisation » n'a aucun rapport avec la Finlande et que ce néologisme malvenu — sinon malveillant — a été forgé hors de toute réalité nordique.

Ajoutons que l'interview d'U. Kekkonen par D. Haworth, dans le *Herald Tribune* du 26 octobre 1976, est fort caractéristique à cet égard. A la question de la signification qu'il fallait accorder au terme de « finlandisation » nouvellement apparu, U. Kekkonen répondait : « ... il y a encore des universitaires, des journalistes et des politiciens occidentaux qui ont des difficultés à comprendre — ou qui ne veulent pas comprendre — la position de la Finlande... Paradoxalement, ces milieux donnent de la voix chaque fois que la Finlande remporte un succès... « Finlandisation » est devenue l'expression favorite de ceux qui, en Occident, souhaitent faire peser un doute sur la Finlande... »

Plus loin le président Kekkonen remarque que ce terme est de pure propagande et toujours orienté dans un sens négatif pour la Finlande en méconnaissance complète des réalités sociales et politiques.

Des trois noms cités ci-dessus, celui de C. G. E. Mannerheim est certainement le plus connu à l'étranger. Mais il l'est souvent à titre militaire. Sans vouloir nier ou rabaisser ce rôle, il est important de resituer Mannerheim politiquement dans son évolution par rapport à la politique intérieure finlandaise, mais aussi dans les relations extérieures de la Finlande. Car le rôle politique de Mannerheim est important. En français, les renseignements sont cependant très fragmentaires, unilatéraux, et bien souvent faussés, car orientés dès le départ en fonction de ce qui est attendu de la Finlande pour une « démonstration » ayant un but politique en France. Cela fut très évident en France en 1939-1940 quand Mannerheim (et d'autres généraux finlandais) « faisait la couverture » des grands hebdomadaires français comme *L'Illustration* ou *Match*. C'est ce que nous pourrions appeler une histoire « reçue » et non « donnée », une histoire écrite en fonction non de ceux qui la font mais pour l'édification (ce qui est loin de l'éducation) de ceux qui auront à la connaître. Cette histoire comporte un élément de propagande important que nous trouvons pleinement développé avec le stupéfiant terme de « finlandisation ».

Personnage légendaire, C. G. E. Mannerheim est aussi « idéal ». Mal étudié et mal présenté il semble monolithique, tout d'une pièce, et sa trajectoire linéaire. En français, sa biographie se résume en un abrégé de son autobiographie. Si ce texte a le mérite d'exister, il a aussi l'inconvénient de s'attacher à des détails ou de s'égarer en des dissertations générales masquant l'essentiel, c'est-à-dire les liens du personnage en question avec la politique extérieure de la Finlande, et les moyens qu'il a mis en œuvre pour parvenir à ce qu'il souhaitait. Si ces moyens sont le plus souvent peu apparents, les buts réels, profonds, ne sont ni explicités ni même le plus fréquemment recherchés. Et l'opinion française doit se contenter d'illusions et d'ignorance.

Pour J. K. Paasikivi, la situation est encore plus simple : elle rejoint celle de la plupart des hommes politiques des pays nordiques : nous n'avons rien sur lui (en français, bien sûr). Rien sur l'homme mais rien non plus sur sa politique — ce qui permet toutes les extravagances possibles jusqu'aux extrapolations et divagations les plus folles comme les plus simplistes. Or, nous retrouvons J. K. Paasikivi aussi bien en 1917 lors de la guerre civile qu'en 1920 lors du traité de paix avec la Russie soviétique, ou encore en 1939 lors des conversations finno-soviétiques, en 1940-1941 toujours dans les rapports finno-soviétiques, de 1941 à 1944 dans ces mêmes conversations officieuses à Stockholm avec Alexandra Kollontai ou officielles à Moscou avec Staline, Molotov, Jdanov ou Vorochilov. Et nous le retrouvons encore de 1945 jusqu'à 1956, lorsqu'il mourut, dans toutes les questions concernant les rapports finno-soviétiques comme nous le voyons à tout instant entre les dates citées dans l'histoire diplomatique, politique et économique de la Finlande et au-delà du nord de l'Europe.

Avec J. K. Paasikivi nous retrouvons les questions proposées par J. B. Duroselle à propos de la personnalité de l'homme d'Etat, mais aussi des questions proposées sur les biographies ainsi que sur les « forces profondes ». Il faudrait y ajouter la publicité faite autour de ces hommes d'Etat et l'image qui en est donnée au public (ici la « réputation » de J. K. Paasikivi, la « gloire » de C. G. E. Mannerheim, etc.). A l'autre extrémité de cette chaîne, il faudrait savoir quelle image les Soviétiques se faisaient de C. G. E. Mannerheim ou de J. K. Paasikivi. Cette recherche s'avère difficile : les archives soviétiques sont peu accessibles dans ce domaine, si toutefois elles existent, et les historiens soviétiques semblent peu enclins à répondre directement à ces questions qui peut-être pour eux ne présentent pas le même intérêt qu'aux yeux des Nordiques, ou des Occidentaux. De leur côté, ni C. G. E. Mannerheim ni J. K. Paasikivi n'ont laissé de récits détaillés de leurs relations avec les dirigeants russes puis soviétiques. Or, ces relations sont fort complexes. La simple analyse économique, le seul descriptif politique ne peuvent suffire à les présenter. On s'explique mal l'attitude d'un Staline face à Paasikivi ou Mannerheim — ou même V. Tanner. Ici les « orientations » proposées au sujet des hommes d'Etat ne peuvent pleinement satisfaire, non plus que les « études sur les relations entre deux pays ». Il faut pénétrer un autre domaine : celui de la psychologie. Terrain délicat, où les hypothèses ne peuvent guère déboucher sur des certitudes. Mais explorations nécessaires. Aussi bien pour aider à une explication cohérente de l'attitude des Soviétiques vis-à-vis de la Finlande, que de celle des Finlandais vis-à-vis de l'URSS, et vis-à-vis d'eux-mêmes.

Relevant de ce domaine de la psychologie, le sentiment de culpabilité est difficilement appréciable. Il existe pourtant jusque dans la vie publique et dans les relations internationales. La Finlande en offre plusieurs exemples à commencer par le Président de la République Kyösti Kallio qui se sent responsable au plus haut point de la politique extérieure suivie par la Finlande en 1939, lui qui était spécialiste des questions agraires et déclarait, avant la crise, tout ignorer des questions de politique étrangère. Si l'on en croit la presse finlandaise de l'époque — et à ce sujet il n'y a pas lieu de la mettre en doute — K. Kallio incarne à la perfection la Finlande amputée (le président est paralysé de la main droite peu après avoir signé l'armistice de mars 1940) et meurtrie (il meurt foudroyé après la signature de la paix qui est la reconnaissance « définitive » de la défaite). Nous avons là une série de faits concordants et l'interprétation qui en est donnée va influencer l'opinion publique au point de créer une « psychose » de la défaite imméritée, de la pureté des intentions des dirigeants politiques, de leur « ingénuité », de l'abandon de la Finlande victime des machinations internationales, tant le sentiment de culpabilité est lié à son opposé le sentiment de persécution.

Culpabilité aussi de Väinö Tanner qui tente une justification de son attitude passée et actuelle auprès de Staline, en octobre 1939, en lui déclarant qu'il est fermement menchevique. Bravade, provocation, maladresse, ou désir d'aboutir à un échec ? Pas de clerc sans doute. Ou comme se plaisait à dire P. E. Svinhufvud : « Politique du suicide ? »

Cette attitude se manifeste encore avec Risto Ryti, autre Président de la République, bourgeois libéral, « éclairé », passant de l'admiration d'un pays, la Grande-Bretagne, à celle d'un homme, Hitler, et acceptant délibérément son « suicide politique » en signant le pacte Ribbentrop, en août 1944. Cette signature, pour laquelle il ne demande aucun contreseing, n'engage que lui — et le condamne. Mais par ce geste R. Ryti « libère » la Finlande de l'hypothèque nazie qu'il assume totalement. Croyance en la nécessité des victimes expiatoires ? ou désir de « rachat » ? Ou bien R. Ryti se sent-il marqué d'un sceau fatal ? Ou bien encore les forces obscures de l'au-delà auraient-elles révélé

Mannerheim aux yeux de R. Ryti comme le seul sauveur possible, et lui-même comme l'agneau d'offrande nécessaire ? Plusieurs familiers et quelques historiens ont marqué la place importante de l'occultisme à certains moments de la vie de ces deux dirigeants. Mais quelle fut-elle réellement ? A quels moments ? Et quelles furent les autres pulsions profondes qui animèrent ces personnes se trouvant au centre des affaires du pays en des moments cruciaux ?

Eloigné de ce sentiment d'autoculpabilité mais conscient des erreurs commises comme de l'expérience acquise, nous avons J. K. Paasikivi qui cherche une explication aux demandes moscovites et aux réactions soviétiques et finlandaises. Qui cherche aussi jusqu'où il est possible d'aller dans les contre-propositions à faire. Joueur ? Oui. Mais joueur prudent qui est initié aux calculs de probabilité et qui, après des coups d'essais plus ou moins réussis, parvient, après 1945, à gagner. A tout coup.

Nous touchons là à la personnalité de l'homme d'Etat. Il faut aussi constater que cette personnalité peut évoluer, se modifier, que son examen n'est pas donné une fois pour toutes. Que rien n'est jamais définitif pour les dirigeants d'un Etat surtout petit, qu'ils sont soumis aux groupes de pression mais qu'ils peuvent aussi être eux-mêmes un groupe de pression, déterminant, qui précipite ou retient une politique, ou encore se désespère de ne pas pouvoir influencer le cours des choses dans le sens qu'il souhaite. Encore n'est-il pas nécessaire d'exercer un pouvoir absolu ou dictatorial pour déterminer un axe dominant (c'est ce qui déjà pouvait être remarqué à propos de l'action actuelle d'Olof Palme en Suède). Bien au contraire il semble que le système démocratique reste très soumis aux actions personnelles et que l'utilisation de la démocratie peut fort bien dans la quotidienneté faire échapper les dirigeants aux contingences, leur laisser une certaine disponibilité face à l'événement — ce qui fait d'eux les « décideurs », quitte à se faire approuver par la suite.

Les relations entre la Finlande et l'URSS ont ceci d'exemplaire qu'elles commencent par un long tâtonnement, par des pas hésitants, très souvent méfiants, qui s'affermissent peu à peu — en les considérant du côté finlandais — pour finalement imposer un « style » à la fois prudent et désinvolte. Ce « style » est en fin de compte celui de J. K. Paasikivi. Il est plus difficile de pénétrer le

milieu soviétique. Mais là aussi le rôle des personnalités est déterminant. Molotov après Litvinov et plus rien n'est semblable. C'est
la suspicion *a priori* qui succède à la volonté de compréhension.
Et si, au plus fort des guerres qui font s'affronter la Finlande et
l'urss, les relations ne sont pas totalement rompues, c'est aussi
bien par la volonté de J. K. Paasikivi que par celle d'Alexandra
Kollontai et peut-être de J. V. Staline, malgré Molotov et
Kuusinen d'une part, de nombreux dirigeants finlandais d'autre
part. Et les « parties de pêche » à la ligne de Khrouchtchev et de
Kekkonen relèvent autant des relations internationales que des
relations personnelles.

De même, on pourrait examiner les relations de la Finlande
avec les autres pays nordiques et tout d'abord la Suède. Pour la
période 1917-1939 on constate une double caractéristique du
côté finlandais qui ne peut finalement mener qu'à des échecs.
Il y a d'abord ce qu'on peut appeler aujourd'hui « le complexe
du colonisé » depuis les écrits de Franz Fanon et d'Albert Memmi.
Il se manifeste par des abandons étonnants et de brusques bouffées
ou sursauts de fierté nationale. Cela se constate aussi bien dans
les relations à propos des îles d'Åland, en 1920, que dans la
rencontre « au sommet » d'octobre 1939. A cela s'ajoute un autre
fait : la Finlande est une République, les autres pays nordiques
des royaumes. Longtemps les dirigeants finlandais ont été issus
de la grande bourgeoisie ou de la noblesse — d'origine suédoise.
K. Kallio fait exception. Il est le premier. Ce qui ne l'exempte
pas d'une « timidité » certaine. Mannerheim compris, les dirigeants
finlandais ont ressenti le poids de l'ancien vasselage, et l'ont montré.
Dès lors, les relations sont faussées et ne peuvent plus être
des relations d'égal à égal. Cette fois les acquis économiques, la
puissance des armes, la taille des nations ne sont plus en cause,
mais l'histoire et son arrière-plan qui vient du fond de la mémoire
et forme un substrat psychologique. La visite que C. G. E. Mannerheim, alors régent de Finlande, vainqueur des rouges et triom-
phateur de la tendance germanophile en Finlande, fait en 1919 à
la cour de Stockholm en est un exemple; celle de K. Kallio à
Stockholm, en 1939, en est un autre.

Cette « personnalisation » des relations internationales ne
veut pas nier l'importance des « groupes de pression » ou des

« forces profondes » mais elle est une réalité qui impose de considérer les rapports entre nations aussi comme des rapports entre êtres humains. Les faits économiques ne sont pas toujours essentiels, y compris lorsque les Soviétiques se trouvent en cause. En 1917-1918, Lénine lui-même se laisse emporter par ses humeurs lors des conversations avec les Finlandais, rouges ou blancs. Et ces « humeurs » ne sont pas toujours négatives pour la Finlande.

Les pays nordiques n'entretiennent pas que des rapports de ce type, c'est bien évident, et les relations « anonymes » sont courantes. Le « Conseil nordique » est, par bien des côtés, semblable au Conseil de l'Europe (il n'est pas question de l'efficacité de ces organismes, mais des relations qu'ils établissent et entretiennent, et du type de ces relations).

Ce qu'il nous paraît ici important de souligner, c'est l'aspect non « chiffrable » de ces relations. En d'autres termes ce qui nous paraît non négligeable relève de l'histoire des mentalités à l'intérieur même des relations internationales et, à l'intérieur de cette histoire des mentalités, de l'histoire des personnalités. Il ne s'agit naturellement pas de revenir à une histoire réduite à la seule généalogie des monarchies ou à la filiation idéologique. Ce qui plutôt importe est de comprendre pourquoi les dirigeants soviétiques et finlandais par exemple — mais cela est aussi valable en d'autres lieux — réagirent « paradoxalement » en 1918-1920 ou 1943 pour ne citer que ces dates — mais on en trouverait aisément d'autres en ce qui les concerne. La connaissance de la personne « privée » d'un Lénine comme d'un Mannerheim nous semble ici importante. Ce n'est pas la seule situation économico-politique ou politico-militaire de la jeune Russie bolchevique ou de la petite Finlande qui explique les réactions de ces hommes d'Etat. Ainsi l'attitude publique d'un Mannerheim peut-elle difficilement s'expliquer hors d'un contexte « impérial », quel que soit le sentiment nationaliste de l'homme, l'image qu'il a voulu donner de lui par la suite, et la déification/réification dans laquelle il s'est trouvé enfermé dès son vivant. Ceci peut tout aussi bien être dit d'un Lénine ou d'un Staline dans leurs rapports avec la Finlande. Il est bien sûr délicat d'aborder cet aspect de leurs vies dont il n'a le plus souvent été donné de représentation que monolithique. Peut-être le biais le meilleur serait-il une étude comparative — et contradictoire — des actions et déclarations de ces personnalités confrontées à d'autres (Tchichérine et Trotski par exemple mais Zinoviev et Berzine aussi) comme à d'autres situations (la Pologne toute proche géographiquement mais politiquement aussi).

Il reste que cette « personnalisation » des relations internationales n'est qu'un aspect de celles-ci, qu'il n'apparaît bien souvent que lors des périodes de crise, et que le plus souvent les relations internationales échappent au simple facteur personnel.

Les relations interrégionales proches par bien des côtés des relations internationales semblent, elles aussi, échapper à cet aspect pour se rapprocher des problèmes courants touchant aux questions de colonisation et de décolonisation pour plusieurs régions excentriques — ce qui aussi bien pourrait relever du problème des minorités d'une façon peut-être inattendue pour ces régions.

Chapitre IV

« COLONISATION
ET DÉCOLONISATION »

Stig Ramel, directeur de l'Association des Exportateurs suédois, déclarait en juin 1970 que la grande chance de la Suède avait été d'être un petit pays sans colonies.

Officiellement cela est très vrai, et surtout au xxᵉ siècle, pour l'ensemble des pays nordiques depuis que le Danemark a cédé aux Etats-Unis et à la Grande-Bretagne ses comptoirs des Indes, etc.

Cependant le type d'administration imposé à certaines régions est très proche du type colonial classique ainsi que des rapports qui s'établissent entre une métropole et un pays colonisé. Cela est encore plus évident dans le domaine économique quand on constate que le produit de la plus-value obtenu en certaines régions n'est que rarement et parcimonieusement réinvesti dans les terres exploitées.

Ces régions qui de plus se trouvent géographiquement éloignées des centres — urbains, économiques, politiques — ce sont essentiellement la Laponie et le Groenland.

Certains aspects de cette « colonisation » sont « classiques » si l'on admet que les traits dominants des théories de la colonisation ont été la recherche de débouchés commerciaux extérieurs et de sources de matières premières, la volonté d'acquisition de bases stratégiques, mais aussi le rêve d'aventure comme le prosélytisme religieux ou culturel.

La dispute suédo-finlandaise à propos de la possession des îles d'Åland relève très directement de cette volonté de disposition d'une base stratégique : le « verrou de la Baltique ». Tout naturellement, cet aspect est tu et des arguments ethnologiques, linguistiques et culturels sont mis en avant. Et tous sont exacts. Mais c'est là le propre de toute politique coloniale au xxe siècle de taire l'essentiel pour avancer des arguments rationnels et sentimentaux fondés, mais secondaires en regard de l'enjeu.

Si le nom de colonie n'est jamais prononcé par les pays nordiques à propos de leurs terres « extérieures », c'est que cette colonisation ne se présente pas tout à fait comme les colonisations classiques des grandes puissances européennes — ou qu'elle se pratique à une échelle différente. Certes, l'Islande fut colonisée par la Norvège comme le fut l'Australie par la Grande-Bretagne. Et les sagas sont fort instructives sur les premières implantations nordiques en Groenland ou en Vinland. Nous avons là le schéma ordinaire d'un groupe social qui se débarrasse de ses « marginaux » en les expédiant au loin. Ceux qui sont bannis conservent des liens avec leur pays d'origine et en administrent la preuve en conquérant des terres (sur d'autres hommes ou sur la nature) et en remettant leurs conquêtes à leur suzerain. L'intérêt économique comme l'importance stratégique ne sont pas encore évidents au xixe siècle pour l'Islande. Même si cette terre est un lieu de pêche hautement rentable, les difficultés d'installation et d'exploitation sont telles qu'elles sont une entrave au rêve. Cependant, le goût de l'aventure peut encore attirer, d'autant que chaque voyageur ne retient de ses aventures que le meilleur — l'inventant au besoin.

Si le terme de Groenland existe, ce n'est pas en raison d'une réalité « objective » mais subjective, ainsi que d'une grande connaissance du pouvoir du verbe et d'un sens aigu de ce qu'aujourd'hui on appelle la publicité — qui bien sûr doit toujours contenir une parcelle de vérité pour être crédible. En grandissant son aventure, le récitant fait de son bannissement une geste héroïque. Et le nom de cette terre magnifiée restera dans les mémoires bien après que toute verdure en ait disparu.

La seule des régions colonisées pour laquelle l'aspect économique ait été important à l'origine est la Laponie qui fut aussi un lieu stratégique que les puissants du Sud observèrent longtemps jalousement, qu'ils soient rois de Norvège ou de Suède, ou tzars de Russie. Mais l'essentiel reposait sur la croyance ancienne, remontant à l'Antiquité, conservée et ranimée à l'époque contemporaine, que la Laponie recelait de grandes masses d'or, qu'elle pouvait être le Klondyke de l'Europe. Mais l'or, presque absent, fut vite oublié au bénéfice d'autres avantages économiques ou stratégiques. Il y eut le nickel de Petsamo ; il y a le fer de Kiruna, de Luleå, de Mo i Rang, de Rantarukki, les chutes d'eau de toute la Laponie, la pêche, la chasse, et toutes leurs industries annexes.

Cette colonisation s'est marquée plus évidemment en Laponie qu'au Groenland qui se trouve éloigné de sa métropole, immense, peu peuplé et peu hospitalier par son climat. Le schéma a été classique de l'appropriation des terres par des compagnies privées ou par l'Etat. Les autochtones — les Lapons — se sont trouvés dépossédés de leurs terrains de chasse et de pâture et obligation sinon légale du moins pratique leur fut faite de se sédentariser. Cette sédentarisation a entraîné l'assimilation économique des peuples lapons, ainsi que leur acculturation totale allant même jusqu'à la suppression pratique de leur langue. Cela se marque aussi dans les lois — de propriété comme de scolarisation — et la Finlande qui, dans le Sud, reconnaît le bilinguisme, refusa longtemps ce même bilinguisme au Nord. Du moins, elle n'accepte pour le Nord que le bilinguisme officiel : les Lapons, comme tous les Finlandais, disposent de deux langues officielles : le finnois et le suédois, mais pas le lapon. Il en alla longtemps de même en Norvège, où les Lapons se devaient de parler norvégien, et en Suède, où ils devaient parler suédois. Et partout ils sont appelés « Lapons », du terme colonisateur et non « Saame » qui est leur propre désignation. (Les Lapons « skolts » n'échappent pas à une appellation « coloniale », le terme de « skolt » provenant lui-même du norvégien.)

Une évolution évidente se manifeste depuis quelques années. Jusqu'à une époque récente, il était rarement question de la Laponie. Lorsqu'elle était évoquée dans une perspective de « développement », elle ne l'était qu'au titre du tourisme et d'implantations particulières : agriculteurs obtenant à bon compte des terres à « mettre en valeur », secteur public et industries privées construisant des barrages, créant des lacs artificiels en vue d'une électrification future, prospection du sous-sol pour l'alimentation des industries métallurgiques. Mais toujours ce développement se faisait essentiellement dans une perspective intéressant les centres urbains et les industries situés dans le sud du pays. Cela ne signifie pas que personne n'ait prêté attention aux problèmes des populations locales. Les ethnologues en particulier ont essayé depuis très longtemps (c'est-à-dire depuis le début du xxᵉ siècle à peu près) d'éveiller les métropoles aux problèmes spécifiques de ces populations. Importante est l'action entreprise dès avant la première guerre mondiale puis dans l'entre-deux-guerres et amplifiée surtout après la deuxième guerre mondiale par Emile Demant, Asbjørn Nesheim, Karl Nickul, Väinö Tanner, E. Manker, J. Crottet, K. Donner, T. I. Itkonen, etc. Elle a pris le relais des oppositions et des plaintes exprimées par les Lapons durant de longues années.

Les réticences lapones sont anciennes mais ont souvent été tues ou oubliées par les pouvoirs centraux. On en retrouve cependant la trace tout au long de l'histoire des rapports entre les « gens du Sud » (Scandinaves ou Finnois) et ceux du Nord (les Lapons), ne serait-ce que dans le « Kalevala » qui marque la limite à ne pas franchir pour les Finnois, le domaine « effrayant » de Pohjola étant celui des Lapons. Mais on retrouve aussi des plaintes « légales » dès 1649, par exemple, quand les Lapons présentent une requête à la reine Christine de Suède pour protester contre les appropriations des meilleures terres par les propriétaires terriens du Sud, au détriment des troupeaux transhumants de rennes. Cette requête n'est pas la première enregistrée : Ivan IV en avait reçu de son côté. Ces plaintes seront répétées durant trois siècles. Mais elles seront de moins en moins entendues. A la limite elles ne sont plus reçues ou, quand elles le sont, elles sont jugées ridicules. L'attitude de la métropole est celle de tout pays colonisateur mettant en avant les bienfaits apportés par la « civilisation » et taisant les inconvénients.

Que selon les pays cette région ait nom Lappi (pour la Finlande), Finmark ou Troms (pour la Norvège), Norbotten (pour la Suède), la situation reste sensiblement la même : les Lapons ont été repoussés vers le nord, parqués dans des villages, sédentarisés. Ils sont toujours considérés comme des intrus, des « sous-développés » aussi bien d'un point de vue économique que culturel. Cela n'est pas dit officiellement mais est pratiqué couramment. Aux yeux de la loi, les Lapons bénéficient des mêmes droits que les autres citoyens de chacun des pays en question mais, comme le constate par exemple Karl Nickul pour les Lapons de Finlande en 1956,

> « les Lapons sont mal préparés pour la compétition (avec les Finnois) et bien qu'ils aient des droits indiscutables sur les lieux, le gouvernement ne prête guère attention à ce fait ».

Par contre les gouvernements limitent très étroitement les avantages qui pourraient être accordés à ces populations lapones : après qu'on ait longtemps combattu l'emploi des langues lapones, ne sont reconnus comme Lapons que les originaires de Laponie parlant lapon. Ce n'est qu'au moment des couronnements, des visites présidentielles, des présentations annuelles des vœux officiels que quelque intérêt est accordé aux Lapons, « nos concitoyens des lointaines terres ». Il est vrai qu'avec leurs habits bariolés ils sont hauts en couleurs et tranchent sur les sombres redingotes, tout comme les coiffes bretonnes ou les boubous africains.

En 1968, W. R. Mead notait qu'en Laponie on utilisait les moyens les plus sophistiqués pour la mise en valeur des sols, que les hélicoptères étaient utilisés pour la chasse aux loups, et les tracteurs pour le labour des terres. Et il ajoutait que ces terres étaient, comme par hasard, les meilleurs pâturages pour les rennes migrants — terres qui leur étaient retirées. Et si les hélicoptères ont pu épargner quelques dizaines de vie de rennes, les tracteurs ont provoqué indirectement la mort de centaines d'autres, si ce n'est de milliers. L'argument des bienfaits de la mécanisation et de la modernisation a toujours servi de justification à toutes les situations coloniales. Mais la réalité montre que les ressources traditionnelles en petits gibiers et en poissons sont réduites à néant par la destruction des cadres naturels et par l'apport de techniques et de populations « étrangères » (que ce soit les techniciens et leurs engins, les touristes et leurs dépradations). La réalité montre aussi que le revenu moyen des Lapons est inférieur de 35 % à celui des autres habitants des pays nordiques.

On trouverait s'il le fallait un autre signe de cette attitude coloniale (et colonialiste ?) dans la répartition des terres en Finlande après la guerre de 1941-1944 quand il fallut reloger près d'un demi-million de personnes déplacées. Les Caréliens furent indemnisés et protégés. Les moins favorisés reçurent des terres en Laponie. Les Lapons skolts, « repliés » d'office par l'armée finlandaise dès le début de la guerre, perdirent leurs villages d'été comme d'hiver, leurs pâturages comme leurs troupeaux, et jusqu'à leurs lieux sacrés. Il leur fut offert de se recycler, grâce à des cours de formation professionnelle accélérée, en finnois, ou en suédois, mais pas en skolt. Et n'ayant plus de troupeaux, il ne leur fut guère proposé de terres. Alors les familles « éclatèrent » : seule l'assimilation leur laissait une chance de survie. Mais du même coup ils perdirent leur identité et leur entité lapones.

Cette situation coloniale fait de la Laponie un « dilemme » comme l'écrit encore W. R. Mead — qui appelle cette région « Tiers Nord », non seulement en raison de sa superficie mais aussi par analogie avec ce que nous appelons le « Tiers Monde ». Et, après bien d'autres, l'auteur britannique constate que la mise en exploitation de ce « Tiers Nord » a été très tardive par rapport au reste des pays — et toujours de façon orientée pour le bien-être du Sud (début de la mise en exploitation de la Laponie de Suède : 1924 pour le cuivre, mais surtout 1940 en raison de la guerre mondiale ; de Norvège : 1951 ; de Finlande : 1951 mais surtout 1966 avec les constructions des centrales hydro-électriques).

Quelques situations récentes montrent que nous en sommes peut-être à la saison de la « décolonisation ». Il y a eu tout d'abord les Conférences de Jokkmokk en 1953 et de Karasjok en 1956 qui ont attiré l'attention sur la situation des Lapons et leur état de « sous-développés ». Il y a eu aussi la plainte déposée par les Lapons du Jämtland (Suède) contre l'Etat et contre les propriétaires terriens venus du Sud. Au lieu de se contenter d'une protestation auprès du gouvernement, cette plainte a été déposée en justice et tend à permettre aux Lapons de récuper au moins une partie des terres dont ils estiment avoir été spoliés. Il y a encore les rencontres entre Lapons et Indiens du Canada, en 1972, et l'établissement d'un « cahier des charges ». Il y a, en 1976, les esquimaux du Groenland qui annoncent bien haut qu'ils entendent rester maîtres des richesses recelées par le sous-sol groenlandais (et la flambée des prix du pétrole n'est pas étrangère à cette déclaration).

Ces diverses actions ou manifestations, ainsi que d'autres, sont maintenant largement soutenues par des groupes sociaux ou ethniques extérieurs aux communautés en question. Là encore nous nous trouvons face à un problème soulevé par une minorité que l'on pourrait qualifier de « marginale ». Ce problème n'a pas débouché sur des violences comparables à celles de Wounded Nee mais la prise de conscience et la volonté d'échapper aux situations anciennes sont évidentes. Des solutions sont recherchées par les intéressés comme par leurs gouvernements mais aussi, par-dessus les frontières, avec la création d'un « Conseil lapon » par exemple, et au-delà par des rencontres avec les représentants de minorités identiques d'outre-Atlantique.

Avec les revendications lapones ou groenlandaises — mais il faudrait aussi parler des îles Féroé — nous nous trouvons devant une situation qui n'est peut-être pas exactement coloniale dans l'optique des grandes puissances colonisatrices. Mais elle est ressentie comme telle, économiquement, politiquement, culturellement, par les populations concernées qui veulent en sortir en accédant à une certaine décolonisation au moins économique et culturelle. Il est vrai aussi que la Laponie, par sa situation géographique, apparaît plus aisément comme une « province » oubliée, laissée en marge des grands courants. Alors se pose la question de cette régionalisation qui peut devenir une colonisation — comme cela est souvent évoqué actuellement en France —, de la participation qui pourrait devenir une décolonisation, et de la « frontière » entre les termes « province sous-développée » et « région colonisée ». En schématisant sans doute, et en considérant la situation depuis la France, la Laponie est tout à la fois le Djibouti et la Bretagne des pays nordiques, dans les années 1970. Et les solutions apportées aux situations lapones peuvent tout autant relever de la Bretagne que de Djibouti encore que la question de l'indépendance ne soit pas soulevée, et qu'au contraire de Djibouti la Laponie n'apparaisse pas comme un lieu de convoitise.

Il est aussi remarquable qu'à l'image de tous les pays où une population se sent opprimée et dépossédée le mot d'ordre longtemps étouffé :

« Sámi-aednau sámiide ! »
« La Laponie aux Lapons! »

commence à être entendu, compris, et repris.

L'histoire générale des colonisations et des décolonisations oblige à reconsidérer la question de la Laponie — comme celle du Groenland, ou des îles Féroé, etc. — sous un angle autre que celui qui a été avancé par les différents gouvernements nordiques au cours de l'histoire, sous un angle autre aussi que celui des historiens qui en fait, très souvent, passaient cette histoire sous silence. L'histoire de ces régions peut aussi montrer d'autres raisons que celles de la colonisation « classique », comme d'autres méthodes d'occupation des terres et d'appropriation « naturelle » de terres proches apparemment mal rentabilisées.

L'étude de cette situation coloniale ne doit pas non plus cacher ou faire oublier qu'il existe aussi des colonisés d'un autre type, totalement dépouillés de leurs terres — ce qui en fait des migrants par excellence, qu'ils soient Finnois de Finmark ou de Norrbotten, Turcs de Finlande, ou Gitans de partout — et que ces minorités ont aussi leur histoire.

Jusqu'à maintenant, la présentation de la prise de possession coloniale comme la description des minorités ne sont pas exemptes d'un certain « romantisme » qui laisse une large place à « l'appel du large » ou « l'invite à l'aventure » que nous retrouvons très visibles dans les textes littéraires.

CHAPITRE V

« DISCOURS LITTÉRAIRE
ET DISCOURS HISTORIQUE »

En 1973, l'historien finlandais Martti Häikiö écrivait dans *Historiallinen Aikakauskirja* (n° 1/1973, p. 33) :

« En 1957, l'Américain C. L. Lundin commença de rompre les silences des écrits historiques finlandais portant sur la paix intermédiaire [1940-1941. J.-J. F.] et la guerre de continuation... Le renouveau des bases d'examen fut accéléré à nouveau par la publication d'Anthony Upton sur la *Paix intermédiaire*...»

et en note (n° 11, p. 33), M. Häikiö précisait :

« Sans Väinö Linna et ses *Soldats inconnus* et surtout les polémiques qui l'accompagnèrent après 1955, on ne peut comprendre l'image de la guerre ni les écrits historiques. »

Olof Palme, Premier Ministre de Suède, déclarait le 12 mai 1964 lors d'une réunion de l'organisation des Jeunesses social-démocrates de Suède :

« J'ai récemment lu deux cycles de romans. Ceux de Per Anders Fogelström sur Stockholm, et ceux de Väinö Linna sur les journaliers de la région finlandaise d'Ostrobothnie. Ils peignent les mêmes problèmes... ce sont l'insécurité et l'inquiétude incessantes... C'est dans cette société qu'est né le mouvement ouvrier... C'est ainsi qu'a commencé la transformation de la société... »

Ces déclarations ou écrits montrent que la littérature peut occuper une place privilégiée hors du simple délassement aussi bien pour l'historien que pour l'homme politique. Dans les domaines historique et politique ces deux écrivains cités par O. Palme et M. Häikiö se voient assigner une place privilégiée qui fait d'eux autre chose que de simples auteurs de talent et accorde à leur œuvre une valeur autre que littéraire. Cela n'a rien de très nouveau: ou pourrait dire sans trop s'avancer qu'une œuvre littéraire n'est vraiment grande que dans la mesure où elle échappe aux seules références littéraires. Il suffit de penser aux écrits d'un L. Tosltoï ou d'un Th. Mann, d'un E. Zola ou d'un M. Twain. Mais ce qui caractérise l'œuvre d'un V. Linna, par exemple, est son « ancrage » dans la vie immédiate et le fait que, d'une façon évidente pour son lecteur, l'histoire jamais nommée est toujours présente et devient un personnage central des romans.

Cela pourrait rejoindre les romans historiques si connus depuis Walter Scott. Ce n'est pourtant pas de cela dont il est question. Ni Fogelström ni Linna ne cherchent à écrire des « romans historiques » comme cela se pratiqua au XIXe siècle en Europe occidentale ou comme les décrivit le philosophe hongrois G. Lukács.

Allant dans le même sens que les œuvres de Fogelström et de Linna, mais d'une façon quelque peu différente étant donné leur capacité de diffusion et le volontarisme de leurs auteurs, les littératures des pays nordiques aux XIXe siècle participent activement de la prise de conscience nationale et du scandinavisme. Mais la participation physique des auteurs est alors importante. Cette situation a été, pour une large part, examinée et traitée par Erica Simon (*Réveil national et culture populaire en Scandinavie*).

Avec cette littérature du XIXe siècle comme avec nombre d'œuvres du XXe siècle, il semble que nous soyons très proches de la littérature telle que la souhaitait et la définissait G. Lukács hors du roman historique, voici quelques années : un reflet immédiat de la réalité. Si cela était bien le cas, il serait aisé d'admettre une certaine égalité entre le discours littéraire et le discours historique, un certain va-et-vient de l'un à l'autre. Cela serait aussi admettre une certaine confusion des genres, les barrières les séparant étant abolies. Malheureusement — ou heureusement — cela n'est pas aussi simple.

Tout d'abord les études historiques ne relèvent que fort peu des études littéraires, les œuvres historiques ne sont pas considérées comme des œuvres littéraires. S'il y a confusion des genres, c'est dans le sens littérature → œuvre historique et non histoire → œuvre littéraire. Autrement dit, il n'y a pas de Michelet nordique. Par contre, la littérature est d'abord « l'interprète de la terre », l'intermédiaire nécessaire entre cette terre et les hommes qui la peuplent, tout comme le sorcier est le trait d'union entre son peuple et ses dieux, l'interprète des dieux auprès des hommes, des hommes auprès des dieux. La littérature est médiatrice. Ce rôle proche du magique ne recherche cependant pas la sorcellerie : la littérature, verbe concrétisé, est pourrait-on dire sorcellerie par essence.

Ce rôle de médiateur fait de la littérature le moyen d'adhérer à soi-même, à sa communauté et, à la limite, au genre humain tout entier. Du même coup, cette littérature est étroitement liée aux événements humains. Dans son livre *Suède moderne terre de poésie* (1), Frédéric Durand note :

> « Peut-être faut-il voir dans ce phénomène d'osmose un envahissement des provinces spirituelles par l'histoire qui, avec le positivisme, découvrit l'homme ; ou bien encore est-ce la littérature qui déborde désormais les limites de sa juridiction après que le réalisme et le naturalisme lui ont révélé le fonctionnement de la machine sociale ?... Toujours est-il qu'il est difficile d'expliquer de nos jours cet aspect des activités artistiques d'un pays qu'est la littérature sans invoquer l'évolution historique, économique et sociale de celui-ci, tant il est vrai qu'écrire, penser et sentir est devenu l'affaire de la nation tout entière. »

Implicitement, la littérature se voit assigner une fonction : elle est l'informatrice et la formatrice du peuple qui va la pratiquer et l'utiliser. C'est ce qui se fait et se dit quotidiennement dès la fin du XIXe siècle et très nettement encore pendant l'entre-deux-guerres. Volontariste, cette littérature se veut aussi accessible, convaincante, exemplaire. Beaucoup de bons sentiments qui ne font pas toujours de la « bonne littérature » — terme qu'il faudrait encore définir. Mais une habitude est acquise dès avant la deuxième guerre mondiale et la littérature devient un moyen d'expression de masse. Ce que Fr. Durand exprime ainsi :

> « L'aménagement des heures de travail, la construction d'habitations confortables, la diffusion des valeurs intellectuelles grâce à l'initiative des œuvres parascolaires ne tardent pas à avoir pour effet l'efflorescence d'une littérature étonnamment multiple : parfois primaire, mais toujours spontanément sincère, elle

(1) Frédéric DURAND, *Suède moderne terre de poésie. Anthologie bilingue des poètes suédois d'aujourd'hui*, Paris, Aubier-Montaigne, 1962.

offre au lecteur un reflet immédiat de la vie de tous et des soucis de chacun. Ici peut-être plus qu'en aucun autre pays, les vicissitudes de la collectivité constituent le sol nourricier où vient s'enraciner l'expression individuelle de la création artistique. »

Après la deuxième guerre mondiale, cependant, une évolution très nette se manifeste. La guerre a bouleversé les données. La dichotomie exemplaire d'avant guerre ne peut plus avoir cours. Cela ne signifie pas que toute la littérature était « alignée » avant la guerre. Mais il lui était très difficile d'échapper au cadre proposé par les « élites » et les œuvres protestataires étaient plus rares et souvent étouffées, comme ce fut le cas de celle de Pentti Haanpää, par exemple.

Linna en Finlande, Laxness en Islande, Fogelström en Suède continuent dans la perspective offerte autrefois. Mais leur terre n'est plus celle des grands propriétaires, leur peuple n'est pas celui des gens bien éduqués, leur œuvre n'est plus chuchotée. Le roman se veut toujours concret, mais global aussi. Cela implique le refus des idées reçues comme des formes accadémiques. Et tant qu'à peindre un milieu, autant le peindre dans sa complexité et dans ses nuances, le faisant parler sa langue qui peut être l'argot ou le dialecte, en le laissant agir selon ses normes propres qui ne sont pas obligatoirement celles qui étaient ordinairement présentées. Alors une morale nouvelle se manifeste. D'abord par une sorte d'humour parfois grinçant. C'est ce que fait le soldat finlandais apprenant la fin de la guerre :

« La Finlande termine bonne deuxième ! »

Il est bien évident que la loi du nombre fait que l'URSS a plus de chances d'emporter la médaille d'or et la Finlande la médaille d'argent aux grands jeux des armes. Mais du coup le nationalisme, la propagande, les communiqués de guerre, les discours aux héros, les minutes de silence, les monuments aux morts et les manuels d'histoire prennent une « épaisseur » autre. La tragédie peut n'être pas loin. Mais Gavroche est là qui se rit des balles et des gibus, des chasubles et des sabres. Ce qui ne l'empêche pas d'être courageux, mais d'une façon non attendue et pour une cause différente de celle qui lui était offerte.

Le dire, et le faire admettre, c'est faire accepter une mise en discussion de ce qui avait été considéré intangible, c'est briser l'infrangible. La littérature médiatrice de la terre et de son peuple ? Cela n'est pas rejeté. Ce qui est en question c'est quelle terre, quel peuple, pour quelle terre, pour quel peuple ? Du coup l'histoire elle-même est réexaminée, réenvisagée. Cela ne signifie cependant pas le rejet d'une « classe » avec l'apparition d'une autre. Il n'est pas question de nier ou même d'oublier une parcelle de cette globalité. Simplement, les « pouvoirs » sont rééquilibrés.

Dans son article « La présence de l'histoire dans la littérature actuelle », E. Pennanen (1) note que la littérature finlandaise pénètre l'histoire par le biais du roman *Soldats inconnus*; que cette pénétration est accrue, permanente, constante, avec l'intrusion de la « basse classe » dans *Ici sous l'étoile polaire* de V. Linna, non que l'auteur ait voulu faire œuvre d'historien (il s'en défend d'ailleurs à diverses reprises), mais par le fait que ses romans sont « concrets » et « collent à une réalité ». Mais il s'agit d'une réalité qui implique un choix débordant au besoin le domaine purement historique, même si elle met l'histoire en cause. Ce qui n'est pas noté non plus c'est que le roman de Linna est une trilogie dont la troisième partie en particulier réinsère des classes autres que « basses » dans le cours du roman et de l'histoire.

En Suède, plus tôt libérale que la Finlande dans le domaine idéologique et littéraire, il n'est pas sans intérêt de voir un roman écrit non pas pour la « réhabilitation » de cette « basse classe » mais en faveur de l'homme des trusts Yvar Kreuger. Et par ce roman, l'histoire économique rencontre et pénètre la littérature.

Est-ce à dire que ces romans sont, comme le voulait G. Lukács, le reflet immédiat de la réalité ? On pourrait le croire si on s'en tenait aux seuls éléments étayant cette thèse. Que certaines situations appartenant au réel se trouvent reflétées dans le roman, cela est évident. A la limite, et cette fois comme on le voit chez Michelet, il n'est nul besoin de notes en bas de page pour étayer une thèse. De ce point de vue de nombreux romans non nordiques pourraient être « convertis » en œuvres historiques. Mais la littérature nordique n'est pas seulement ce reflet. Elle est aussi analyse et introspection. Elle est aussi poésie.

(1) E. PENNANEN, in *Vartija*, n° 2/1973, pp. 51 à 57.

Ce qui importe ici est qu'une œuvre ayant forme romanesque puisse déboucher dans le domaine historique, que les historiens de métier comme les amateurs d'histoire se sentent concernés par cette œuvre qui les met en question.

D'autre part, il y a un constat nouveau : l'écrivain (faut-il dire « l'écrivant » ?) de l'histoire fait, lui aussi, partie de la vie, c'est-à-dire de l'histoire. Il ne peut pas en être absent : la tour d'ivoire positiviste est un leurre. Le dire, l'écrire, c'est reconnaître une marge d'incertitude à l'histoire écrite. C'est aussi poser la question des certitudes antérieures. Au cours du XVIe Congrès d'Histoire nordique, à Uppsala, en août 1974, la « jeune génération » des chercheurs nordiques a posé indirectement la question, et, plus directement, celle de « quelle histoire » enseigner, et « comment » l'enseigner.

La « qualité » de l'histoire se trouve ainsi mise en cause. L'histoire « quantitative » peut alors paraître une échappatoire rassurante. Mais tout comme l'histoire économique très importante, l'histoire quantitative n'est pas « dominante ».

A consulter les périodiques d'histoire nordique, on est frappé par la place occupée par l'histoire régionale et l'activité des sociétés historiques régionales. Mais en même temps on ne peut que constater, comme le regrettaient les participants à cette réunion d'août 1974, l'isolement dans lequel se trouvent les chercheurs de chacun des pays non seulement par rapport au reste du monde (et les historiens finlandais tentent d'y échapper aussi par des rencontres régulières avec les chercheurs soviétiques, le IVe Symposium devant avoir lieu en 1976, le IIIe ayant eu lieu à Tallinn en juillet 1974) mais aussi entre eux, en dépit des activités du « Norden ». (Ce sentiment d'isolement se trouve toutefois contredit par les rencontres sur des thèmes précis comme le Symposium d'Histoire de la seconde guerre mondiale dans l'Europe septentrionale qui s'est tenu en août 1976 à Oslo avec la participation d'historiens des quatre pays concernés comme un certain nombre d'historiens britanniques, soviétiques, allemands, américains mais aussi trois Français et un Belge.)

Sortir de l'isolement, envisager l'histoire nordique d'une façon plus « globale », plus « parallèle », est un des buts des historiens du Nord. Et les rapports entre littérature et histoire ne surgissent qu'accessoirement, à l'état encore assez schématique — les références aux discours des deux ordres se faisant très volontiers à partir de R. Barthes — mais aussi aux notions traditionnelles de « style » qui, aisément, rejoignent le domaine de l'irrationnel, de l'inné.

Il serait encore intéressant d'étudier de près tout aussi bien l'apport de l'histoire à la littérature — et l'histoire révélée par la littérature — en fonction du statut social de l'écrivain dans les sociétés nordiques que ce que représentent les prix littéraires locaux ou la « fonctionnarisation » des écrivains (comme P. O. Sundman, par exemple), non seulement d'un point de vue sociologique mais historique.

Dans un domaine proche mais moins exploré encore, on ne peut oublier l'apport du cinéma à la connaissance des pays nordiques et les rapports qui existent entre la littérature et l'histoire se retrouvent bien souvent entre le cinéma et l'histoire.

Toutefois, comme le constate René Prédal :

« ... la signification de chaque film ne se limite pas ... à la stricte lisibilité objective de la somme de ses séquences ou de ses images... aucun film n'apporte toute la vérité et aucun n'est totalement mensonger. Même un film fantastique ou un *thriller* rigoureusement inscrit à l'intérieur de règles strictes peut renseigner, à travers son auteur, sur l'état de la société qui a permis — ou contrecarré — sa réalisation... tout film, même tourné en direct, est fantastique puisqu'il n'est pas le réel mais l'image de ce réel... » (1).

A cela s'ajoute la valeur émotionnelle de l'image qui parfois peut, bien qu'entièrement « naturelle », éloigner le « lecteur » de la réalité qui devrait être immédiatement perçue.

Ce qu'ici nous devons retenir est tout d'abord, tout comme en littérature, l'insertion temporelle d'une œuvre et le reflet qu'elle donne d'une société. Et puis aussi, outre les interrogations sur le mouvement qui unit le cinéma et l'histoire, la question de la diffusion de ce cinéma se pose en toute priorité.

De cette diffusion en France, on pourrait dire en l'accentuant ce qu'il est possible d'énoncer à propos des traductions littéraires : la censure de fait exercée par les distributeurs empêche la diffusion

(1) René PRÉDAL, *La société française à travers le cinéma, 1914-1945,* Armand Colin, 1972, pp. 12 et 13.

des œuvres nordiques en France. Certes, l'excuse de la barrière de la langue est importante. Elle n'est cependant pas recevable, car la technique permet de tourner plus ou moins heureusement cette difficulté. Il est dans ces conditions bien évident que les œuvres projetées sur les écrans français ne sont pas toujours les plus représentatives (encore faudrait-il s'entendre sur ce terme), et, si elles le sont, il arrive que leur diffusion soit entourée d'un tel secret (il suffit de penser à *Adalen 31*) ou, au contraire, d'une publicité si orientée (généralement dans un sens qui se veut érotiquement alléchant) que cette présentation au public français s'en trouve déformée. De plus, alors que la production nordique — essentiellement suédoise et danoise, mais aussi finlandaise — est nombreuse et variée, nous n'en connaissons en France que des bribes, avec il est vrai des sommets comme les œuvres de Karl Dreyer et d'Ingmar Bergman.

Depuis quelques années, le cinéma danois est oublié — et Karl Dreyer avec lui quoique dans une moindre mesure : il demeure comme un modèle dans les cinémathèques — au profit du cinéma suédois. Dès 1920, Karl Dreyer prévoyait ce mouvement et estimait alors que :

« Le film d'art suédois [il était alors question essentiellement du metteur en scène Sjöström qu'on retrouve plus tard acteur dans *Les fraises sauvages* d'Ingmar Bergman. J.-J. F.] a fait siennes les qualités du cinéma américain et en a laissé les défauts. Il a acquis son originalité en se faisant l'interprète d'une véritable et authentique représentation de l'homme. »

Et Karl Dreyer affirmait :

« Ainsi les meilleurs films suédois, précieux documents culturels, garderont-ils leur intérêt à travers les âges » (1).

Il est remarquable que, dès le début, le cinéma nordique — y compris ce qu'il est convenu d'appeler le cinéma « d'art » — ait délibérément voulu être document. Ici K. Dreyer estime qu'il s'agit de documents « culturels ».

Une histoire comparative des cinémas nordique et français ou italien — par exemple — pourrait dire dans quelle mesure cette production nordique est plus ou moins caractéristique en

---

(1) K. Dreyer, article sur le cinéma suédois paru en 1920.

tant que document « culturel » et nous ne pouvons guère nous
en faire une idée précise même à travers la vaste histoire du cinéma
de Georges Sadoul (1) non plus qu'au travers de la longue énumé-
ration donnée par J. Béranger en ce qui concerne le seul cinéma
nordique ou suédois (2). Cela permettrait peut-être aussi de
montrer en quoi et dans quelle mesure un document « culturel »
participe de l'histoire.

L'intérêt marqué par Karl Dreyer pour la « première vague »
du cinéma suédois se retrouve aujourd'hui avec les jeunes cinéastes.
Il n'est pas seulement formel — et par là échappe visiblement au
seul « culturel » — encore que la pureté de la forme est un peu
le pendant du « fini » des produits de la métallurgie suédoise.
Ce qui peut aussi soulever la question du pourquoi dans des
domaines aussi divers que l'automobile, le roulement à billes, le
film, une telle réussite est évidente.

Cet intérêt peut peut-être s'exprimer et s'expliciter en peu de
mots. M. Edström nous donne un fil conducteur important en
situant le problème dès le titre qu'il donne à son article : « La
Suède et son miroir » (3). Et puis, dans le courant de cet article,
comme dans ceux qui le suivent, des situations se font évidentes.
Tout d'abord le cinéma suédois est, à toute époque, très littéraire — ce qui le rend peut-être plus facilement « culturel ».
Mais il est « littéraire » dans la mesure même où cette littérature
est elle-même très liée à la quotidienneté. Du coup, le cinéma
lui aussi fait constamment référence à la banalité des jours. Par
là, la transposition au domaine social est aisée. Elle est très naturellement évidente avec *Adalen 31* de Bo Widerberg. Mais elle
l'est de même quoique de façon moins directement perceptible
avec *La source* d'Ingmar Bergman qui finalement s'attache (ou
s'attaque) au même problème de la violence et de la sécurité.
Cette référence à la banalité des jours semble de parti pris et
implicitement au moins (mais explicitement dans l'article de
M. Edström ou les déclarations d'I. Bergman) se veut ouverture
sur les réalités de la Suède et du monde.

(1) Georges Sadoul, *Histoire générale du cinéma*, Denoël, 1974.
(2) J. Béranger [626] et [631] ; [625].
(3) *Le cinéma suédois*, Revue du Cinéma [236].

Les exemples de cette volonté ne manqueraient pas, y compris (ou surtout ?) avec les films d'Ingmar Bergman, sans excepter bien sûr *Le septième sceau*, qui est méditation sur la mort, qui est aussi constatation de la dérision de l'action et de la vie, mais qui, de plus, est l'affirmation de la domination de la mort par la vie et, à la limite, l'affirmation du choix de la mort et de son moment. Ce film, mais on pourrait prendre bien d'autres exemples, est aussi un appel à la solidarité en même temps que la condamnation de tout aristocratisme. Toutes choses en débat, dès 1956, quand le film fut tourné.

Le jeune cinéma, moins connu en France, est plus nettement que ses devanciers engagé dans « le social » — même quand il refuse le ton documentaire ou « objectif », un peu à l'image de Poliansky tournant *Deux hommes et la Baltique*.

Ce qui, plus encore que toutes les questions que peuvent soulever les moyens audio-visuels et leurs liaisons avec l'histoire ou leur emploi par l'histoire, peut provoquer sinon l'interrogation au moins l'étonnement, est la vitalité affirmée presque sans discontinuité par ce cinéma. Ce qui doit étonner est ce débordement de vie et la qualité de son expression déjà notée par K. Dreyer. Ce qui encore doit provoquer l'intérêt est cette volonté affirmée de heurter par la concision dans l'esthétisme comme dans le réalisme. Cette volonté clairement exprimée se veut de refus à l'indifférence ou, comme le dit un critique suédois :

> « Il faut détruire le mythe de l'écran devant lequel le spectateur est assis bouche bée et avale tout ce qu'on lui sert. Il faut obliger le spectateur à participer à ce qu'il voit, à prendre parti pour ou contre. »

Ce pourrait être dit par B. Brecht, ou par O. Palme. Pourtant cela est dit par un cinéaste contestant « l'idéologie dominante » qui alors est social-démocrate. Le cinéaste, comme le spectateur, se veut partie prenante de l'histoire qui se fait au jour le jour et son insertion dans le corps social est posée, en tant que participant actif.

* * *

L'histoire des pays nordiques pourrait provoquer encore bien des interrogations. Nous avons voulu nous limiter et n'évoquer que quelques points particulièrement évidents des questions qui se posent, de leurs domaines. Mais ces champs évoqués ne sont pas limitatifs. Il en est d'anciens qui ont disparu au cours du xxe siècle, tel le statut des « tenanciers », survivance étonnante d'un servage médiéval inavoué à l'époque contemporaine. D'autres ne sont qu'une fulgurance, ou n'appartiennent qu'à des milieux restreints, que ce soit la passivité de la famille royale de Danemark, en 1940, qui se transforme en symbole de résistance à l'oppression nazie, ou l'attirance manifestée par la maison royale de Suède pour l'Allemagne wilhelminienne puis hitlérienne. Il en est d'autres qui forment une permanence dans l'esprit commun des Européens du Sud, qu'il s'agisse de la liberté sexuelle, de l'oppressante présence de l'Eglise luthérienne ou de la tendance aux suicides. Il y a encore ce qui est stable et le restera sans doute, qui unit l'homme à la nature, soumettant l'être humain aux longs soirs d'été, aux plus longues nuits d'hiver. Il y a enfin ce qui naît et peut modifier l'avenir, que ce soit le Conseil nordique ou le Conseil lapon, ou encore cette unité économique d'Öresund qui, réunissant depuis 1964 Copenhague et Malmö, regroupe près de 3 millions d'habitants vivant en Suède et au Danemark, soit plus de 20 % de la population des deux royaumes réunis, et 23 % de leurs populations actives. Il y a aussi cette prise de conscience sur la situation inégale des sexes dans la production industrielle et qui peut aboutir au paradoxe de l'été 1975 quand les ouvriers des fabriques de bière danoises se mettent en grève pour l'obtention de l'égalité des salaires avec leurs compagnes.

Il y a encore l'étonnante histoire politique de ces pays nordiques, pris en bloc ou séparément, où l'on voit des partis conservateurs accepter le changement et des partis communistes soutenir la continuité; où les extrémismes échouent mais où les violences ne sont pas absentes, que ce soit dans les grèves ou dans leur répression, dans les actes politiques ou dans les jeux.

Vue de loin, l'histoire des pays nordiques peut aujourd'hui paraître statique. Si elle est devenue plus « feutrée », elle n'est pas exempte de flambées brutales ni de souvenirs amers que nous rappellent aussi bien Väinö Linna avec _Ici sous l'étoile polaire_ que Pär Lagerkvist dans ses _Chants et combats_, que nous voyons aussi avec les films suédois récents, mais qui trouve une nouvelle raison d'être, un nouvel axe de lutte et d'espoir qu'expriment aussi bien P. Lagerkvist qu'Artur Lundqvist ou Gunnar Ekelöf annonçant avec _Dedikation_ l'utopie réalisée.

ANNEXES

I / LES DERNIÈRES ÉLECTIONS LÉGISLATIVES
NOMBRE DE DÉPUTÉS PAR
ASSEMBLÉE NATIONALE

1) DANEMARK (total de 175 députés)

	1	2	3	4	5	7	8	9	10	11	12
1971		70	27	17			30		31		
1973	6	46	20	11	14	7	22	14	16	5	28

2) FINLANDE (total de 200 députés)

	1	2	5	6	7	8	12	13	14
1970	36	52	36	12	1	37	8	18	
1972	37	55	35	10	4	34	7	18	
1975	40	54	39	10	9	35	9	2	2

3) ISLANDE (total de 60 députés)

	1	*2*	*5*	*8*	*10*
1967		9	10	18	23
1971	5	6	10	17	22

4) NORVÈGE (total de 150 députés en 1969; de 155 députés en 1973)

	2	*3*	*5*	*7*	*15*	*8*	*10*	*14*
1969	74		20	14		13	29	
1973	62	1	21	20	16	3	29	4

5) SUÈDE (total de 350 en 1970 et 1973; de 349 députés en 1976)

	1	*2*	*5*	*8*	*10*
1970	17	163	71	58	41
1973	19	156	90	34	51
1976	17	152	86	39	55

1 – Députés du Parti communiste; en Islande de « la gauche »;
2 – Députés du Parti social-démocrate;
3 – Députés du Parti de la « gauche radicale », au Danemark; « populiste » en Norvège;
4 – Députés du Parti socialiste, au Danemark;
5 – Députés du Parti du centre (autrefois Parti agrarien); de « l'Alliance » en Islande;
6 – Députés du Parti suédois;
7 – Députés du Parti « chrétien populaire » au Danemark, « démocrate chrétien » en Norvège, « des travailleurs chrétiens » en Finlande;
8 – Députés du Parti libéral; de « l'Union » en Finlande; du « progrès » en Islande;

 9 – Députés du Parti démocrate;
10 – Députés du Parti conservateur; de « l'indépendance » en Islande;
11 – Députés du Parti de la « justice »;
12 – Députés du Parti « du progrès »;
13 – Députés du Parti des « petits fermiers »;
14 – Députés du Parti minoritaire et particulier selon les lieux, classiquement
     rangé sous la rubrique « autres »;
15 – Députés du Parti social.

N. B. — Les partis sont présentés selon l'éventail classique : de la gauche
à la droite.

II / RÉFÉRENDUM EN VUE DE LA PARTICIPATION
A LA COMMUNAUTÉ EUROPÉENNE

1) DANEMARK, 2 octobre 1972 (îles Féroé exclues)

	Danemark	*dont*			
	Danemark	Groenland	Copenhague	Iles	Jutland
Inscrits	3 453 763	24 373	541 551	1 394 471	1 493 368
Exprimés	3 113 121	14 009	481 443	1 268 933	1 348 736
Oui	1 958 043	3 990	227 490	806 388	920 175
Non	1 135 755	9 658	251 178	454 689	420 230
% oui	56,7	16,4	42,0	57,8	61,6
% non	32,9	39,6	46,4	32,6	28,1

2) NORVÈGE, 24-25 septembre 1972.

	Total	Zones urbaines	Zones rurales
Inscrits	2 645 349	1 224 402	1 420 947
Exprimés	2 095 675	976 405	1 119 270
Oui	971 687	547 554	424 133
Non	1 118 281	427 106	691 175
% oui	36,55	44,72	29,84
% non	42,27	34,88	48,63

III / LES DYNASTIES SCANDINAVES

a) *Au Danemark :*

1766-1803 : Christian VII, beau-frère de George III de Grande-Bretagne ;
1808-1839 : Frederik VI ;
1839-1848 : Christian VIII, neveu de Christian VII, cousin de Fr. VI. ;
1848-1863 : Frederik VII, abandon de l'absolutisme ;
1863-1906 : Christian IX, « le beau-père de l'Europe » ;
1906-1912 : Frederik VIII, gendre de Charles XV de Suède, beau-frère d'Edouard VIII de Grande-Bretagne, d'Alexandre II de Russie, frère de Georges Ier de Grèce, beau-frère de Marie d'Orléans et du duc de Cumberland, père des souverains de Danemark et de Norvège (Haakon VII) ;
1912-1947 : Christian X ;
1947-1972 : Frederik IX, gendre du roi de Suède Gustav VI ;
1972-   : Margrethe II.

b) *En Norvège :*

1905-1957 : Haakon VII, fils de Frederik VIII de Danemark, petit-fils de Charles XV de Suède, neveu et gendre d'Edouard VIII de Grande-Bretagne ;
1957-197 : Olav V ;
 197-   : Harald ;

c) *En Suède :*

1814-1818 : Charles XIII ;
1818-1844 : Charles XIV Jean (Bernadotte) ;
1844-1859 : Oscar Ier ;
1859-1872 : Charles XV ;
1872-1907 : Oscar II, frère de Charles XV ;
1907-1950 : Gustav V, cousin de Guillaume II d'Allemagne ;
1950-1973 : Gustav VI Adolphe ;
1973-   : Charles XVI Gustav.

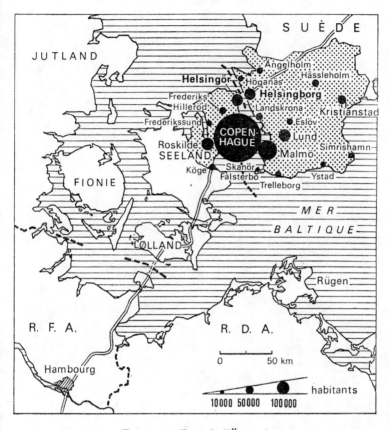

FIG. 11. — Zone de l'Öresund

---- Limites de la zone industrielle de l'Öresund.

(En fait l'Öresund est l'étroit passage entre Helsingborg et Helsingör, où doit être construit un tunnel sous-marin.)

Fig. 14. — Sund et Oresund

Limite de la zone territoriale de l'Oresund.
En tireté, cordon de l'Oresund proprement dit entre Helsingborg et Helsingör
selon convention italo-suédoise.

INDEX DES NOMS DE PERSONNES

TABLE DES ILLUSTRATIONS

TABLE DES MATIÈRES

PREMIÈRE PARTIE

SOURCES ET BIBLIOGRAPHIE

Imprimé en France, à Vendôme
Imprimerie des Presses Universitaires de France
1978 — N° 25 850